365 JOURS POUR LA TERRE

YANN ARTHUS-BERTRAND

Textes sous la direction de Hervé Le Bras

Ont participé à la rédaction des légendes :
Astrid Avundo, Sophie Bily, Séverine Dard, Cyria Emelianoff, Hervé Le Bras,
Virginie Lemaistre, Vanessa Manceron, Frédéric Marchand, Marie-Carmen Smyrnellis

Éditions
de La Martinière

Des chiffres pour la Terre

Notre richesse apparente repose sur la croissance économique, dont les indicateurs ne tiennent pas compte de l'état des ressources naturelles. Par exemple, déforester un pays est donc comptabilisé comme de la création de valeur.

Richesse mondiale	**1990**	**1999**
PIB mondial	21 mille milliards de dollars (US)	30 mille milliards de dollars (US)
Déboisement annuel entre 1990 et 1995 : 101 724 km², soit 20 % de la surface de la France		

Or, depuis les années 1970, la richesse naturelle de la Terre a diminué d'un tiers sous la pression de l'homme.

Population mondiale	**1980**	**1999**
Population urbaine	40 %	46 %
Taux de mortalité des moins de 5 ans	123 ‰	75 ‰ (1998)
Population des 15-64 ans	2,595 milliards	3,761 milliards (1990)
Population active	2,035 milliards	2,892 milliards
Femmes en % de la population active	39 %	41 %
Enfants de 10-14 ans en % de la population active	20 %	12 %
Éducation dans le monde	**1980**	**1997**
Dépenses publiques d'éducation	3,9 % du PNB	4,8 % du PNB

4,9 milliards, soit 80 % de la population habitent dans les pays en voie de développement

▷ 40 % de la population mondiale n'a pas l'électricité – soit environ 2,5 milliards de personnes.

▷ 47 % de la population mondiale vit avec moins de 15 francs par jour.

▷ La part des 50 pays les plus pauvres dans le commerce mondial est passée de 4 % à 2 % ces 10 dernières années (jusqu'en 2000).

▷ 33 % des enfants de moins de 5 ans souffrent de malnutrition.
▷ Un adulte sur 4 est illettré dans le monde (soit il n'a jamais appris à lire – analphabète – soit il a oublié).
▷ Une personne sur cinq dans le monde n'a pas accès à des services de soins modernes.
▷ 95 % des personnes infectées par le sida vivent dans les pays en voie de développement.
▷ La dette extérieure des pays en voie de développement a été multipliée par plus de 6 depuis 1970, atteignant 2,8 mille milliards de dollars en 1999.

1,2 milliard, soit 20 % de la population habite dans les pays développés

▷ Les pays développés représentent 86 % des dépenses privées de consommation.
▷ Les pays de l'OCDE se partagent 67 % du commerce mondial (7 mille milliards de dollars).
▷ La richesse additionnée des 200 personnes les plus riches atteint la valeur de 1,14 mille milliards de dollars.
▷ Le chômage est à son taux historique le plus bas, autour de 4 %.
Un dollar sur dix a été investi dans des Fonds éthiques aux États-Unis en 2000, soit 13 % de l'argent investi.

Une évidence : la vie est possible grâce à l'air, au sol et à l'eau.
Un constat : ils sont en danger, donc nous sommes menacés :

• **Par manque d'air.** Aujourd'hui, l'atmosphère absorbe un tiers du gaz carbonique que nous produisons chaque année. Les deux tiers restants s'accumulent et entraînent, par le biais de l'effet de serre, un déséquilibre climatique qui génère des catastrophes naturelles (inondations, tempêtes, sécheresses, incendies...).

▷ La consommation de combustibles fossiles a été multipliée par 4 en 50 ans. En particulier la consommation de pétrole a été multipliée par 7 (on consomme aujourd'hui en 6 semaines le pétrole que l'on consommait en 1 an en 1950).
▷ Émissions de gaz carbonique en 1990 : 3,3 tonnes/habitant
en 1996 : 4 tonnes/habitant
▷ Consommation d'électricité en 1990 : 1,928 Mwh/habitant
en 1999 : 2,053 Mwh/habitant
▷ La production d'énergie éolienne a été multipliée par dix entre 1990 et 2000, atteignant 1 % de l'énergie mondiale produite en 1999.

• **Par des crises alimentaires.** Les terres cultivables sont une ressource limitée. Il y a de moins en moins de terres pour de plus en plus d'habitants (chaque année, l'équivalent de 10 départements français est transformé en désert). En conséquence, la surface céréalière par habitant a été divisée par deux en 50 ans. Les moyens consacrés à l'agriculture des pays pauvres sont trop faibles pour compenser cette évolution, ce qui déclenche des famines (en 2000, dans le monde, un tiers des enfants de moins de 5 ans souffraient de malnutrition).

Évolution des terres dans le monde	**1980**	**1996**
Terres sous cultures permanentes	0,9 %	1,0% (1997)
Terres irriguées	17,8 %	19,2 %
Terres arables	0,24 ha/hab	0,24 ha/hab
Nombre de tracteurs par milliers de travailleurs agricoles	18	20
Routes revêtues	39 % du total	43,1 % du total (1998)

Le Français produit 350 kg de déchets ménagers par an (ou 1 kg par jour).
L'Américain produit 700 kg de déchets ménagers par an (ou 2 kg par jour).
Près de la moitié des 17 000 réserves naturelles dans le monde sont actuellement utilisées pour faire de l'agriculture.

• **Par des guerres de l'eau.** La quantité d'eau disponible par habitant a baissé de plus de 30 % depuis 1970. Aujourd'hui, une dizaine de conflits sont liés à l'eau dans le monde : en Turquie, en Inde, en Égypte, en Israël... Le nombre de personnes n'ayant pas accès à l'eau potable a été multiplié par quatre ces dix dernières années, atteignant 1 milliard d'individus en 2000.

Répartition de la consommation de l'eau dans le monde

▷ Le Français consomme de 150 à 250 litres d'eau par jour, dont seulement 2 litres sont bus. Ainsi, moins de 0,5 % de l'eau traitée pour être potable est effectivement bue.
▷ Le Kenyan dispose quant à lui de 4 litres d'eau par jour.
▷ Le New-Yorkais consomme 680 litres par jour.

Évolution de la consommation d'eau dans le monde

Multipliée par 7 depuis 1900 et par 5 depuis 1940 (pendant que la population doublait).
Ressources mondiales en eau douce en 1990 : 8 000 m^3 par habitant.

Minimum nécessaire par habitant : 1 000 m^3/an.

Moins de 10 % des villes du monde possèdent une station d'épuration (traitement des eaux usées).

Utilisation de l'eau douce dans le monde

▷ 70 % pour l'agriculture (irrigation, dont les trois quarts s'évaporent).

▷ 22 % pour l'industrie.

▷ 8 % pour les usages domestiques (dont 50 % perdus en fuites dans les réseaux).

Répartition de la disponibilité de l'eau dans le monde

Régions les plus arrosées : 20 mètres d'eau de pluie par an.

Régions les moins arrosées : 50 à 200 millimètres d'eau de pluie par an.

Pourquoi tant d'indifférence ?

D'une part, parce que la majorité des dégradations de ces 30 dernières années sont localisées dans les pays du Sud, qui nous paraissent loin – même si les conséquences vont nous toucher directement.

D'autre part, parce que notre façon d'aborder l'environnement repose encore sur une vision héritée de la période où les ressources de la planète paraissaient inépuisables.

Enfin, parce que nous avons l'impression, à tort, d'être impuissants face à l'ampleur du problème. Pourtant, nous pouvons tous agir : en réduisant nos consommations superflues, et en faisant pression sur les entreprises et les gouvernements pour que s'impose un développement durable, qui réponde aux besoins de tous au présent sans sacrifier les générations futures.

La première solution est donc de sensibiliser, et, puisque l'environnement n'atteint pas les gens, de faire venir l'environnement à eux.

C'est la démarche retenue par Yann, que vous pouvez constater à travers cette édition. Il s'agit d'un éveil nécessaire – parfois merveilleux, parfois inquiétant – si nous voulons espérer transmettre à nos enfants une certaine qualité de vie, et nous assurer un développement durable.

Maximilien Rouer

Fondateur de becitizen.com, *site internet au service du Développement Durable.*

Note : chaque chiffre cité est documenté (sources : Banque Mondiale, PNUD, PNUE, UNESCO, WWF, UICN, WorldWatch Institute, OCDE, FAO, INSEE, World Health Organization, Unicef, Global Water Supply, UN, GIEC (groupe d'experts intergouvernemental sur l'évolution du climat), Organisation mondiale de météorologie, ADEME).
Dans le cas où deux chiffres portant sur le même sujet étaient différents, la valeur la plus modérée a été retenue.

1er janvier

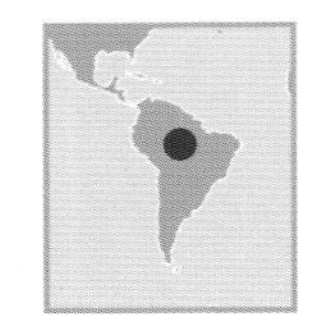

Brésil. État d'Amazonas. Orage en forêt amazonienne.

L'orage est un phénomène météorologique courant, il s'en produit 50 000 par jour à la surface de la planète. Il est dû à un mouvement vertical rapide d'un air instable et humide. L'air s'élève, se refroidit, puis se condense lorsqu'il contient une quantité maximale de vapeur d'eau. Il forme alors un énorme cumulo-nimbus dont la taille peut atteindre 25 km de diamètre et 16 km de haut sous les latitudes basses. Les mouvements de charges électriques dans ce nuage produisent des éclairs accompagnés de tonnerre et de fortes pluies. En Amazonie, l'intense évaporation conduit à des orages fréquents et souvent très violents. Partout dans le monde, les orages causent d'importants dégâts aux cultures et aux constructions, perturbent les circulations aériennes et terrestres, troublent les systèmes de communication et sont responsables de la mort de centaines de personnes et de milliers d'animaux. Un réchauffement de la planète entraînerait l'augmentation de la quantité moyenne de vapeur d'eau dans l'atmosphère et du volume des précipitations, mais aussi une fréquence accrue d'épisodes météorologiques violents tels que des orages, des tornades ou des cyclones et la multiplication de leurs dégâts. Les grandes compagnies d'assurances se préparent déjà à cette prise de risque.

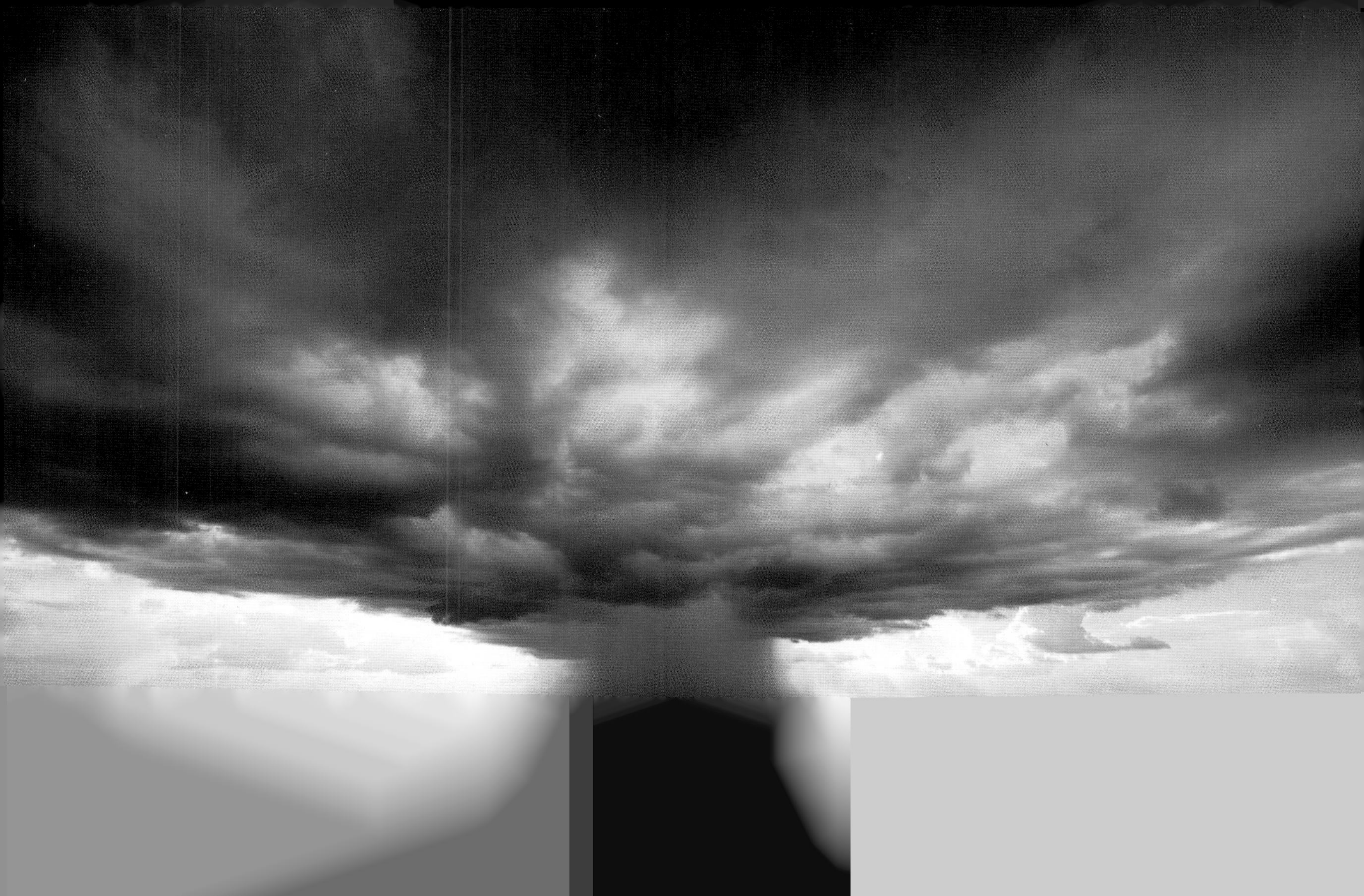

2 janvier

Honduras. Région de San Pedro Sula. Lagune près du lac de Los Micos.

Entre mangroves et sable fin, la lagune de Los Micos (« les singes »), sur la côte caraïbe du Honduras, constitue l'un des paysages tropicaux typiques du parc national Punta Sal, réserve forestière et animalière exceptionnelle. Quelques complexes hôteliers récemment installés coexistent avec les villages garífunas traditionnels. Encore au nombre de 90 000 au Honduras, les Garífunas descendent d'esclaves naufragés mêlés aux Indiens Caraïbes et Arawaks à Saint-Vincent, déportés sur la côte nord et dans les îles de la baie à la fin du XVIIIe siècle. Ils ont conservé leurs racines africaines à travers danses (la *punta*), musique et croyances religieuses, ainsi que leur langue, mais tous parlent espagnol. Malgré l'attrait que représente la région, le tourisme reste encore très modeste au Honduras, dont l'économie est dominée par les compagnies bananières américaines. Cette situation risque de durer car les catastrophes naturelles induites par El Niño se sont abattues sur le pays avec une rare violence en 1997 et 1998 : immenses incendies de forêts dus à une sécheresse inhabituelle, et surtout passage de l'ouragan Mitch qui a fait 6 000 morts, 8 000 disparus et laissé 2 millions de sans-abri sur une population totale de 6 millions d'habitants.

3 janvier

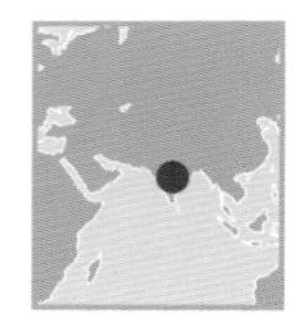

Inde. Rajasthan. Cotonnades séchant au soleil à Jaipur.

Important centre de production textile, l'État du Rajasthan, au nord-ouest de l'Inde, est réputé depuis des siècles pour son artisanat de teinture et d'impression sur coton et sur soie, pratiqué par la communauté Chhipa. Les techniques traditionnelles de décoration à la cire et d'impression au tampon sont aujourd'hui concurrencées par la sérigraphie qui permet une production à grande échelle, tandis que les pigments naturels sont progressivement délaissés au profit de colorants chimiques. En revanche, les multiples trempages destinés à fixer la couleur et le séchage des tissus au soleil, comme ici à Jaipur, sont toujours pratiqués. Les femmes Chhipa qui exécutent ce travail font partie des 25 % de femmes de la population active indienne. Cette participation des femmes à l'activité économique est en croissance comme dans la plupart des pays du monde. Cependant en Inde, les filles sont traditionnellement considérées comme ayant une moindre valeur économique. D'où une forte mortalité infantile des petites filles par manque de soins. En conséquence, on trouve en Inde comme en Chine, mais contrairement à l'ensemble des pays du monde, plus d'hommes que de femmes.

4 janvier

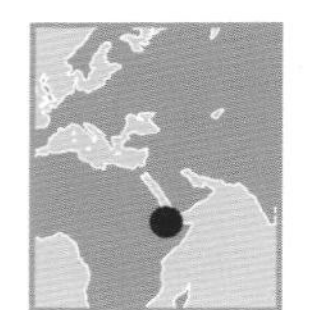

Djibouti. Troupeau de chèvres parmi les cheminées du lac Abbé.

Les 80 000 nomades qui se partagent les rares pacages de Djibouti appartiennent à l'une des deux ethnies dominantes, les Afars (37 %) qu'on retrouve dans l'Éthiopie voisine et les Issas (50 %) qui s'apparentent aux Somali. La minuscule république de Djibouti est un vestige de l'impérialisme européen qui l'a créée de toutes pièces comme de nombreux États africains. Maintenant que la route des Indes qu'elle surveillait a perdu de son importance, Djibouti demeure cependant une place forte de l'armée française qui constitue ici une troisième communauté. Dans l'Arabie voisine, se trouvent en effet de riches États pétroliers peu peuplés avec lesquels la France échange des armes sophistiquées contre du pétrole. D'importants accords militaires la lient par exemple aux Émirats arabes unis qui possèdent le deuxième plus grand gisement de gaz du monde pour une population d'à peine 200 000 personnes (auxquelles s'ajoutent 500 000 étrangers). La consommation d'hydrocarbures s'avère ainsi doublement dommageable. D'une part, elle accentue l'effet de serre, de l'autre, elle stimule la fabrication des armes et l'exploitation de travailleurs étrangers.

5 janvier

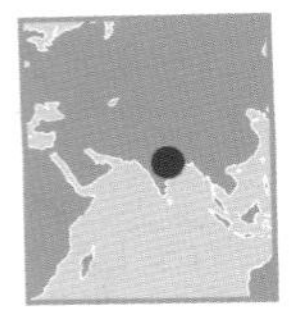

Népal. Région du Pahar. Rizières au sud de Pokhara.

Parcourue par un réseau de cours d'eau, la vallée de Pokhara, dans la région du Pahar au centre du Népal, abonde en terres fertiles d'origine alluviale. Les flancs des collines sont couverts d'une mosaïque de rizières en terrasses retenues par de petits talus de terre. Au Népal, où 80 % de la population vit de l'agriculture, le riz, cultivé en famille, constitue la première production agricole du pays (3,7 millions de tonnes en 1997). À la fin des années 1970, les paysans disposaient d'un petit excédent qui permettait d'exporter une partie des récoltes, en particulier vers le Tibet. Aujourd'hui, les investissements qui permettraient notamment de développer l'irrigation sont insuffisants. En dépit des efforts d'expansion des surfaces cultivées et de l'utilisation d'engrais et de semences plus performantes, les rendements ne suffisent pas à combler les besoins de la population népalaise, ce qui contraint le pays à importer cette céréale.

6 janvier

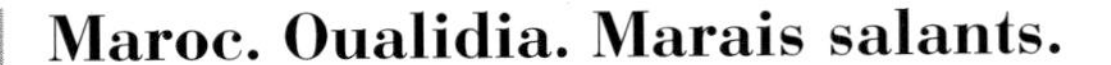

Maroc. Oualidia. Marais salants.

Oualidia est une petite station balnéaire située à 175 km au sud-ouest de Casablanca. Les conditions topographiques, climatiques et géologiques y rendent possible l'exploitation de marais salants, qui demandent un sol plat et imperméable, un climat favorisant l'évaporation et une absence de précipitation pendant une assez longue période de l'année. De vastes réservoirs d'alimentation où l'eau se décante, les *vasais*, se remplissent aux grandes marées. Des compartiments moins profonds sont disposés en chicane, les *métières*. L'eau circule ensuite avec une salinité croissante dans des compartiments de moins en moins profonds jusqu'aux aires saunantes de faible superficie où s'effectue la récolte du sel. Ce produit aujourd'hui si bon marché fut jusqu'au XIXe siècle une denrée rare, taxée lourdement par les États (la gabelle en France) et transportée sur d'immenses distances par caravane, à travers le Sahara. D'autres matières aujourd'hui hors de prix pourraient connaître le même destin : l'or et les diamants par exemple.

7 janvier

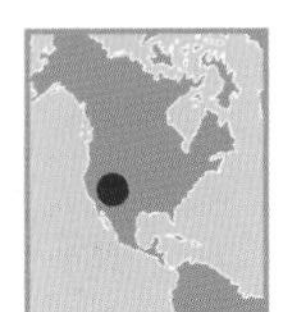

États-Unis. Utah. Moab. Mine de potasse.

À la fin de l'ère primaire, les mers qui recouvraient l'état de l'Utah se sont asséchées et le sel s'est déposé sur 900 m d'épaisseur. Il a été recouvert par 1 500 m d'alluvions, au cours des ères ultérieures. Le glissement de la couche de sel et, par endroits, sa dissolution sous l'effet des eaux souterraines, ont entraîné des effondrements chaotiques et mis les roches sans dessus dessous autour de Moab, ce qui explique les reliefs extraordinaires des parcs nationaux voisins de Canyonsland et d'Arches. La potasse qui était mélangée au sel souterrain s'est concentrée sur une surface de 28 600 km² qui renfermerait 200 milliards de tonnes, soit cinq siècles de production mondiale. Pour l'extraire, on a injecté dans le sous-sol l'eau de la rivière Colorado, qui dissout les sels. La saumure ainsi obtenue est pompée jusqu'à la surface afin d'être mise dans d'immenses bassins de décantation. L'eau s'évapore vite car dans cette partie du désert de l'Utah, on compte 360 jours de soleil par an et 5 % d'humidité dans l'atmosphère et il ne reste qu'à recueillir en surface la sylvite ou chlorure de potassium.

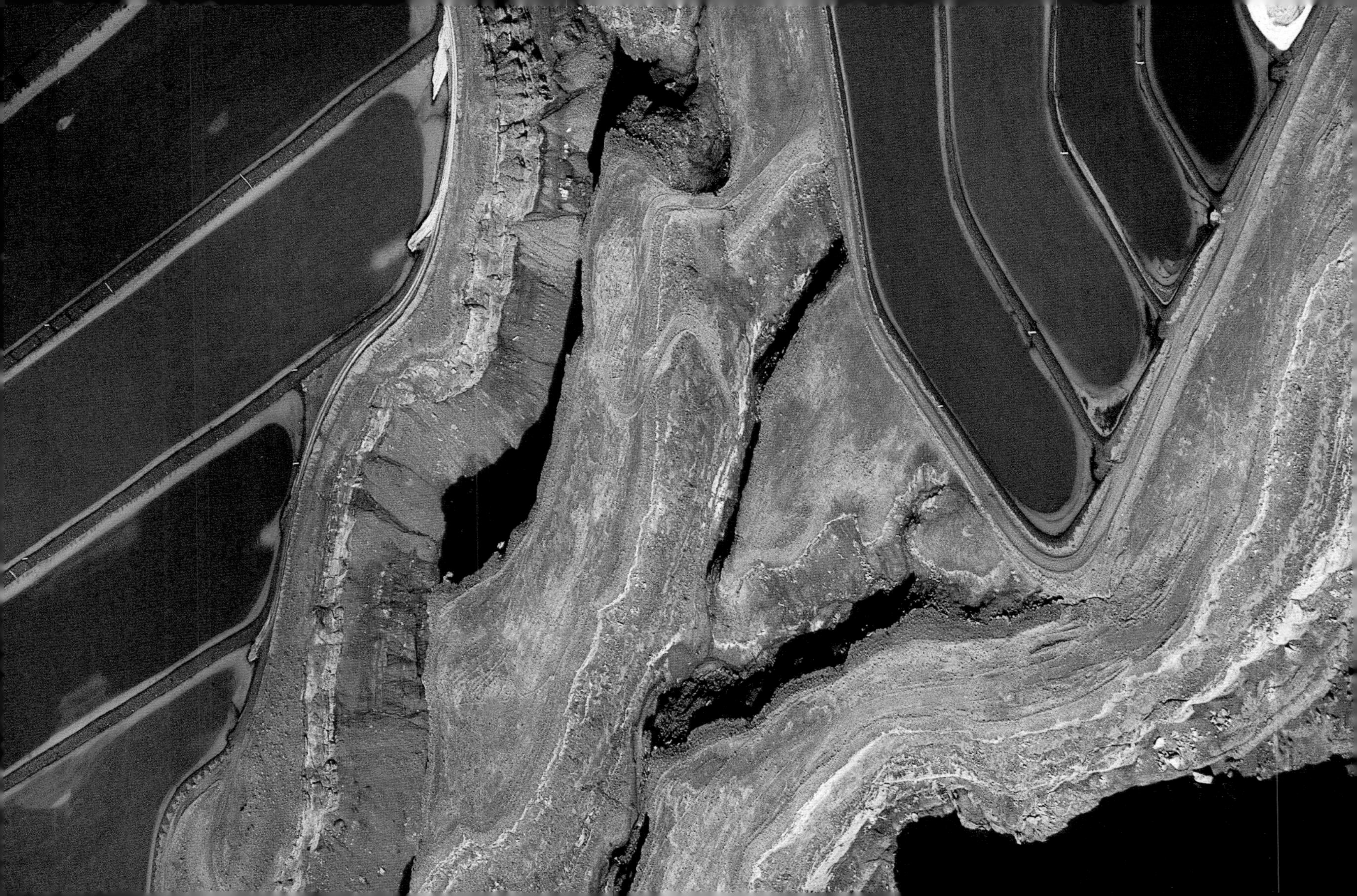

8 janvier

Australie. Kimberley, comté de Halls Creek. Parc national de Bungle Bungle.

Les colonnes et les dômes bigarrés du parc national de Bungle Bungle dans le Nord-Ouest australien forment un dédale de 770 km^2. Leur curieuse structure a été creusée par les fleuves temporaires qui dévalent les pentes après les pluies rares et diluviennes. Elle est ensuite arrondie par l'érosion éolienne permanente des vents du désert. Les couleurs variées des couches sont dues à la succession de sédiments marins dont il ne subsiste que la silice de coloration orangée, et de débris terrestres essentiellement formés de lichens à l'origine de la teinte vert-de-gris. Ces alternances manifestent la force obstinée de la vie sur la terre. Si toute la matière vivante était en effet uniformément répandue sur la surface terrestre, elle formerait seulement une couche de quelques millimètres d'épaisseur. Mais cette fine pellicule a créé au cours de millions d'années d'immenses strates superposées qui assurent la dynamique du globe : le carbone de la matière organique accumulé dans les sédiments s'enfonce, rencontre le magma en fusion et est redistribué par les éruptions volcaniques. La vie est donc le moteur de l'évolution géologique et non l'inverse, d'où l'intérêt de surveiller les conditions de son maintien.

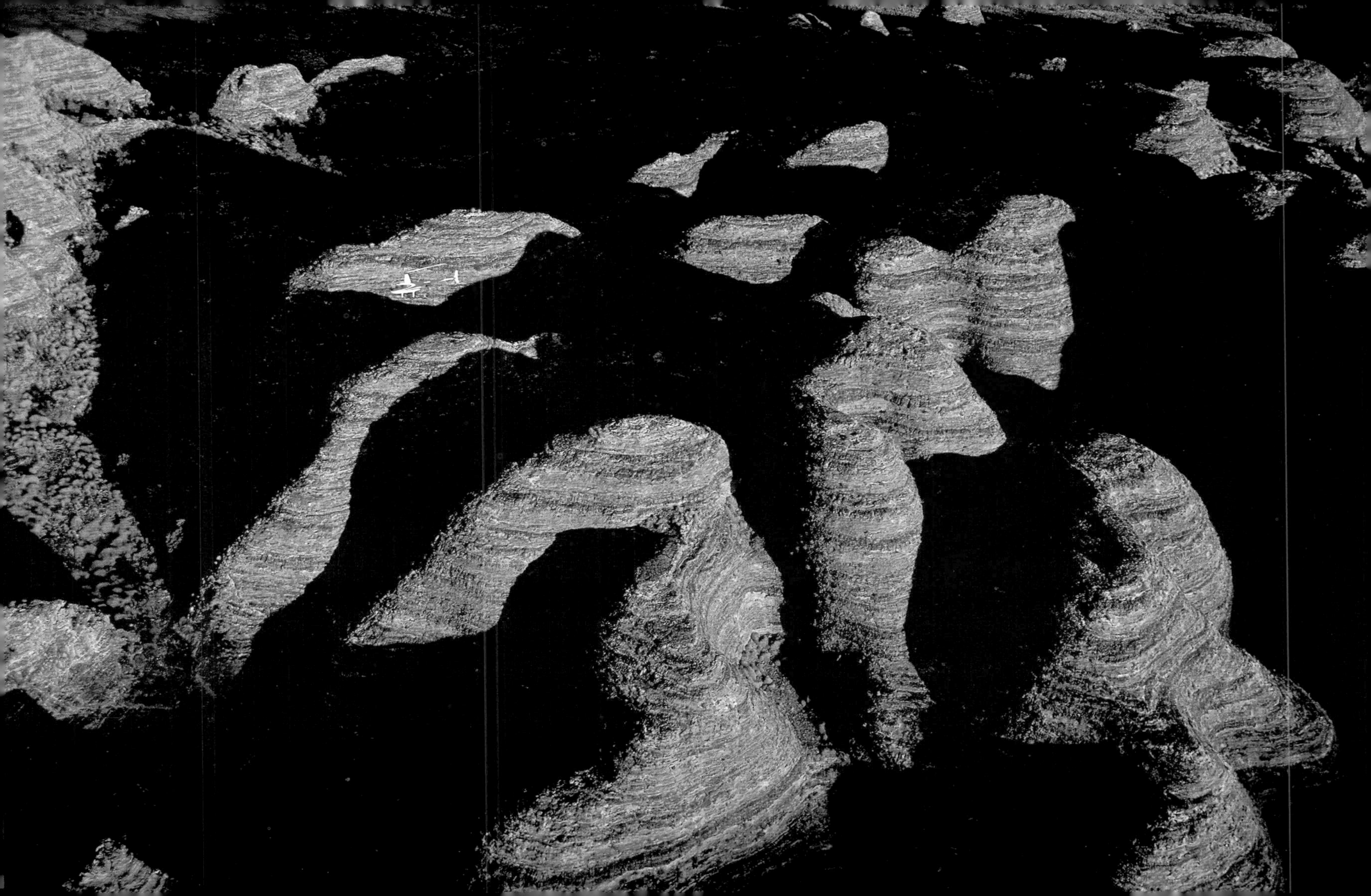

9 janvier

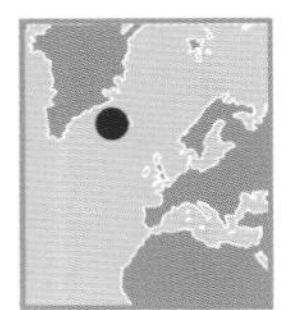

Islande. Archipel de Vestmannaeyjar. Îlot près de Heimaey.

Vestmannaeyjar est le nom qu'a donné, à la fin du IXe siècle, le Viking norvégien Ingolfur Arnarson à cet archipel de treize îles, situé au sud-ouest de l'Islande ; ce nom, qui signifie « les îles des hommes de l'ouest », fait référence aux débuts de l'histoire islandaise : c'est dans la plus importante d'entre elles, Heimaey, qu'Ingolfur, premier « colon » de l'Islande, aborda et qu'eut lieu l'un des épisodes marquants de la colonisation de ce pays, lorsque le chef viking rattrapa et massacra les esclaves irlandais qui accompagnaient son frère et l'avaient tué après lui avoir tendu une embuscade. Mais les îles Vestmannaeyjar renvoient à une autre spécificité de l'Islande : son intense activité volcanique. En 1963, à 20 km au large d'Heimaey, une éruption volcanique sous-marine donna naissance à la plus jeune île du monde, Surtsey ; dix ans plus tard, une gigantesque explosion volcanique modifiait le visage d'Heimaey qui s'agrandit de 3 km² et s'enrichit d'un nouveau volcan, Eldfell, haut de 223 m, encore incandescent aujourd'hui.

10 janvier

Botswana. Delta de l'Okavango. Rivière dans les marais.

Long de 1 300 km, l'Okavango, troisième fleuve d'Afrique australe, prend sa source en Angola. Il s'élargit au Botswana en un delta intérieur couvrant environ 15 000 km^2. Ses 18 milliards de m^3 d'eau sont progressivement aspirés par les sables du désert du Kalahari ou évaporés dans l'air desséché. Le « fleuve qui ne trouve jamais la mer » se perd ainsi dans un vaste labyrinthe marécageux, peuplé d'un nombre prodigieux d'animaux sauvages. Depuis plus d'un siècle, des prédateurs de toutes sortes menacent ce delta : trafiquants d'ivoire au début du siècle, éleveurs de bovins et de moutons dans les années 1950, plus récemment invasion annuelle de quelque 45 000 touristes, et maintenant projet de drainage des rivières. Sans compter l'exploitation minière du diamant, dont le Botswana est le 5e producteur mondial, qui exige de grandes quantités d'eau pour être extrait. Ce qui menace dans un pays où l'eau devient rare, se répète dans de nombreux autres pays. La surface des marais et des estuaires, écosystèmes riches et fragiles, diminue rapidement dans le monde entier.

11 janvier

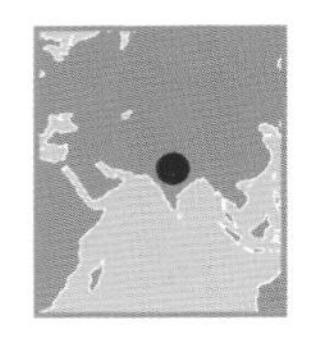

Népal. Katmandou. Stupa de Bodnath, sanctuaire bouddhiste.

La ville de Bodnath abrite l'un des sanctuaires bouddhistes les plus vénérés du Népal, notamment par les milliers de Tibétains exilés dans ce pays voisin. Ce stupa, monument reliquaire en forme de tumulus surmonté d'une tour, recèlerait un fragment d'os du Bouddha. Avec 40 m de hauteur et de diamètre, il est le plus grand du Népal. Dans l'architecture de ce sanctuaire, tout est allégorie : le cosmos et les éléments de l'univers (terre, eau, feu, air, éther) y sont symbolisés ; les yeux du Bouddha fixent les quatre points cardinaux ; les divers stades d'accès à la connaissance suprême, le nirvana, sont représentés par les treize marches de la tour. Lors des fêtes religieuses, le monument est décoré d'argile jaune et orné de drapeaux de prière. Le bouddhisme, troisième religion dans le monde après le christianisme et l'islam, rassemble plus de 325 millions d'adeptes, dont 99 % en Asie.

12 janvier

Turquie. Rivage de la mer de Marmara. Tremblement de terre à Golcük.

Le séisme qui a frappé la région d'Ismit, le 17 août 1999 à 3 h 02, avait une magnitude de 7,4 degrés sur l'échelle de Richter, qui en compte 9. L'épicentre était situé à Golcük, ville industrielle de 65 000 habitants. Ce séisme a officiellement provoqué la mort d'au moins 15 500 personnes, ensevelies pendant leur sommeil. L'effondrement partiel ou total de 50 000 immeubles a suscité une polémique mettant en cause les entrepreneurs, accusés de ne pas avoir respecté les normes de construction antisismique. La Turquie, traversée par la faille coulissante nord-anatolienne soumise à la pression de la plaque arabique qui remonte vers le nord, est régulièrement victime de séismes (1992 : 500 morts ; 1995 : 100 morts, 50 000 sans-abri). Les bordures des plaques tectoniques sont particulièrement exposées aux risques sismiques. C'est le cas de la zone transasiatique qui court des Açores à l'Indonésie en passant par la Turquie, l'Arménie (25 000 morts en 1988) ou l'Iran (45 000 morts en 1990).

13 janvier

Koweït. Cimetière de chars irakiens dans le désert près de Jahra.

La guerre du Golfe déclenchée le 2 août 1990, après l'invasion du Koweït par l'Irak, a fait des milliers de morts et coûté plus d'un milliard de dollars par jour. Perdue par l'Irak face à une coalition de 28 pays, elle a surtout conforté la prédominance des États-Unis qui apparaissent plus que jamais comme la puissance dictant l'ordre du monde. Ce conflit politique autant qu'économique a aussi été marqué par une remise en cause du traitement de l'information par les médias qui sont rétrospectivement apparus comme porte-parole de l'armée américaine. Au début du IIIe millénaire, les affrontements armés sont toujours d'une grande actualité à la surface de la planète. Si les guerres conventionnelles sont finalement assez rares, ce sont les guerres civiles qui font le plus de ravages. Provoquant des exodes massifs, elles font des millions de réfugiés qui croupissent dans des camps. Depuis 50 ans, on comptabilise plus de 50 millions de victimes de déplacements forcés dans le monde. Le problème des réfugiés se double du problème de leur sécurité dans les pays d'asile qui sont souvent déstabilisés par cet afflux d'étrangers. Le Haut Commissariat des Nations Unies pour les réfugiés (HCR), confronté à cette problématique, conditionne l'avenir à notre capacité à supprimer ces conflits.

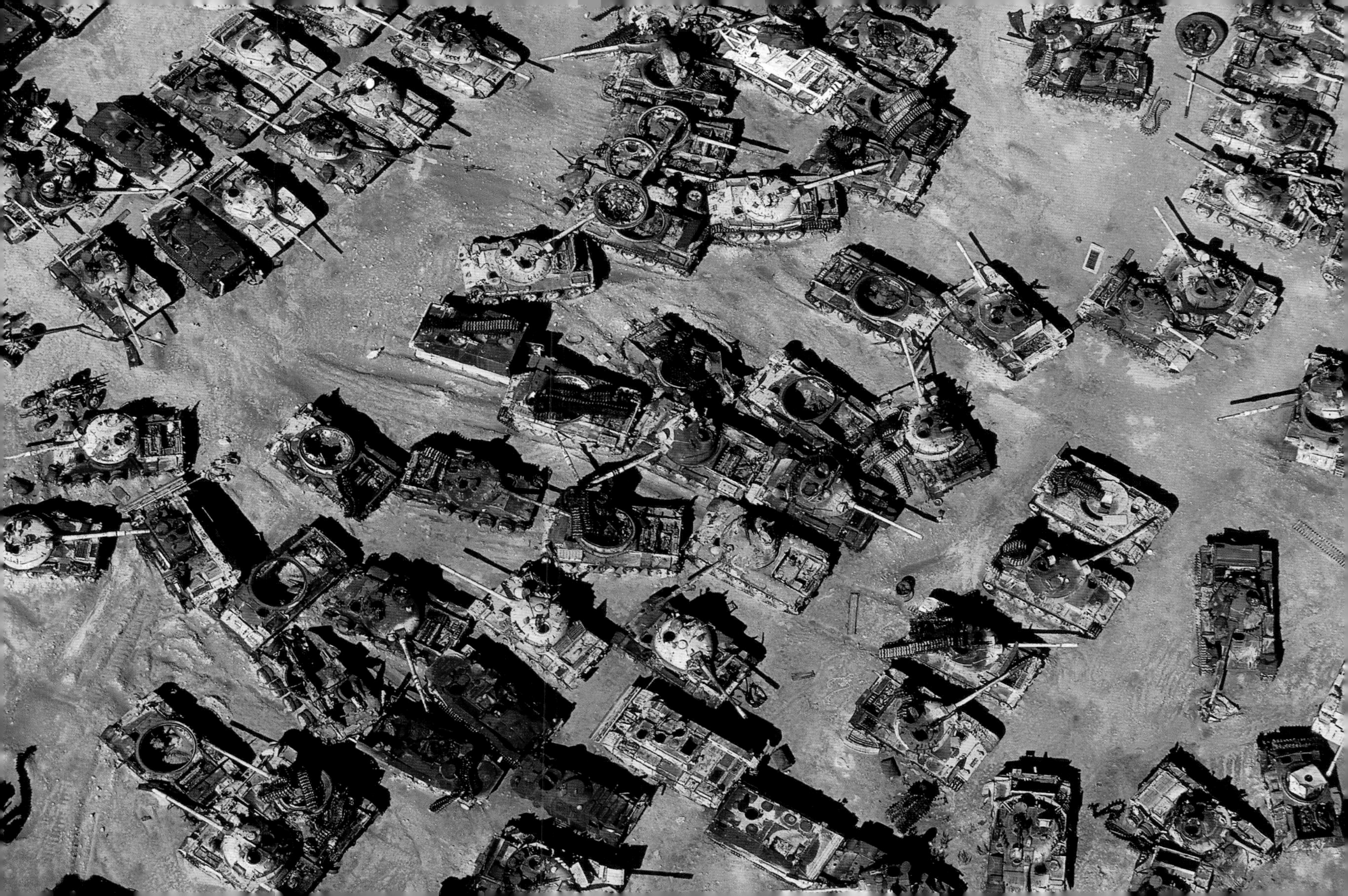

14 janvier

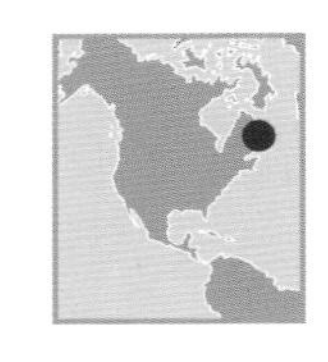

Canada. Province de Québec. Charlevoix, forêts.

Situé au nord-est du Québec, le Charlevoix est le plus petit territoire de cette province avec 6 000 km² de superficie. L'histoire de sa formation géologique est peu banale. Le Charlevoix est en effet un immense cratère (l'un des plus grands du monde) né de l'impact d'une météorite géante tombée il y a quelque 350 millions d'années. La beauté de ses paysages, marqués par la coexistence des montagnes et de l'eau, avec en particulier le Saint-Laurent, comme la présence de milieux végétaux très divers, depuis les érablières d'ormes et de frênes jusqu'aux aires de toundra et de taïga dans lesquelles vivent des troupeaux de caribous, réintroduits à la fin des années 1960 avec succès, ont incité l'Unesco, en 1989, à classer cette région Réserve de la biosphère, aux côtés des 324 autres sites ainsi classés dans le monde.

15 janvier

Niger. Détail d'un village aux environs de Tahoua.

Ce village près de Tahoua, au sud-ouest du Niger, présente une architecture haoussa caractéristique, avec ses maisons cubiques en banco (mélange de terre et de fibres végétales) associées à d'imposants greniers à grain aux formes ovoïdes. Majoritaire dans le pays (53 % de la population), le peuple haoussa est essentiellement constitué d'agriculteurs sédentaires. Cependant, il doit surtout sa réputation à la qualité de son artisanat et à son sens du négoce, les cités-États haoussa installées au nord du Nigeria ayant imposé leur puissance commerciale à de nombreux pays d'Afrique pendant plusieurs siècles. Aujourd'hui, la région de Tahoua est traversée par un axe routier qui mène vers le Nord et qui est communément appelé la « route de l'uranium » ; le sous-sol riche en minerai du massif de l'Aïr fournit en effet chaque année plus de 2 500 tonnes d'uranium, plaçant le Niger aux tout premiers rangs des producteurs mondiaux.

16 janvier

Brésil. São Paulo. Piscine de l'Université de São Paulo.

São Paulo est la plus grande métropole du Brésil (15,2 millions d'habitants dans l'agglomération). De profondes inégalités sociales conduisent à une ségrégation spatiale toujours plus nette. Des quartiers uniquement habités par des riches se transforment en villes à l'intérieur de la ville, protégés par des milices, surveillés par des caméras, enserrés par de hautes murailles qui les mettent à l'abri de la violence et de la misère qui les entourent. À l'autre extrémité de l'échelle sociale, les bidonvilles (favelas) sont passés de 1,1 % de la population en 1973 à 19,4 % en 1993. Dans ce nouvel apartheid social, de véritables enclaves sont arrachées à l'espace public. C'est l'équivalent des « *gated communities* » californiennes. Water for Crest, quartier de Los Angeles (« Un monde plus parfait », selon le slogan de sa campagne promotionnelle), est ainsi conçu comme un bloc uniforme aussi facile à défendre qu'une forteresse médiévale mais aussi moderne qu'un lieu de haute technologie et doté de tous les équipements sportifs et culturels. La fragmentation spatiale s'accompagne d'une privatisation de l'environnement urbain qui menace à terme la démocratie dont l'exercice suppose un espace public.

17 janvier

Ukraine. Région de Tchernobyl. Barges échouées dans un méandre de la rivière Pripiat.

L'explosion, le 25 avril 1986, d'un des quatre réacteurs de la centrale nucléaire de Tchernobyl a provoqué un accident écologique majeur, à l'échelle continentale. La pollution radioactive a franchi la frontière avec la Biélorussie, puis, transportée par les nuages, a contaminé tout le nord-ouest de l'Europe. L'ampleur de la catastrophe se reflète dans un dicton populaire apparu à cette occasion : « Rare est l'oiseau qui peut traverser la rivière Pripiat. » Il exprime le désarroi d'une population après les très fortes radiations qu'a subie la Pripiat – cet affluent navigable du Dniepr de long de 775 km sur lequel a été construite la centrale nucléaire – car des villages entiers ont été vidés de leurs habitants après l'établissement d'un périmètre de sécurité autour de la centrale. On peut craindre que d'autres centrales situées dans des zones sismiques (par exemple en Turquie) ou inondables (en France) ne soient à l'origine de semblables catastrophes, mais celle de Tchernobyl fut causée par d'énormes erreurs humaines. L'homme reste plus dangereux que la nature et que la technique, mais cette dernière multiplie les conséquences de ses erreurs.

18 janvier

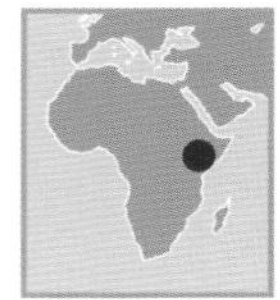

Kenya. Île centrale du lac Turkana.

Le lac Turkana est aussi nommé la « mer de Jade » en raison du contraste de ses eaux avec un environnement particulièrement aride. Comme d'autres grands lacs d'Afrique orientale, il occupe le cratère d'un ancien volcan. Jadis beaucoup plus étendu, le lac grouillait d'une vie sauvage dont témoignent les ossements fossilisés que l'on retrouve dans les sols du voisinage. Sa surface s'est peu à peu réduite, l'isolant finalement du Nil auquel il apportait une contribution majeure. L'île au centre du lac rassemble des colonies de crocodiles dont les œufs et la chair sont convoités par les pêcheurs traditionnels Luo. Mais la pêche industrielle tend à se développer et à supplanter progressivement les embarcations ancestrales. À terme, l'exploitation du lac Turkana semble compromise car une forte évaporation augmente lentement son taux de salinité, le condamnant à devenir l'équivalent de la mer Morte si le régime des pluies ne se modifie pas. Or, par contrecoup de la plus formidable fluctuation des températures équatoriales, baptisée El Niño, qui affecte l'océan Pacifique, la sécheresse s'est accentuée depuis cinq ans et provoque déjà des ravages dans l'Éthiopie voisine. De tels phénomènes sont peut-être annonciateurs d'un vaste changement climatique.

19 janvier

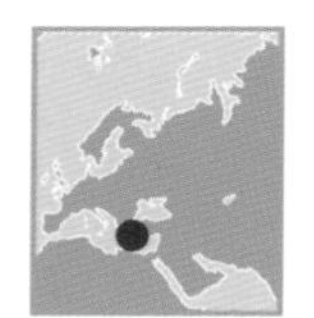

Grèce. Crète, région de Lassithi. Paysan labourant son champ.

En Crète, la pratique de l'agriculture et l'accès aux champs sont rendus difficiles par le relief escarpé ; l'âne, moyen traditionnel de locomotion, de transport et de traction, est certainement l'animal le mieux adapté à la topographie de l'île. Malgré l'aridité du climat et des moyens agricoles obsolètes, 30 % des terres sont cultivées, irriguées grâce à un système de puisage par éoliennes. Grenier à blé de la Crète dans l'Antiquité, la plaine fertile du plateau de Lassithi est aujourd'hui encore un lieu de culture intensive de céréales mais aussi de pommes de terre. Depuis plusieurs années, la Grèce a lancé un programme de modernisation des techniques agricoles qui tarde à se mettre en place, notamment en Crète, justement, l'une des rares régions d'Europe où l'utilisation de l'âne est encore généralisée alors qu'elle a été abandonnée dans la plupart des pays industrialisés.

20 janvier

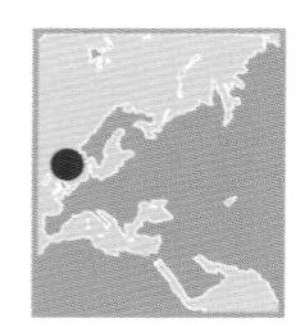

Écosse. Mer du Nord. Plate-forme offshore Total Oil Marine : Alwyn North.

À 400 km au large d'Aberdeen en Écosse, le gisement d'Alwyn North a été découvert en 1975. Le renchérissement considérable du prix du pétrole après le premier choc pétrolier de 1973 a stimulé la recherche de nouveaux gisements et permis la mise en œuvre de techniques d'extraction sophistiquées et coûteuses. La hausse des coûts explique ainsi un phénomène constant depuis un demi-siècle mais peu connu : les réserves prouvées d'hydrocarbures ont augmenté et avec elles les possibilités de consommation future, donc l'importance de l'effet de serre et des troubles climatiques qu'il induit. Paradoxalement, au lieu de freiner la consommation, les crises pétrolières en permettent ainsi l'augmentation à moyen terme de la même manière que les crises de subsistance en favorisant de nouvelles cultures permettaient en fait l'augmentation de la population dans la théorie de Malthus. La course aux records de profondeur des gisements marins (2 000 m actuellement au large de l'Angola contre 20 m en mer du Nord) et le gigantisme des plates-formes d'exploitation augmentent les risques de catastrophe écologique. La plate-forme géante de l'opérateur brésilien Pétrobraz qui vient de s'abîmer en mer en a fourni récemment l'illustration.

21 janvier

Niger. Massif de l'Aïr. Caravanes de dromadaires près de Fachi.

Depuis des décennies, les Touaregs de l'Aïr parcourent régulièrement avec leurs caravanes de dromadaires les 785 km qui séparent la ville d'Agadez des salines de Bilma, pratiquant le commerce traditionnel du sel, denrée rare dans ce pays enclavé. Attachés les uns derrière les autres et guidés par un homme de tête, les dromadaires circulent en convoi au rythme de 40 km par jour, malgré des températures atteignant 46 °C à l'ombre et des charges de près de 100 kg par animal. Sur le trajet, Fachi, seule localité importante, constitue une halte indispensable pour se sustenter et décharger une partie de la cargaison. Les caravanes de sel, autrefois constituées de plusieurs milliers de bêtes, ne dépassent guère aujourd'hui la centaine d'animaux ; peu à peu elles sont supplantées par le camion qui, pour le transport de marchandises, équivaut à lui seul à quelques centaines de dromadaires.

22 janvier

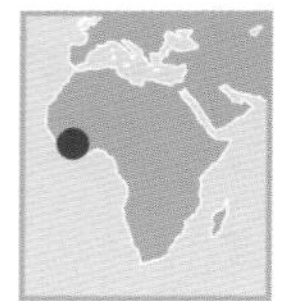

Côte-d'Ivoire. Yamoussoukro. Dôme de la basilique de la Paix.

Capitale officielle de la Côte-d'Ivoire depuis le 21 mars 1983, à la place d'Abidjan, Yamoussoukro est « le village natal » du président Houphouët-Boigny. Transformé à partir des années 1970, il s'est en fait métamorphosé en une véritable ville, au réseau routier impressionnant, forte de plus de 100 000 habitants. Dans le cadre de cet urbanisation tous azimuts, l'une des réalisations les plus frappantes – et les plus controversées – est Notre-Dame-de-la-Paix, l'immense basilique de la ville. Le projet de Pierre Fakhoury fut retenu par Houphouët-Boigny en 1986 et inauguré dès 1989. L'architecture de l'édifice et plus particulièrement son dôme, haut de 160 m, copie celle de Saint-Pierre de Rome. Tout autour, un immense parc à la française devrait remplacer la cocoteraie originelle. Si de nombreux espaces demeurent non construits ou inoccupés, Yamoussoukro s'est définitivement installée. Caprice d'un potentat, elle peut devenir une véritable métropole. Les maîtres éprouvent toujours une légère crainte devant la foule des déshérités et préfèrent transférer leur administration et leur cour en un lieu calme où ils oublieront la misère de leurs sujets. Ce furent Versailles, Potsdam, puis Washington ou Canberra.

23 janvier

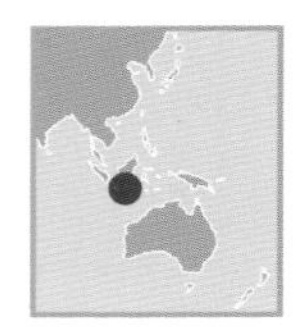

Indonésie. Culture d'algues à Bali.

Exclusivement utilisées comme engrais dans l'Antiquité, puis incorporées sous forme de cendres dans la fabrication du verre au XVIe siècle, les algues sont aujourd'hui produites à 97 % à des fins alimentaires. Des 30 000 espèces d'algues connues dans le monde, seulement quelques dizaines sont exploitées. Parmi elles, les algues carraghénophytes (Floridées riches en mucilages), également appelées chondrus ou lichens d'Irlande, sont utilisées comme gélifiants, épaississants ou stabilisants par les industries agroalimentaire, pharmaceutique et cosmétique. En Extrême-Orient, la culture de ce type d'algues vertes se pratique sur des cordages ou des filets immergés. Les principaux producteurs en sont l'Indonésie et les Philippines, avec respectivement 23 % et 65 % de la production mondiale. En revanche, toutes espèces d'algues confondues (vertes, rouges, et brunes), c'est la Chine qui arrive en tête des pays producteurs, le Japon étant le premier pays consommateur.

24 janvier

Kenya. Enclos Rendille entre le lac Turkana et Marsabit.

Au nord-ouest du Kenya, les Rendille, qui selon la légende seraient issus à la fois des Samburu (avec lesquels ils entretiennent des liens étroits de parenté et de coopération économique) et des Somali, rassemblent quelque 22 000 éleveurs de chameaux. Leur vie s'organise entre de grands campements semi-permanents où demeurent hommes mariés, femmes et enfants, et des campements mobiles formés uniquement des jeunes hommes s'occupant des troupeaux, à la recherche de nouveaux pâturages. Le bétail Rendille est rassemblé chaque nuit, près des camps, dans des enclos d'épineux évitant son éparpillement et les attaques des prédateurs. De leur côté, dans la journée, les jeunes filles de la tribu emmènent paître les troupeaux de chèvres et de moutons dont elles ont la charge. Après la saison des grandes pluies (juin-juillet), les jeunes pasteurs peuvent trouver des pâturages plus proches des grands campements et assister alors à une cérémonie, l'*Almhata*, fête rituelle durant laquelle ils boivent quantité de lait, prélude au déplacement de la tribu vers un nouveau site.

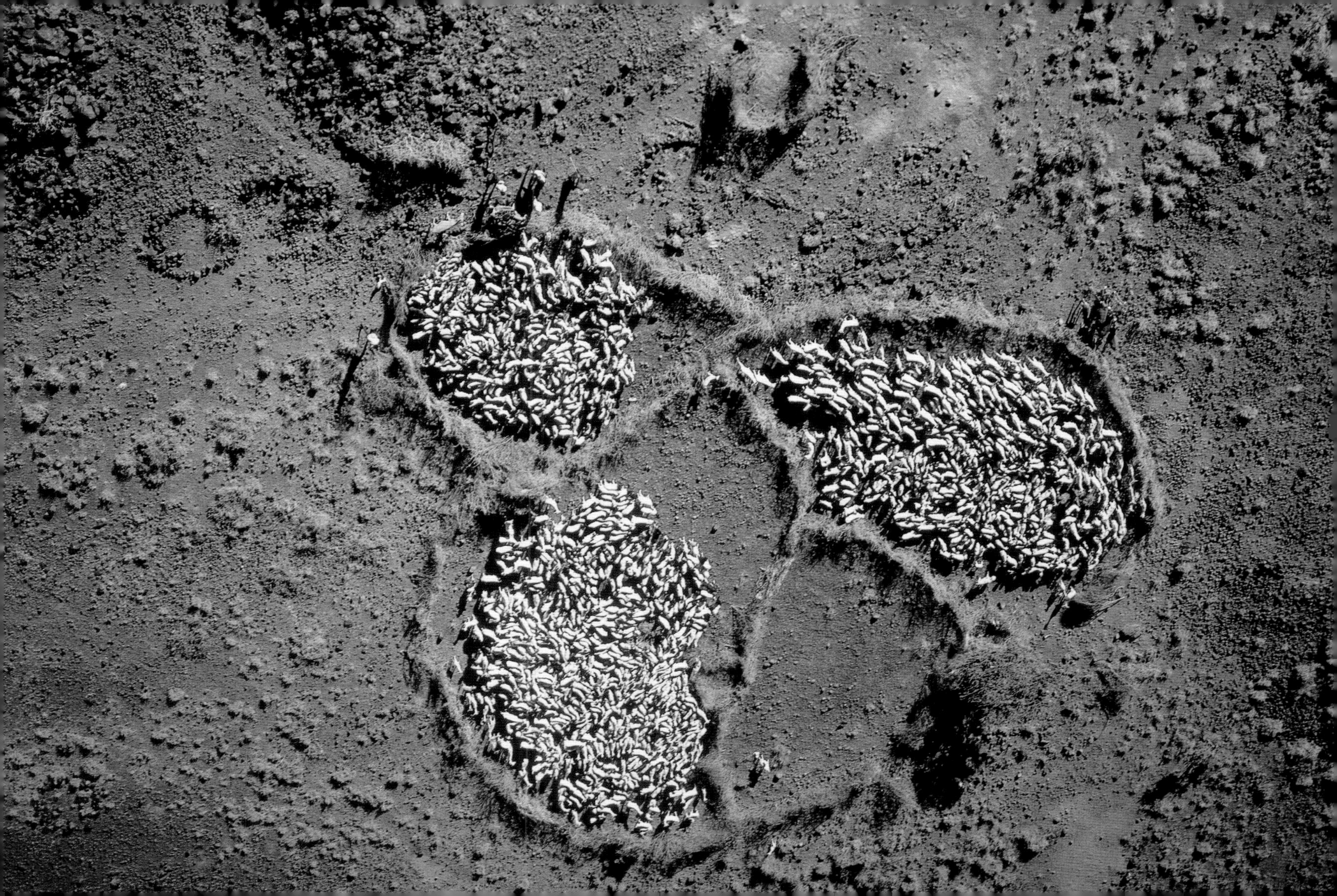

25 janvier

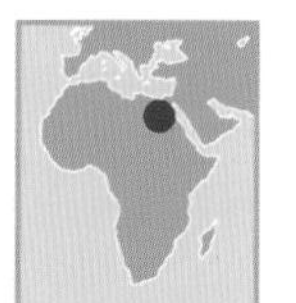

Égypte. Temple d'Abou-Simbel, vallée du Nil.

Le site archéologique d'Abou-Simbel, en Nubie, abrite deux temples monumentaux en grès rose, construits sous le règne de Ramsès II (1290-1224 av. J.-C.) pour marquer la limite sud de l'Empire égyptien. La façade du plus grand d'entre eux, orientée vers le soleil levant, présente quatre statues du pharaon de 20 m de haut. Quand, en 1954, est décidée la construction sur le Nil du haut barrage d'Assouan, une vingtaine de nations alertées par l'Unesco se mobilisent, mettant en œuvre des moyens tant financiers que matériels pour éviter que ce patrimoine ne soit englouti par les eaux du lac de retenue. À partir de 1963 et pendant plus de dix ans, une armée de 900 ouvriers, conseillée par les experts de 24 pays, découpe ces temples en 1 305 blocs de plusieurs dizaines de tonnes pour les reconstruire à l'identique 60 m plus haut, sur une falaise artificielle soutenue par une voûte de béton. Comme 630 sites dans le monde, Abou-Simbel est inscrit sur la Liste du patrimoine mondial de l'Unesco.

26 janvier

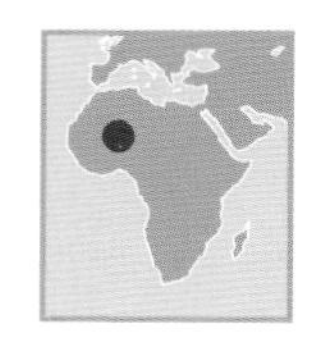

Mali. Région de Gao. Dunes roses de Koira.

Quand on découvre le fleuve Niger après avoir traversé durant plus de 1 000 km le monotone désert du Tanezrouft, on « atteint la mer » disent les voyageurs. Les Songhaïs dont l'empire prit Gao pour capitale l'appelaient *Dialika*, celui qui chante, et les Touaregs le nommaient « le fleuve des fleuves ». Sur la rive nord, la longue dune rose de Koira est un avant-poste du désert. Mais au sud, la végétation tropicale ourle un fin ruban verdoyant de palmiers doum, d'acacias et de manguiers. Entre les deux, des îlots de terre marécageuse couverts de bourgou, une herbe aquatique qui sert de fourrage au bétail, parmi lesquels se faufilent parfois les longues barges de bois noir qui descendent de Mopti avec leur cargaison de tissus, de légumes secs et d'ustensiles ordinaires. Gao était ainsi idéalement située à l'intersection d'un parallèle, le fleuve, qui coule d'ouest en est, et d'un méridien, la piste par laquelle l'or de Bougouni remontait du sud et les plaques de sel de Taoudenni descendaient du Sahara. Aujourd'hui, ces commerces ont perdu toute importance et avec eux, ces pistes et ce fleuve qui traversent une ville somnolente. De la Mauritanie au Soudan, les franges du Sahara sont devenues un cimetière de villes.

27 janvier

Guatemala. Paysage agricole au nord-ouest de Ciudad Guatemala.

La capitale guatémaltèque, Ciudad Guatemala, est située à 1 500 m d'altitude dans une zone montagneuse qui abrite 33 volcans, dont certains encore actifs. Couvertes de lave fertile, les vallées de cette région sont arrosées par des pluies abondantes et régulières (de mai à octobre) qui font reverdir les plantations. L'agriculture, qui constitue la ressource économique majeure du pays et occupe 55 % de la population active, est pratiquée sur de petites surfaces, la majorité des exploitants (90 %) disposant de moins de 7 ha chacun. Le maïs, base de l'alimentation, et le café, qui représente 50 % des exportations et pour lequel le pays se situe au 9e rang mondial, sont les principales cultures de rapport. Le Guatemala est également producteur de cannabis, de pavot et de coca, qui alimentent de manière substantielle le trafic international de la drogue.

28 janvier

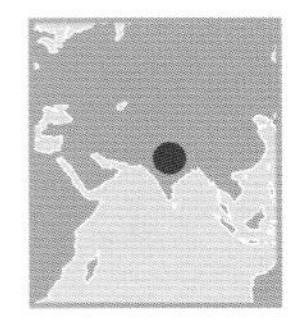

Népal. Royaume du Mustang. Village au sud de Jomson.

Perché à une altitude de 3000 à 4500 m, le royaume du Mustang forme une petite enclave de 1200 km² entre les massifs du Dhaulagiri à l'ouest (8167 m) et de l'Annapurna à l'est (8091 m). Du nord au sud, la route caravanière du sel assurait durant l'hiver la survie des populations. Deuxième centre du bouddhisme tibétain après Lhassa et base arrière de la résistance tibétaine, le Mustang est ouvert depuis 1992 aux étrangers. Ses 7000 habitants peuplent la vallée de la rivière sacrée de Kali la noire. Le climat désertique impose une agriculture de subsistance centrée sur la culture de l'orge, consommée sous forme de bouillie ou de galettes grillées, les *tsampa*, et d'une bière très alcoolisée, le *tchang*. Après la récolte estivale, l'orge est disposée en javelle avant d'être décortiquée sur les toits en terrasse. Les murs de galets dessinent un réseau d'irrigation et protègent les cultures du vent et de l'érosion. Le bois présent au cœur des oasis est réservé aux rituels funéraires et à la construction, les excréments de chèvres, yacks et moutons fournissant le combustible domestique. Le Mustang donne ainsi l'exemple d'une communauté humaine capable de vivre en équilibre avec son environnement, quelle qu'en soit la dureté.

29 janvier

Sultanat d'Oman. Palmiers dans les montagnes de la péninsule de Musandam.

Les montagnes calcaires qui dominent le sultanat d'Oman sont en fait des fonds marins émergés résultant du contact entre la péninsule Arabique et le plancher de l'océan lors d'importants mouvements tectoniques. Sur ces hauteurs désolées, la végétation est rare, parfois inexistante ; c'est pourtant dans ces montagnes de Musandam que les villageois Shihuh vont faire paître leur cheptel après la saison des pluies. Comme dans la vallée, ils ont planté des palmiers-dattiers, les protégeant de la voracité des chèvres par un muret. Si les montagnes représentent 15 % de la superficie d'Oman, le désert, quant à lui, couvre plus de 80 % du pays, ce qui limite la pratique de l'agriculture à une faible partie du territoire : on ne compte aujourd'hui que 600 km² de terres cultivées dans le pays, dont un tiers consacré à la production de dattes.

30 janvier

Philippines. Île de Bohol. Bateau près de Tagbilaran.

Constitué de 7107 îles qui se répartissent en trois zones géographiques (Luçon, les Visayas et Mindanao), l'archipel des Philippines couvre une superficie d'environ 300 000 km². Ses onze plus grandes îles en occupent les 95 %. Bohol (4 000 km²), comme l'ensemble de l'archipel philippin, vit de la pêche et de l'agriculture. Les Philippines exportent ainsi des poissons (anchois, harengs, maquereaux, sardines), du sucre, de la noix de coco (dont Bohol est grande productrice), du chanvre et du riz, essentiellement vers les États-Unis mais aussi vers ses voisins asiatiques. La position de carrefour de ce pays justifie l'importance de son commerce avec le Japon ou encore le poids des commerçants chinois dans sa vie économique. Elle explique aussi sa population composite, répartie en 111 groupes culturels et linguistiques, ou encore son passé, marqué par l'installation successive sur son territoire, depuis le IVe siècle des Chinois, des négociants arabes au XIIIe, des conquistadores espagnols à partir du XVIe, des Anglais au XVIIIe siècle puis des Américains à la fin du XIXe.

31 janvier

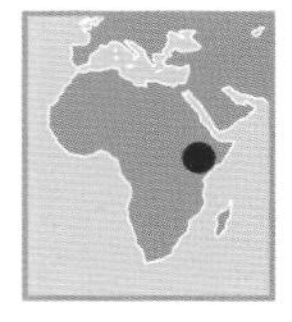

Kenya. Lac Magadi.

Situé sur la faille de la Rift Valley, le lac Magadi contient une exceptionnelle concentration de soude caustique, produite naturellement par la transformation des sédiments au contact des eaux de ruissellement et des laves en fusion sous le lac. Cette concentration est si forte et la profondeur du lac si faible, qu'une épaisse croûte de cristaux de soude le recouvre en partie, ce qui a permis l'installation de la plus ancienne exploitation minière du Kenya, la Magadi Soda Company, au début du siècle. Autrefois l'eau de ce lac était douce (comme l'est encore celle des lacs voisins Naivasha ou Baringo). Il était peuplé d'hippopotames, de crocodiles et de poissons. Aujourd'hui, seule subsiste une faune limitée de poissons microscopiques et des algues primitives qui attirent les flamants. L'abondance de soude constitue un danger pour ces derniers. Quand il ne pleut pas suffisamment, le lac s'assèche et l'eau qui subsiste se transforme en une épaisse gelée de soude qui se cristallise autour des pattes des poussins, sauvés par la seule intervention des équipes du Service des parcs nationaux. Les transformations de la planète ne sont pas causées seulement par l'homme, cet apprenti sorcier, mais aussi par une dynamique autonome où les volcans jouent comme ici un rôle essentiel.

1er février

Honduras. Groupe d'îles de la Baie. Île de Guanaja ravagée par le cyclone Mitch.

L'année 1998 a été marquée par le cyclone Mitch, l'un des plus violents du XXe siècle. Il a principalement touché l'Amérique centrale (Honduras, Nicaragua). Sans doute plus de 20 000 victimes directes (le chiffre exact ne sera jamais connu), des dégâts économiques et écologiques chiffrés en milliards de dollars (mais comment évaluer monétairement les effets de ce type de cataclysme ?). Si le mécanisme des cyclones tropicaux est aujourd'hui bien connu, nombreux sont les climatologues à avoir mis en rapport la violence de Mitch avec celle d'autres épisodes climatiques classiques, mais particulièrement brutaux en cette fin de millénaire, comme l'oscillation El Niño/La Niña ou les grandes inondations qui ont frappé la Chine. Plus qu'un réchauffement global, l'un des effets des activités d'origine humaine sur les climats planétaires pourrait être l'amplification des situations météorologiques extrêmes (sécheresses, tempêtes, cyclones, etc.).

2 février

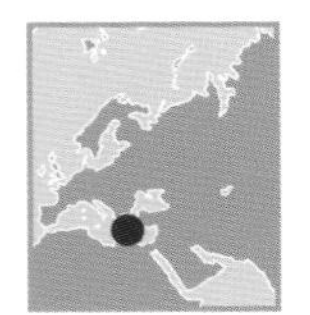

Grèce. Cyclades. Village à la pointe nord de Santorin.

Le village d'Oïa couronne un falaise volcanique qui plonge dans la mer 200 m plus bas. Le volcan de marbre et de schiste qui explosa il y a trois mille cinq cents ans n'a laissé ici que le rebord de son cratère et des accumulations de cendres et de débris entre lesquels les maisons et les chapelles se sont installées, comme pour reconstituer le dédale inventé dans la Crète toute proche. En 1967, l'archéologue Spiros Marinatos a découvert à côté d'Oïa les restes d'une culture raffinée, semblable à celle de Minos en Crète : fresques élégantes, système d'égouts, joints antisismiques, et les restes de murs de pierres de couleur blanche et rouge comme ceux de l'Atlantide décrite par Platon dans son *Critias*. Marinatos en déduit que Platon a utilisé l'explosion de Santorin comme modèle de l'engloutissement de l'Atlantide. C'est peu probable, mais l'explosion gigantesque est sans doute la cause de la disparition de la brillante culture minoenne et peut-être des sept années de vaches maigres en Égypte dont parle la Bible. L'explosion dut en effet entraîner un raz-de-marée et les nuages de cendres masquer une partie de la lumière solaire durant plusieurs années.

3 février

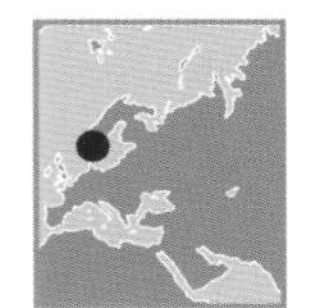

Norvège. Glacier Folgefonn, sur les hauts plateaux de Sorfjorden.

Le Folgefonn qui s'étend sur 212 km^2 est le troisième plus grand glacier de la Norvège, derrière le Jodestal avec ses 473 km^2. Il glisse par à-coups sur un fin film d'eau qui le sépare de la roche brute jusqu'à fondre pour s'écouler dans les fjords auxquels l'argile qu'il a arrachée à la roche donne cette couleur verte si particulière. Avec le réchauffement climatique imputé à l'effet de serre, le Folgefonn rétrécit progressivement. À terme les 3 000 km^2 de glaciers alpins, les 5 000 km^2 de glaciers himalayens et les 150 000 km^2 de glaciers canadiens et andins sont aussi menacés de disparition. Leur fonte ne contribuera que de quelques centimètres au relèvement du niveau de la mer. En revanche, la fonte des 1 500 000 km^2 de glaciers du Groenland élèverait ce niveau de 40 cm et les 12 millions de km^2 de glaces de l'Antarctique empilées sur plus de 2 km de hauteur en moyenne devraient faire monter la mer de plus de 6 m. Ce n'est pas pour demain, mais cela est déjà arrivé il y a 6 000 ans pour des raisons différentes tenant aux orbites et aux périodes des planètes. L'homme par son action renforce ainsi l'instabilité d'un système solaire déjà fragile.

4 février

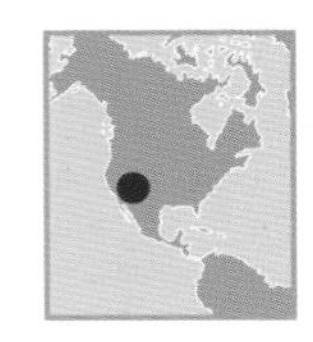

États-Unis. Parc de Monument Valley.

À la frontière des États de l'Utah et de l'Arizona, sur près de 12 000 ha, le parc de Monument Valley est officiellement géré par les Indiens Navajos depuis 1958. Monument Valley est l'aboutissement de plusieurs histoires : celle de son paysage constitué de buttes sauvages, de plateaux (*mesas*) et d'énormes cheminées de grès pouvant atteindre 600 m de hauteur, témoins des bouleversements géologiques de cette région, soumise à l'érosion depuis 70 millions d'années ; celle de la conquête de l'Ouest quand, à partir du milieu du XIXe siècle, Kit Carson cherche, sans succès, à en chasser les Indiens Navajos pour les refouler dans une réserve ; celle aussi de la ruée vers l'or et l'argent au cours de la seconde moitié du XIXe siècle, avec la découverte par l'Indien Hoskamini de mines au pied de la Navajo Mountain ; la lutte qui s'ensuivit entre les Indiens et deux anciens hommes de la troupe de Kit Carson a laissé son empreinte dans le parc puisque deux des plus belles buttes de Monument Valley portent le nom de ces deux hommes, retrouvés assassinés ; enfin, à partir des années 1940, celle d'Hollywood et de ses grands westerns, érigeant ce décor unique en symbole de toutes les violences passées, celles de la nature comme celle des hommes.

5 février

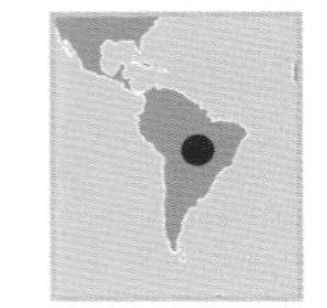

Brésil. Mato Grosso do Norte. Déforestation en Amazonie.

Le Brésil abrite 27 % des forêts tropicales humides du monde, en particulier la célèbre forêt amazonienne qui est depuis toujours une source de richesse locale pour les hommes. Mais l'exploitation abusive met aujourd'hui en danger cet espace naturel provoquant des problèmes environnementaux et sociaux (dégradation des écosystèmes, épuisement des ressources, destruction de territoires indigènes). Les superficies défrichées début 1999 dépassaient au total 560 000 km^2 et les dernières années du XXe siècle ont été marquées par une accélération du phénomène. Les raisons de déboiser sont multiples : agriculture, exploitation minière, construction de barrages... Mais c'est cependant l'exploitation sans frein des bois tropicaux qui est la première cause de disparition de la forêt, sans réel profit pour les populations locales. Ces bois sont achetés par les pays riches pour leurs qualités et alimentent l'appétit des multinationales du bois. Une exploitation forestière industrielle coûteuse pour la planète puisque les deux tiers du bois abattu sont gaspillés et que la construction de routes ou la pratique de coupes à blanc ouvrent la voie à l'installation illégale d'agriculteurs pauvres qui provoque de nouvelles destructions forestières.

6 février

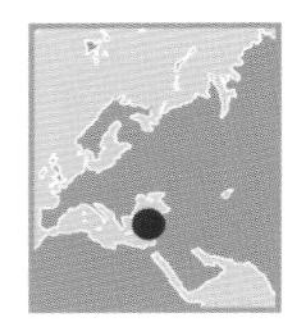

Turquie. Anatolie. Hattousa, les ruines de la cité hittite.

Comme la plupart des peuples qui ont compté dans l'Antiquité et même dans le monde moderne, les Hittites provenaient de la fusion de plusieurs groupes : autochtones d'Anatolie centrale (les proto-Hittites ou Hattis) et envahisseurs venus de Perse et peut-être même d'Inde. Les Hittites apparaissent au début du IIe millénaire av. J.-C., autour de Césarée (la ville turque de Kayseri), puis non loin de l'actuelle ville de Bogazköy (Hattousa), qu'ils choisirent comme capitale vers 1600 av. J.-C. Cités dans la Bible et auteurs de monumentales réalisations architecturales (en particulier à Hattousa, les remparts qui entourent l'acropole, les temples et les sanctuaires aux bas-reliefs grandioses), les Hittites restent néanmoins quasiment inconnus des historiens avant le début du XXe siècle. Les fouilles archéologiques, entreprises entre 1906 et 1912 sur le site d'Hattousa, ont permis de découvrir et de déchiffrer les tablettes d'argile utilisées pour leurs documents officiels. Elles ont révélé une civilisation, contemporaine de la Grèce mycénienne, dont le développement social, politique et culturel rivalisait avec celui de l'Égypte ou de Babylone. Le site d'Hattousa a été classé au patrimoine mondial de l'Unesco en 1986.

7 février

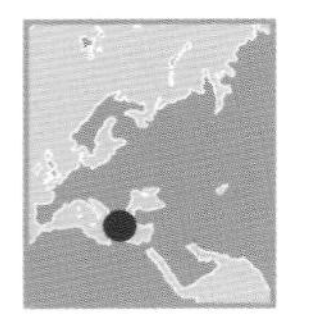

Grèce. Macédoine, région de Salonique. Verger parmi les blés.

Soumise à des influences climatiques continentales, la plaine fertile de Salonique, la plus vaste de la Macédoine grecque, se prête particulièrement bien à la culture du blé, parfois associée à celle des arbres fruitiers. En raison du relief accidenté de la péninsule hellénique, les exploitations restent petites et morcelées, malgré les programmes de remembrement des terres et la mise en place de coopératives agricoles. La surface cultivée, qui représente 33 % du territoire, est encore insuffisante pour permettre à la Grèce de tirer le meilleur profit de son agriculture (16 % du PNB) et d'être vraiment compétitive au sein de l'Union européenne. En raison de l'important développement industriel du pays dans les années 1970, la population agricole a considérablement diminué et ne représente plus que le quart de la population active ; elle reste toutefois la plus importante d'Europe.

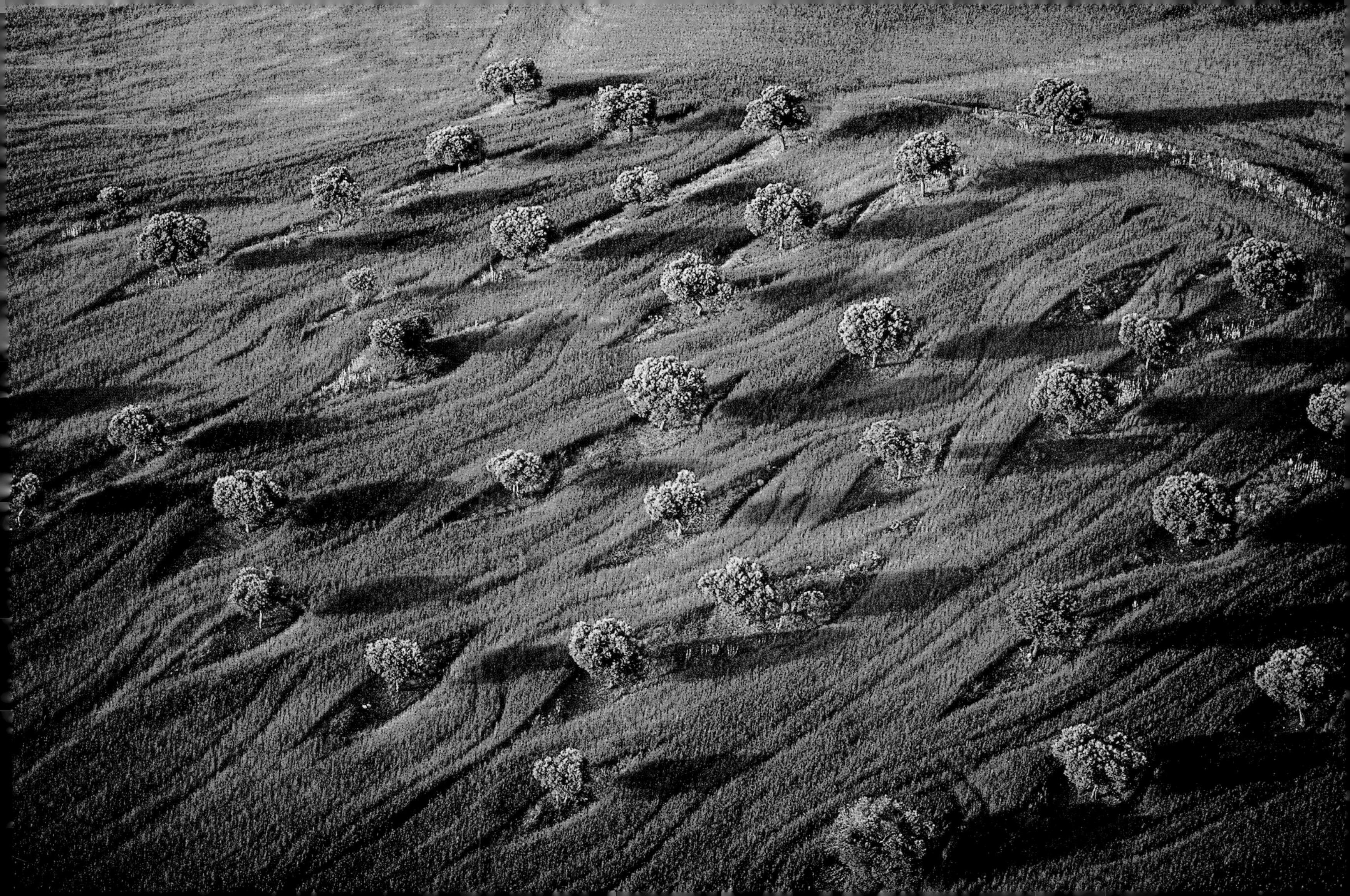

8 février

Venezuela. « Barrios » de Caracas.

Fondée en 1567 par le conquistador Diego de Lozada, Caracas (du nom des féroces Indiens Caraïbes, Los Caracas, qui habitaient la région) a connu un formidable développement au cours des quarante dernières années. Foyer d'attraction pour de nombreux Sud-Américains, la ville a envahi progressivement l'étroite vallée, avant de remonter sur les flancs abrupts des collines voisines. Ces nouveaux quartiers, les *barrios* ou les *ranchos* – deux mots utilisés pour désigner les bidonvilles –, regroupent près de 25 % des habitants de Caracas dans des maisons de brique et de ciment qui finissent par jouir de l'électricité et de l'eau courante. Cet habitat fragile est un véritable piège quand s'abattent les orages tropicaux avec leurs trombes d'eau. Les inondations de l'hiver 1999 ont ainsi causé plusieurs dizaines de milliers de victimes. L'écart entre les riches et les pauvres ne cesse de se creuser dans les grandes villes du tiers-monde, laissant présager des révoltes urbaines ou une ségrégation sévère : à Caracas comme à São Paulo ou Bogotá, des rues entières sont privatisées et contrôlées par des milices privées.

9 février

Argentine. Misiones. Rencontre du río Uruguay et un de ses affluents.

La forêt tropicale argentine, considérablement déboisée au profit de l'agriculture, ne constitue plus par endroit une barrière anti-érosion aussi efficace que naguère. Les fortes pluies qui s'abattent sur la province de Misiones (2 000 mm par an) lessivent le sol et entraînent désormais des quantités importantes de terre ferrugineuse dans le río Uruguay, qui se teinte en ocre-rouge. Gonflé par des affluents chargés de débris végétaux, le río Uruguay (1 612 km) se jette dans l'océan Atlantique au niveau du río de la Plata – le plus vaste estuaire de la planète (200 km de large) – où se déposent les sédiments charriés par le fleuve. Ceux-ci comblent les chenaux d'accès au port de Buenos Aires qui sont dragués régulièrement afin de rester navigables. Les alluvions accumulées aux embouchures des fleuves peuvent modifier les paysages en formant des deltas ou en gagnant du terrain sur la mer.

10 février

Namibie. Région de Kaokoland. Vue générale sur un village Himbas.

À la pointe nord-ouest de la Namibie, s'étend, sur près de 50 000 km², la région de Kaokoland, vaste territoire de montagnes désertiques, traversé par des pistes non goudronnées et dépourvu de toute infrastructure. Pour ces raisons mais aussi à cause du mode de vie ancestral de ses habitants, le Kaokoland témoigne de ce qu'était la Namibie avant l'arrivée des Européens. Il ne compte que 16 000 habitants dont la moitié font partie de la tribu des Himbas, « ceux qui demandent des choses », c'est-à-dire les mendiants. Éleveurs semi-nomades de bovins, de moutons et de chèvres, les Himbas vivent en petits clans d'une cinquantaine de personnes strictement organisés, dans des huttes en branches recouvertes d'un mélange de boue et de bouse, rassemblées en villages fortifiés (*kraals*). Depuis les années 1980, le développement du tourisme et les changements du monde moderne menacent leur mode de vie, au demeurant moins ancien qu'on pourrait le croire : c'est sous l'influence des grands éleveurs bantous venus dans la région il y a deux siècles que les Himbas, comme leurs voisins les Dobe Kung, ont abandonné la chasse et la cueillette pour l'élevage.

11 février

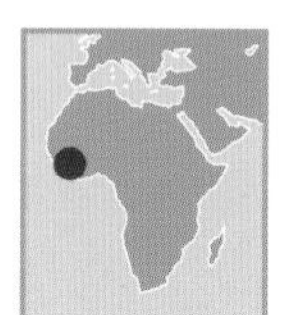

Côte-d'Ivoire. Région de Bouna. Forage hydraulique villageois près de Doropo.

Partout en Afrique, la collecte de l'eau est un rôle habituellement dévolu aux femmes, comme ici près de Doropo, au nord de la Côte-d'Ivoire. Les forages hydrauliques, équipés de pompes généralement manuelles, remplacent peu à peu les puits traditionnels des villages et les récipients en matière plastique, métal émaillé ou aluminium, supplantent les canaris (grandes jarres en terre cuite) et calebasses pour transporter la précieuse ressource. Puisée dans les nappes phréatiques, l'eau de ces forages présente moins de risques sanitaires que celle des puits traditionnels qui, dans plus de 70 % des cas, est impropre à la consommation. À l'aube du IIIe millénaire, les trois quarts des habitants de la planète ne bénéficient pas d'eau courante, environ 1,6 milliard de personnes ne disposent pas d'eau potable, et les maladies dues à l'insalubrité de l'eau constituent la première cause de mortalité infantile des pays en développement.

12 février

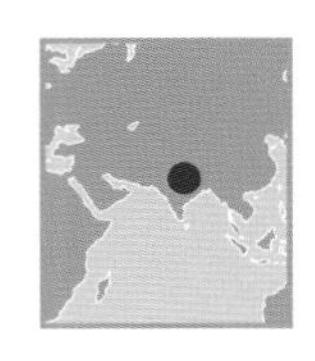

Népal. Mont Everest.

8 846 ou 8 853 m ? L'altitude du plus haut sommet du monde reste aussi indécise que son nom. On le désigne en tibétain par *Chomo Lungma*, c'est-à-dire « déesse mère de la terre » et en népalais par *Sagamartha*, qui signifie « celui dont la tête touche le ciel ». Plus prosaïquement, les Britanniques qui colonisaient l'Inde l'avaient baptisé « le pic XV » en 1749, puis lui attribuèrent en 1852 le nom du colonel Everest qui cartographiait l'Inde. Le développement de l'alpinisme a transformé la vie des Sherpas. Ces pasteurs mongols qui nomadisaient sur ses flancs entre 2 500 et 4 000 m, ont été enrôlés comme porteurs et guides. L'un d'entre eux, Norkay Tensing, a atteint le premier le sommet de l'Everest en 1953 au cours de l'expédition Hillary. Le tourisme de grandes altitudes a aussi multiplié les déchets et les ordures qui jonchent littéralement ces paysages magnifiques dont l'écologie fragile ne permet ni l'élimination ni le recyclage. Il reste visiblement peu sensible à l'idée de développement durable.

13 février

Tunisie. Gouvernorat de Tataouine. Vallée des Ksour, entre Matmata et Tataouine. Pour fuir au XIe siècle les invasions des Bédouins Hilaliens venant de Libye, les populations berbères du sud de Gafsa quittèrent les plaines et gagnèrent les pitons rocheux où ils élevèrent des *kalaa*, villages fortifiés quasiment inaccessibles. À Guermessa, perché à plus de 300 m de haut, comme dans d'autres *kalaa* (Chénini, Douiret), on trouve les *ksour*, grenier et habitat fortifiés. Le sud de la Tunisie qui est aujourd'hui un cul-de-sac a été dans le passé un véritable couloir à invasions : Phéniciens, Carthaginois et Romains d'abord, conquérants musulmans ensuite conduits par Uqba ibn Nafi dès 670 puis par Ibn al-Numan en 700, armées fatimides venues de Kabylie dans l'autre sens en 910, l'irrédentisme berbère des Kharidjites s'ajoutant à la confusion. Le calme revint avec le royaume hafside, puis avec la conquête ottomane. Les Berbères descendirent de leurs nids d'aigle et s'installèrent dans des grottes à flanc de montagne où leurs descendants ont vécu jusqu'aux temps modernes. Maintenant, ils émigrent vers Sfax, Gabès et Tunis.

14 février

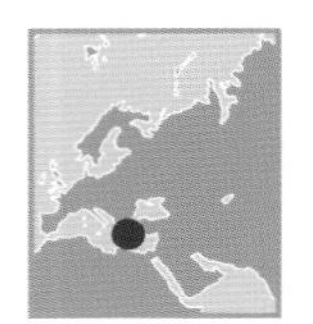

Grèce. Îles Ioniennes. Bateau échoué au nord de l'île de Zakynthos (Zante).

À 16 km au large des côtes du Péloponnèse, Zante, la plus méridionale des îles Ioniennes et la deuxième par sa superficie, doit son nom à l'abondance des jacinthes sauvages qui s'y développent. Une partie de l'île présente d'imposantes falaises calcaires veinées de gypse blanc qui, sous l'effet de l'érosion et de plusieurs tremblements de terre, dont le plus important eut lieu en 1953, se sont effritées pour donner naissance à des plages de sable fin. Ces dernières sont les sites de ponte des tortues marines caouannes *(Caretta caretta)*, aujourd'hui menacées par les hélices des bateaux, la pollution, l'urbanisation des côtes et les dérangements occasionnés par les touristes. Pour ces diverses raisons, les effectifs de tortues marines venant se reproduire sur l'île de Zakynthos ont diminué, passant de près de 2 000 individus à la fin des années 1980 à moins d'un millier à la fin des années 1990.

15 février

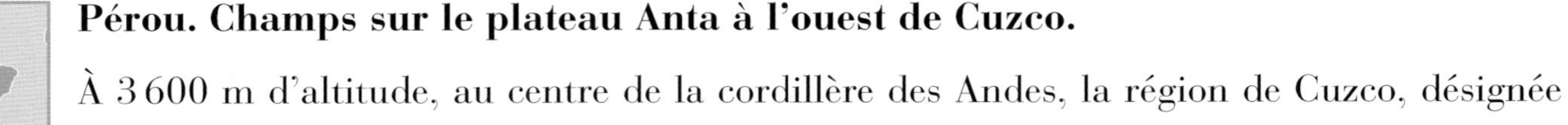

Pérou. Champs sur le plateau Anta à l'ouest de Cuzco.

À 3 600 m d'altitude, au centre de la cordillère des Andes, la région de Cuzco, désignée comme l'étage *quechua*, regroupe les meilleures terres du pays. Dans les bas-fonds libérés par l'assèchement de lagunes, on cultive le blé et l'orge et sur les collines la luzerne et les pommes de terre originaires du pays. Au temps des Incas, cette région nourrissait déjà l'Empire. Pour assurer de bons rendements, le régime avait réparti de manière équitable la terre en procédant régulièrement à des enquêtes statistiques que poursuivirent les conquérants espagnols. On y notait la composition des familles, la possession des animaux domestiques et des lopins de terre à l'aide de nœuds répartis sur des cordes, les *quipos*. Le parcellaire péruvien a gardé la mémoire de cette égalité paysanne qui a joué un grand rôle dans l'histoire politique récente quand les latifundistes tentèrent de déposséder les petits paysans. L'histoire politique de la plupart des pays d'Amérique du Sud est intimement dépendante de l'histoire de la propriété paysanne et des réformes agraires plus ou moins avortées qui ont ponctué un siècle et demi d'indépendance. En ce sens, un parcellaire ou un cadastre est un précieux témoignage politique.

16 février

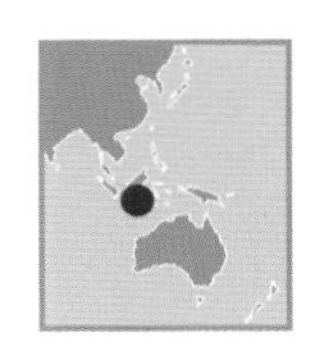

Indonésie. Îlot dans les rizières en terrasses de Bali.

Organisés en *subaks* (coopératives agricoles), les Balinais ont exploité le relief volcanique et les quelque 150 cours d'eau de leur île en aménageant un vaste système d'irrigation en terrasses qui permet de pratiquer une riziculture intensive. Bali est l'une des nombreuses îles qui forment l'Indonésie, la plupart d'entre elles étant surpeuplées. Pour remédier à cet état de fait, le gouvernement autoritaire du général Suharto, au pouvoir de 1966 à 1998, a effectué de nombreux déplacements de population des îles les plus peuplées vers les autres. Cette situation a entraîné des conflits culturels et économiques entre les immigrés imposés par une armée toute-puissante et la population locale. Depuis quelques années, des rébellions très violentes de ces laissés-pour-compte, faisant des milliers de morts, ont été rendues possible par l'affaiblissement de l'armée après la chute de Suharto. La situation est toujours explosive dans de nombreuses îles, entre des immigrants parfois installés depuis plusieurs générations et des autochtones depuis trop longtemps privés des richesses qu'ils estiment leur revenir de droit. L'influence de la crise économique, de la criminalité galopante et d'un mécontentement social grandissant ajoute aujourd'hui à la fragilité du pays.

17 février

Kenya. Réserve Massaï Mara. Vaches Massaï. Lac asséché d'Amboseli.

À la fin du XIXe siècle, à la suite de la peste bovine, de périodes de sécheresse et de guerres fratricides, le peuple de pasteurs Massaï, fort encore de près de 250 000 personnes, a négocié le maintien de ses activités dans ses terres ancestrales, le Mara (qui veut dire « bariolé », comme la robe de certaines vaches). Ils élèvent encore aujourd'hui des bovins qui servent surtout pour les rituels et pour le précieux lait, base essentielle de leur nourriture. Ils disposent aussi de troupeaux de moutons et de chèvres, consommés plus volontiers comme viande. Privés de certains de leurs territoires, les Massaï déplacent encore leurs troupeaux sur de longues distances. Ainsi en est-il de la région nord du lac Amboseli, à sec onze mois de l'année, entre tempêtes de poussière et mirages. Cette sécheresse, associée à la remontée des sels, appauvrit dangereusement les sols, mis à mal par ailleurs par un tourisme parfois peu respectueux de l'environnement (hors-piste des mini-bus) et qui constitue en même temps la seule chance de survie du parc à condition que la manne financière soit utilisée à bon escient.

18 février

Brésil. État de Pará. Favelas de Belém.

Les favelas sont apparues à Rio de Janeiro au début du siècle, lorsque des soldats, libérés après avoir maté une rébellion dans le Nord-Est, s'installèrent dans des baraquements sur le flanc d'une colline proche du centre de la ville qu'ils nommèrent du nom de leur garnison à Bahia. Cet habitat précaire s'est répandu rapidement sur tout le continent. Ainsi à Belém, capitale de l'État de Pará et principal port fluvial de l'Amazone, plus de la moitié des 2 millions d'habitants s'entassent dans les favelas qu'on appelle ici *baïxadas*. Les bidonvilles brésiliens, comme ceux des autres grandes villes du tiers-monde, constituent un habitat précaire, fait de matériaux de récupération (bois, tôles, plastiques, cartons...), mais ils sont loin d'être déstructurés comme on pourrait le penser à première vue. On y trouve des rues commerçantes, des îlots privés, des secteurs artisanaux. Ils sont souvent planifiés par des associations et un clergé proche de la théologie de la libération. On a pu dire que les bidonvilles étaient des villes comme les autres mais en plus étroit : la hauteur des plafonds, la surface des pièces, l'épaisseur des murs, la largeur des rues y sont réduites de moitié. La vie aussi y est plus courte.

19 février

Venezuela. Îlot dans la réserve d'eau artificielle de Guri.

Situé dans l'État de Bolivar, au sud-est du Venezuela, le barrage hydroélectrique de Guri, alimenté par les eaux du fleuve Caroní, est le second au monde par ses dimensions. Sa construction, entreprise en 1965, a permis la constitution d'une immense réserve d'eau d'environ 18 millions de m^3, qui s'étend sur plus de 4 000 km^2. Avec une production de 10 millions de kWh (qui couvre 75 % des besoins en électricité du pays et permet de fournir des pays voisins comme le Brésil et la Colombie), son rendement en fait l'un des plus importants ouvrages de ce type. Comme celles du vent et du soleil, l'énergie des fleuves ne produit pas de gaz à effet de serre. Les barrages, souvent accusés de bouleverser le paysage, ont parfois créé – comme ici – des lacs splendides et poissonneux. On trouve dans le lac de Guri deux des espèces de poissons d'eau douce les plus savoureuses du Venezuela. Cette possible exploitation énergétique des grands fleuves reste cependant exposée aux risques de guerre de l'eau : entre l'Égypte et le Soudan pour le Nil, entre Israël et la Jordanie pour le Jourdain, entre la Turquie, la Syrie et l'Irak pour le Tigre et l'Euphrate.

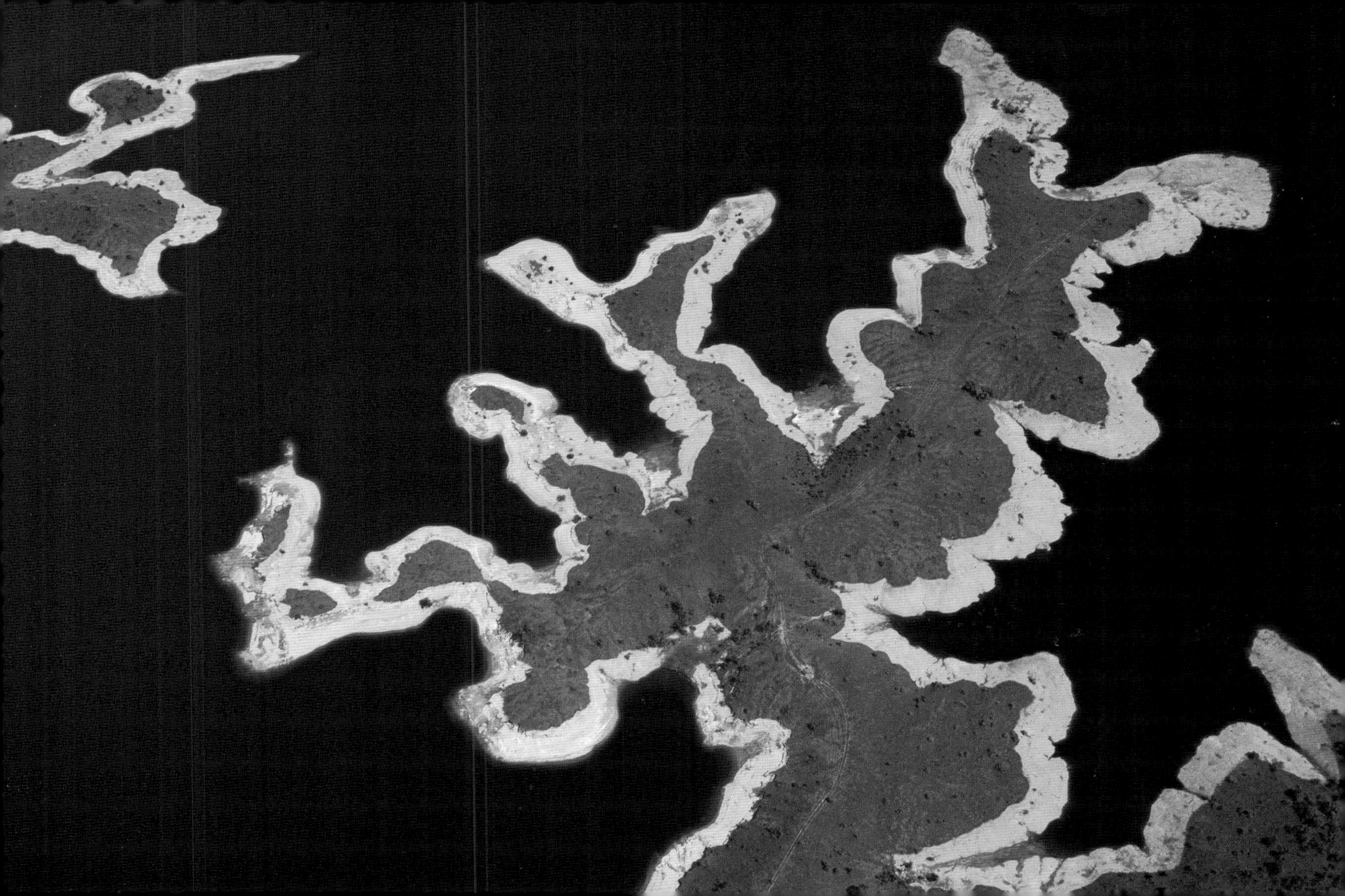

20 février

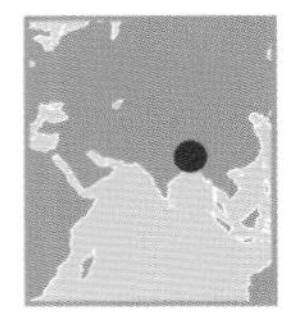

Bangladesh. Maisons inondées au sud de Dacca.

Parcouru par un vaste réseau de 300 cours d'eau, dont le Gange, le Brahmapoutre et la Meghna, qui dévalent les pentes de l'Himalaya pour se jeter dans le golfe du Bengale, le Bangladesh est une plaine deltaïque soumise à des moussons saisonnières. De juin à septembre, des pluies diluviennes augmentent parfois jusqu'à 50 000 m^3/s le débit des fleuves, qui sortent de leur lit et inondent près de la moitié du territoire en dévastant tout sur leur passage. Pour tenter d'échapper à la violence des crues, une partie de la population du pays vit en permanence sur des *chars*, îlots fluviaux éphémères formés de sable et de limon accumulés par les courants ; cependant, ces derniers sont régulièrement arasés et emportés par les flots. Chaque année, de 1 000 à 2 000 personnes périssent dans ces inondations et près de 25 % des 123 millions de Bangladais se retrouvent sans abri. Les dégâts occasionnés à l'agriculture sont également considérables dans ce pays à 80 % rural. Territoire parmi les plus densément peuplés du monde, avec près de 850 habitants au km^2, le Bangladesh est également l'un des pays les plus pauvres, avec un revenu annuel de seulement 260 dollars par habitant.

21 février

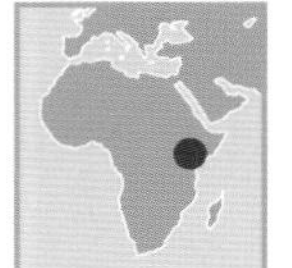

Kenya. Lac Nakuru. Flamants.

On recense quelque 3 millions de flamants au Kenya. Ils se déplacent essentiellement entre les cinq lacs salés du pays (Nakuru, mais aussi Magadi, Elmenteita, Turkana et Bogoria). À la saison des pluies, la flore de ces lacs prolifère et attire alors les flamants qui en font leur nourriture principale. Les flamants nains peuvent filtrer des particules ne mesurant pas plus de quelques dizaines de microns, à l'aide de fines soies tapissant l'intérieur de leur bec ; les flamants roses se nourrissent plutôt de petits crustacés car ils ne disposent que de denticules trop espacés pour ce genre de nourriture. Poétiquement nommés « les oiseaux à ailes de flammes » dans l'Antiquité grecque, on sait aujourd'hui que la couleur de leurs plumes provient de la canthaxanthine contenue dans la soude, et d'un pigment très abondant dans les algues qu'ils ingèrent. À Nakuru, les eaux moins chargées en soude qu'à Magadi ont permis l'introduction de tilapias, petits poissons attirant désormais les pélicans au côté des flamants, grégaires mais non exclusifs.

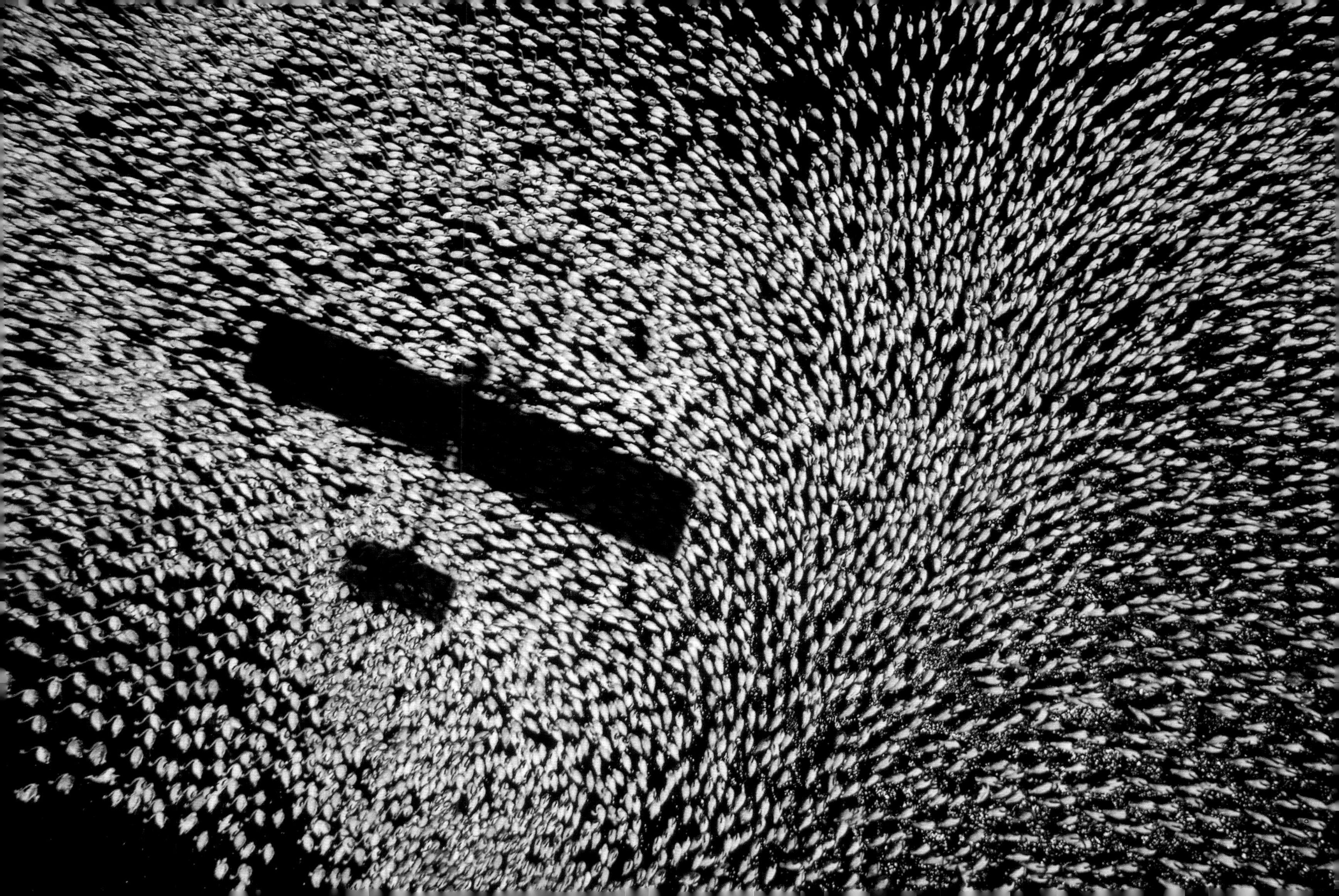

22 février

Maroc. Paysage agricole entre le barrage Al Massira et Rabat.

Soucieux d'améliorer ses rendements agricoles, le Maroc encourage le développement, sur de vastes zones d'exploitation, d'une agriculture moderne essentiellement orientée vers la production intensive de céréales (blé, orge, maïs...). Le pays ne bénéficiant pas d'une pluviosité suffisante sur la totalité de son territoire, le recours à l'irrigation s'avère souvent indispensable. Plus riche en cours d'eau que les autres pays du Maghreb, le Maroc s'est depuis longtemps engagé dans la construction de grands barrages qui permettent de pourvoir en eau d'importants périmètres cultivés pouvant atteindre 1 000 km². La superficie des terres irriguées du Maroc représente près de 800 000 ha, soit plus de 11 % du territoire ; la construction de nouveaux barrages, tel celui de Mjaàra, le plus grand du pays, devrait permettre d'augmenter encore ces surfaces.

23 février

Mali. Village près de Kidal.

Quand il parvint à Tombouctou, malade, après un voyage atroce, l'explorateur René Caillié fut déçu. Il ne trouva qu'un « amoncellement de maisons mal construites où règne un grand silence ». Il aurait pu faire la même remarque à Kidal, bourgade voisine de Tombouctou, habitée par des Touaregs (qui sont 300 000 à vivre au Mali) et des Songhaïs. Mais il faut tenir compte de la dureté du climat, de ces jours d'été où la température moyenne atteint 43 °C et d'hiver où il gèle la nuit. Il faut aussi rappeler la violence de l'harmattan, le vent du désert. Les maisons closes en brique d'argile avec une ouverture au sommet assurent un abri et une régulation thermique. Les terrasses servent de rangement car les pluies ne durent que quelques semaines. Le dispositif d'ensemble avec ses ruelles irrégulières et étroites fournit aussi une protection contre les envahisseurs qui furent nombreux à passer par Kidal. Il rappelle les ksour du Sud tunisien et marocain, ce qui n'est pas étonnant car les Berbères venus du nord du Sahara dominèrent à plusieurs reprises cette région au sud de l'Adrar des Iforas pour contrôler le commerce du sel.

24 février

Bolivie. Salar d'Uyuni.

À 3 800 m d'altitude, l'altiplano s'étend sur 1 500 km, du lac Titicaca jusqu'à la saline de Maricunca au Chili. Au milieu, la saline d'Uyuni étend sa plaine blanche sur 12 000 km^2, soit la surface de deux départements français. Si l'on creuse, on trouve une alternance de dix couches différentes de sel qui témoignent de l'évaporation et du retour de la mer au cours d'autant de retraits successifs pendant que la plaque de Nazca soulevait la cordillère des Andes, la plus récente et la plus abrupte des grandes chaînes montagneuses du globe. Le sel de mer domine en surface et est l'objet d'une exploitation artisanale, mais dans les couches plus profondes, on trouve des sels de potassium, de lithium et de bore qui pourraient faire de la Bolivie un riche producteur de matières premières. Le pays se méfie cependant de ce genre de richesse qui a fait beaucoup de pauvres. Son commerce extérieur a longtemps dépendu des mines d'étain de la richissime famille Patino. Leurs nationalisations et dénationalisations ont rythmé la vie politique bolivienne de coups d'État pro et anti-américains. Aujourd'hui, le résultat n'est pas brillant. La Bolivie est le pays le plus pauvre et le moins alphabétisé d'Amérique du Sud.

25 février

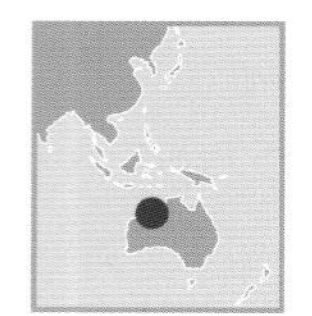

Australie. West Kimberley. Archipel des Boucaniers.

Au large des côtes très découpées et érodées du Nord-Ouest de l'Australie émergent des milliers d'îlots restés sauvages, comme ceux de l'archipel des Boucaniers. Les activités agricoles et industrielles étant peu présentes sur le littoral, l'eau de la mer de Timor, qui s'insinue entre les îles, est relativement épargnée par la pollution, ce qui permet à des espèces fragiles, comme celle des huîtres *Pinctada maxima*, de se développer dans les meilleures conditions. Prélevés dans leur milieu naturel, sur les fonds marins, ces mollusques sont exploités pour l'élaboration de perles de culture. Les perles australiennes, qui représentent 70 % de la production des mers du Sud, sont deux fois plus grosses (12 mm de diamètre, en moyenne) et aussi, d'après les experts, plus belles que celles du Japon, pays pourtant pionnier de l'activité (depuis le début du siècle) et 1er producteur mondial.

26 février

Sultanat d'Oman. Cultures dans le djebel Akhdar.

Décrire le sultanat d'Oman en mentionnant son insularité parce qu'il est bordé sur trois de ses côtes par la mer et sur le quatrième par le désert, ne peut suffire. Car Oman n'est pas seulement une façade maritime (même s'il dispose de 1 700 km de côte) ou un immense désert (même si celui-ci occupe plus des deux tiers de la superficie du pays). Les massifs montagneux, qu'ils soient au nord (avec la chaîne d'Al Hajar dont le massif du djebel Akhdar culmine à 3 000 m) ou au sud (avec le massif du Dhofar), en marquent le paysage. Ils jouent un rôle essentiel dans la vie des hommes qui se sont installés sur les plateaux, dans les gorges et au fond des vallées. Depuis près de deux mille ans, une agriculture fondée sur un système complexe de distribution de l'eau et d'irrigation par canaux, du nom de *falaj*, leur permet de cultiver dattes et citrons, et de continuer à vivre dans ces régions montagneuses *a priori* inhospitalières. Grâce aux *falaj*, Oman dispose d'un potentiel agricole considérable, ce qui le différencie de ses voisins du golfe.

27 février

Inde. Uttar Pradesh. Briqueterie à l'est d'Agra.

De nombreuses briqueteries se sont développées dans la périphérie d'Agra, agglomération de 1,2 million d'habitants de l'Uttar Pradesh, État qui abrite un sixième de la population indienne. Ces petites entreprises sont pourvoyeuses de travail dans une région fortement touchée par le chômage et le sous-emploi, à l'image de l'ensemble du pays. En effet, l'Inde se classait en 1996 au 129e rang mondial pour son PIB par habitant corrigé des différences de pouvoir d'achat de sa monnaie. La production de ces briques en terre cuite est plus particulièrement destinée aux centres urbains, les ruraux se contentant généralement d'habitations en pisé (terre argileuse crue), d'un moindre coût mais plus sensibles aux intempéries. L'importante croissance urbaine de l'agglomération d'Agra, qui en vingt ans a vu sa population augmenter de moitié, laisse entrevoir un avenir prospère pour les entreprises de matériaux de construction de la région.

28 février

Bahamas. Exuma Cays. Îlot et fond marin.

Les Bahamas constituent un archipel de plus de 700 îles (dont 29 seulement sont habitées en permanence) et de quelque 2 400 îlots rocheux, entourés de récifs de corail – les *cayes* ou *cays* en anglais –, archipel qui s'étend sur près de 1 200 km des côtes de la Floride à celles d'Haïti et couvre 280 000 km². C'est parce que toutes ces îles sont à peine vallonnées et entourées d'une mer peu profonde que l'un des hommes d'équipage de Christophe Colomb les a qualifiées de *baja mar* en espagnol (c'est-à-dire « eaux peu profondes »), d'où leur nom de « Bahamas » après déformation par les Anglais qui les ont occupées depuis le XVIIe siècle jusqu'à leur autonomie en 1964. L'archipel est divisé en plusieurs groupes ; l'un d'entre eux, les Exumas, est un chapelet d'îlots (ceux, peu nombreux, qui sont habités sont aménagés pour accueillir des touristes) dispersé sur 160 km au sud-est de Nassau. Ils se caractérisent tant par leur réserve d'oiseaux protégés (à Salt Cay) que par la richesse de leur monde sous-marin (avec leurs bancs de poissons) et leurs grottes marines dont la couleur bleue des eaux contraste avec la dominante bleu-vert de la mer environnante.

1er mars

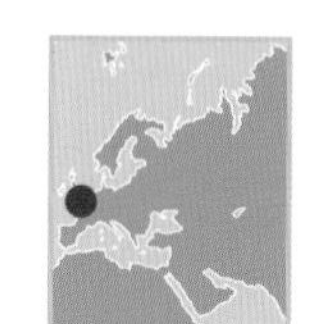

Angleterre. Dorset. Géant de Cerne Abbas.

Ce géant armé d'une massue casse-tête et long de 55 m paraît bien moderne, avec ses yeux ronds, ses sourcils, sa bouche et son absence de nez, les cinq doigts de ses mains bien alignés, ses seins marqués comme ses côtes, son étui pénien retenu par une ficelle et ses mollets galbés. Il pourrait aussi s'agir d'un hermaphrodite en érection. Son image fut publiée pour la première fois en 1764 et attribuée malicieusement aux papistes. D'autres interprétations voient en lui soit un dieu de la fécondité antérieur à notre ère, soit un Hercule mi-romain, mi-celtique du début de notre ère. Ce dessin témoigne du désir de représentation du guerrier. C'est également une invite adressée à des puissances extérieures, selon un schéma mental qui continue de marquer l'esprit de bon nombre d'êtres humains.

2 mars

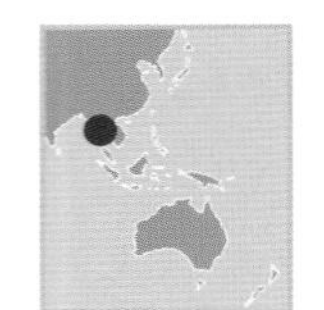

Thaïlande. Travaux des champs entre Chiang Maï et Chiang Raï.

Occupant près de 15 % du territoire thaïlandais, les plantations de riz dominent les paysages du pays jusque dans les vallées du Nord, autour des villes de Chiang Maï et Chiang Raï. Le plus souvent récolté de façon traditionnelle dans de petites exploitations familiales, le riz est battu manuellement au milieu des champs avant d'être emporté dans les villages où il est stocké, puis vendu. Bien qu'elle n'occupe que le 7e rang des producteurs mondiaux, la Thaïlande demeure néanmoins le 1er exportateur de riz au monde ; elle en vend aujourd'hui chaque année à l'étranger 5 millions de tonnes, soit 1/4 de sa production annuelle. Cette céréale, dont il existe près de 120 000 variétés, est consommée dans tous les pays du monde ; denrée traditionnelle des populations asiatiques, elle constitue également la base alimentaire vitale de nombreux pays du tiers-monde.

3 mars

Japon. Kyoto, Pavillon d'or.

Kyoto, dont le nom signifie simplement « la capitale », fut pendant plus de mille ans, de 794 à 1868, la résidence du tout-puissant shogun, analogue à un Premier ministre ou à un maire du palais. En 1397, le shogun Ashikaga Yoshimitsu fit construire un lieu de méditation, le Kinkaku-Ji ou Pavillon d'or, qui devint après sa mort l'un des lieux de culte les plus célèbres du Japon. Le grand écrivain Mishima dit à son propos : « Il n'existait nulle chose au monde qui égalât en beauté le pavillon d'or. » Un moine exalté n'en eut cure puisqu'il incendia en 1950 le temple, le détruisant complètement. Rebâti à l'identique cinq ans plus tard, il brille à nouveau de tout son éclat sans choquer les Japonais qui reconstruisent périodiquement leurs temples. Pour eux, ancien ou antique est synonyme de délabré. Autour de cet îlot paisible, la ville moderne de Kyoto compte 1,5 million d'habitants. Elle est, avec Osaka et Kobe, l'une des capitales du Kansaï, mégapole de 35 millions d'habitants, à peu près autant que la Kanto autour de Tokyo et Yokohama. La séparation entre immenses mégalopoles et sanctuaires naturels presque vides s'accentuera vraisemblablement au XXIe siècle. C'est la « dualisation » du territoire.

4 mars

Australie. Territoire-du-Nord. Cratère météoritique Gosses Bluff.

Il y a environ 135 millions d'années, la chute d'une météorite sur le sol australien a dévasté plus de 20 km^2 dans l'actuel Territoire-du-Nord. Il en reste aujourd'hui un cratère de 5 km de diamètre et 150 m de haut, le Gosses Bluff, aussi appelé Tnorala par les Aborigènes. Les chutes de météorites de petite taille sur terre sont des phénomènes fréquents, qui se produisent des milliers de fois chaque année. Généralement d'un diamètre inférieur à 1 m, elles ne provoquent pas de dégâts puisqu'elles se fragmentent et brûlent lors de leur entrée dans l'atmosphère et atteignent le sol sous forme de poussière. En revanche, bien que rare et aléatoire, l'arrivée de météorites d'un diamètre supérieur à 10 m peut provoquer des dégâts importants. La chute la plus récente a eu lieu en 1977 à Madagascar, où le sol a été marqué de deux cratères dont un de 40 m de diamètre.

5 mars

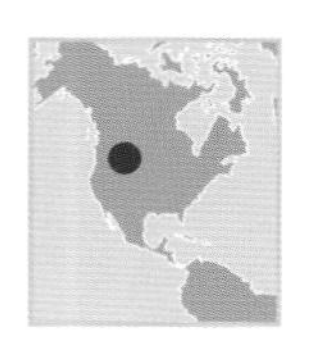

États-Unis. Montana. Tracteur dans un champ près de Bozeman.

Sur 380 000 km², le Montana compte à peine 3 millions d'habitants, soit une densité dix fois plus faible que la France. Malgré sa modeste population, cet État américain situé au nord des montagnes Rocheuses est cependant un gros producteur de céréales. Il illustre ce que l'écologiste Paul Ehrlich a appelé le paradoxe de la Hollande : bien que la densité dépasse 460 h/km² aux Pays-Bas, le pays jouit d'un haut niveau de vie et de consommation alimentaire car d'autres pays travaillent pour lui. On pourrait tout aussi bien parler de paradoxe du Montana dont la production agricole est destinée à l'étranger. Les États-Unis demeurent en effet le plus gros exportateur de vivres au monde. Ils peuvent ainsi fournir l'Algérie qui importe 75 % de ses vivres, l'Égypte qui en importe 60 % et toute la péninsule arabique. La globalisation de l'économie passe par celle de l'agriculture dont les modes de production sont de plus en plus intégrés au marché mondial. Le prix du blé, ses stocks et sa rareté ne sont pas décidés à Alger ou au Caire mais à Chicago et Washington. Ils constituent aussi une arme politique aux mains des Américains capables de menacer de disette les pays hostiles, l'URSS dans les années 1980, l'Irak aujourd'hui.

6 mars

Tunisie. Gouvernorat de Zaghouan. Nouvelles plantations d'oliviers.

Les talus édifiés pour retenir l'eau de ruissellement et limiter l'érosion soulignent le relief, à la manière des courbes de niveau d'une carte. Les plantations d'oliviers sont effectuées sur des terres labourables, souvent sur des franges de relief comme ici au pied du Djebel Zaghouan (1 295 m), situé au nord-est de la Tunisie. Caractéristique du climat méditerranéen, l'olivier est cultivé depuis l'Antiquité. Il présente un grand intérêt économique. Non seulement ses fruits sont consommables, mais l'huile d'olive est réputée pour ses vertus diététiques et médicinales. Les rameaux d'oliviers servent également à nourrir les ovins et les caprins. La Tunisie, qui produit 500 000 tonnes d'olives par an (1997), se classe au 5e rang mondial derrière l'Espagne, l'Italie, la Grèce et la Turquie, mais au 2e pour les volumes exportés (198 000 tonnes), derrière l'Espagne. La consommation mondiale d'huile d'olive dépasse 2 millions de tonnes.

7 mars

Sénégal. Marché de poissons à Saint-Louis.

Dans l'économie sénégalaise, la pêche vient au second rang des richesses exportables, après l'arachide, et occupe une place essentielle dans la consommation nationale. Si certaines zones côtières sont fortement engagées dans la pêche commerciale, d'autres restent encore peu exploitées, sinon pour les besoins de la consommation locale. La pêche piroguière, bien adaptée au contexte matériel et humain, en raison des faibles investissements requis pour l'acquisition de l'outil de travail, de ses coûts de production limités et de son extraordinaire souplesse, reste encore prédominante. Mais elle est aujourd'hui concurrencée par la pêche industrielle. Victime d'une course à la productivité entre les deux formes de pêche, le poisson se raréfie au large des côtes du Sénégal. Dans certaines zones, les pêcheurs ont même recours à des méthodes radicales : ils lancent des bâtons de dynamite dans un banc de poissons et récoltent directement les poissons morts flottant à la surface. Loin de freiner l'exploitation de l'environnement, la raréfaction des produits entraîne souvent une accélération fatale.

8 mars

Philippines. Groupe d'îles de Samales. Village sur pilotis de Tongcquil.

Pour survoler ce village, situé au sud de l'archipel des Philippines, passez au-dessus de l'île de Jolo, chef-lieu de l'archipel de Sulu. Continuez vers le sud-est pendant une vingtaine de minutes entre la mer de Sulu et celle des Célèbes, puis piquez vers le groupe des îles de Samales, petits cailloux émiettés délicatement dans des eaux transparentes. Ces îles volcaniques et coralliennes sont en majorité peuplées d'ethnies Moros et Négritos de confession musulmane. Dans les très catholiques îles philippines, ces populations se sentent en danger et de nombreux groupes ou groupuscules armés pour la guérilla utilisent le levier de l'islam pour se libérer de la pression du gouvernement philippin. Le groupe Abu Sayyaf, auteur d'une médiatique prise d'otages de 21 touristes à Jolo, prétend ainsi créer un État fédéral islamique autonome. Une rébellion de laissés-pour-compte qui mêle comme souvent l'économie et la religion. Dans ces régions les plus pauvres du pays, le PNB annuel par habitant est 6 fois inférieur à la moyenne nationale, qui dépasse à peine les 1 000 dollars. Les rares emplois sont réservés de fait aux Philippins de confession chrétienne, qui ne sont pourtant dans cette région que 3 %. Une discrimination sociale qui cristallise les conflits religieux.

9 mars

France. Indre-et-Loire. Les jardins du château de Villandry.

Le château de Villandry a été construit en 1532, à la fin de la grande période d'effervescence artistique et architecturale de la vallée de la Loire. Restaurés au début du XXe siècle par Joachim Carvallo, les jardins qui entourent le château offrent un exemple unique de reconstitution minutieuse et documentée de ce que pouvait être le jardin ornemental à la française au temps de la Renaissance. Dans l'Europe du XVIe siècle, le dessin des jardins fait partie des beaux-arts. Empruntant aux monastères leur tradition de potagers enclos et aux Italiens leur penchant pour les bosquets taillés, Villandry illustre parfaitement la définition du poète Jacques Delille : « Un jardin à mes yeux est un vaste tableau. » Placés en lignes symétriques, mêlant l'architecture à la végétation domestiquée, les végétaux sont ici comme les accessoires d'un décor. Chaque époque met ainsi en scène sa conception de la nature. Ce furent au Grand Siècle les parterres de broderie et les plantes exotiques que l'on remisait dans les orangeries, puis au Siècle des lumières les fabriques et les ruines romantiques. Aujourd'hui, la nature sauvage revient sur le devant de la scène avec les jardins « nomades ».

10 mars

Maroc. Travaux des champs près d'Agadir.

Agadir, ville portuaire et important centre touristique, marque la frontière entre un Maroc du nord peuplé et occidentalisé et un Maroc du sud traditionaliste et plus désertique. Les neuf dixièmes de la population vivent à l'ouest d'une ligne entre Oujda au nord-est et le sud d'Agadir, qui épouse les premiers contreforts de la barrière montagneuse et climatique des Atlas. Agadir se situe dans l'Anti-Atlas, la partie la moins haute de ces montagnes. On y cultive des arbres fruitiers et des céréales. Le Maroc reste avant tout un pays agricole, où un habitant sur deux vit de la terre. Sur une superficie évaluée à 71 millions d'hectares, 40 millions ont une vocation agricole. Pourtant, l'agriculture ne représente qu'un sixième de la richesse nationale (17 % du PIB) et ne participe que pour environ 12 % aux exportations. C'est parce qu'elle dépend très fortement des aléas climatiques. Le manque d'eau qui menace une vaste bande géographique du Maroc au Pakistan se manifeste plus par l'ampleur des fluctuations annuelles que par la moyenne des précipitations sur un grand nombre d'années.

11 mars

Indonésie. Bali, récolte des algues.

L'eau étant susceptible, comme la terre ferme, de fournir des produits commercialisables, il suffit de remplacer l'*ager* (le champ) par l'*aqua* (l'eau) pour qu'une aquaculture s'ajoute à une agriculture et que les exploitations d'élevage de poissons se juxtaposent à celles d'élevage de volailles (eux-mêmes aujourd'hui souvent conçus en « hors-sol »). La culture des algues (algoculture) finit par ressembler, jusque dans la constitution de rangées, billons, rigoles, à la culture des céréales. Manière habile de rentabiliser des espaces réputés difficiles à aménager et de fournir à bon compte des éléments nutritifs supplémentaires aux populations croissantes. L'agriculture, la pêche, l'aquaculture et la sylviculture occupent 55 % de la population active indonésienne âgée de plus de 15 ans (dont 40 % est féminine). À pouvoir d'achat comparable des monnaies, la richesse moyenne créée chaque année par habitant ne représente que 13 % de celle créée en Suisse.

12 mars

Kenya. Rivière Athi asséchée, dans l'ouest du parc national de Tsavo.

Comme la plupart des cours d'eau kenyans, la rivière Athi, qui traverse le parc national de Tsavo, n'est pas pérenne. En période de sécheresse, les bergers Massaï mènent néanmoins leur troupeau de bovins et de chèvres dans le lit asséché de cette rivière, afin que le bétail puisse s'abreuver dans les flaques d'eau providentielles maintenues dans des cuvettes rocheuses. Pasteurs semi-nomades dont la subsistance dépend du seul produit de l'élevage, les Massaï sont encore 15 000 à parcourir de longues distances entre le Kenya et la Tanzanie à la recherche de points d'eau et de pâturages pour leurs troupeaux. Selon les croyances de ce peuple, le bétail lui aurait été offert par Enkai, créateur du monde. Aujourd'hui, des programmes de « développement » incitent les Massaï à se reconvertir dans l'agriculture et donc à se sédentariser.

13 mars

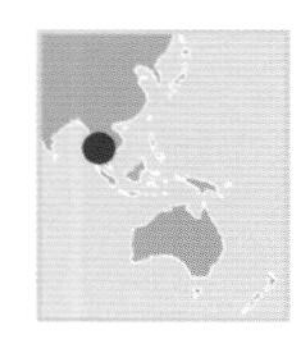

Thaïlande. Île de Phuket. Phi Phi Le.

L'archipel des Phi Phi, dans la mer d'Andaman, à 40 km au large de la côte thaïlandaise, est composé des îles Phi Phi Don et Phi Phi Le, qui servaient jadis de refuge aux pirates. Phi Phi Le est la plus préservée car inhabitée, le gouvernement thaïlandais souhaitant contrôler le trafic illégal de nids d'hirondelle. Dans les hautes caves karstiques creusées dans les falaises de calcaire, qui culminent à 374 m, les pêcheurs viennent recueillir cette denrée rare, en s'aidant de fragiles et dangereux échafaudages en bambous. Les nids d'hirondelle – « l'or blanc » –, constitués de fils de salive durcis, peuvent se vendre jusqu'à 12 000 francs par kilo et sont appréciés pour leurs vertus revigorantes. L'île a récemment accueilli un tournage de film grand public qui a suscité une forte controverse environnementale. L'équipe de tournage avait aplani les dunes de la plage et planté 60 palmiers, pour parfaire l'Éden. La compagnie cinématographique fut obligée de restaurer le milieu pour le rendre à son état initial, et s'engagea dans des actions de nettoyage de l'île. En 1999, une tempête tropicale d'une vigueur peu commune a balayé tous ces efforts, jonchant à nouveau la plage de détritus divers…

14 mars

Honduras. Îles de la Baie. Village ravagé par le cyclone Mitch sur Guanaja.

Né au sud de la Jamaïque, le cyclone Mitch a atteint son paroxysme, avec des rafales de 288 km/h, quatre jours avant de s'abattre sur l'Amérique centrale, le 30 octobre 1998. Fortement éprouvé par l'ouragan, l'ensemble du Honduras, dont l'île de Guanaja, a été balayé pendant deux jours par des vents destructeurs, des pluies diluviennes et des coulées de boue qui ont rasé des villes entières, tuant plusieurs milliers de personnes et laissant plus d'un million de sinistrés. Durant les mois qui ont suivi le cataclysme, la population a dû également faire face à la pénurie d'eau potable et à l'émergence d'épidémies. Ouragan le plus dévastateur qu'ait connu le Honduras depuis Fifi (1973), Mitch a par ailleurs détruit 70 % des plantations de bananes et de café, principaux produits d'exportation, plongeant dans un chaos économique ce pays déjà parmi les plus pauvres du monde.

15 mars

Jordanie. Région de Maan. Paysage montagneux. Wadi Rum.

Le Wadi Rum – le plus long des oueds du sud de la Jordanie – a donné son nom à cette région dont les falaises aux tons ocre, rouges et violets, les pics et les dunes blondes ou orangées, se distinguent par leur « écrasante grandeur » pour reprendre l'expression de Lawrence d'Arabie. C'est dans cette région qu'a débuté, en 1916, la grande révolte arabe contre l'occupation ottomane, avec l'appui des Anglais, en particulier celui de ce même Lawrence, jeune sous-lieutenant britannique. Les monuments rocheux de ce désert fourmillent d'inscriptions mystérieuses car il a été de tout temps un important point de passage des nomades et des commerçants entre l'Arabie du Sud, pourvoyeuse d'épices, et la Méditerranée consommatrice. Les Nabatéens de l'époque du Christ ont fait place aujourd'hui aux Bédouins Haoueitates. En classant, dans les années 1980, 510 km^2 du Wadi Rum comme réserve naturelle et en souhaitant en confier la garde aux Haoueitates, les responsables jordaniens ont, au-delà des préoccupations écologiques, cherché à sédentariser cette tribu bédouine.

16 mars

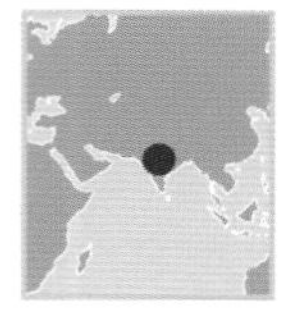

Inde. Rajasthan. Travaux des champs au nord de Jodhpur.

Deuxième État indien par sa superficie (342 240 km^2), le Rajasthan, au nord-ouest du pays, est à 65 % couvert de formations désertiques sableuses. La rareté des eaux de surface est grandement responsable de la faible productivité des terres. Cependant, la mise en place de systèmes d'irrigation a permis de développer l'agriculture ; le millet, le sorgho, le blé et l'orge y sont cultivés. La récolte de ces céréales, à la fin de la saison sèche, est une tâche incombant généralement aux femmes qui, même lors des travaux des champs, sont coiffées du traditionnel *orhni*, long châle de couleur vive spécifique à la région. En Inde, plus de la moitié du territoire est consacrée à l'agriculture et 27 % des terres arables sont irriguées. Le pays récolte chaque année environ 220 millions de tonnes de céréales, soit plus de 10 % de la production mondiale.

17 mars

Namibie. Région du Damaraland. Montagnes dans Brandberg West.

Non loin du littoral désolé de la Skeleton Coast, au nord-ouest de la Namibie, une fois atteints les hauts plateaux, s'étend la région du Damaraland, où alternent plaines arides et montagnes granitiques. Le massif du Brandberg (la « montagne de feu ») doit son nom au rougeoiement qui embrase sa face occidentale au moment du coucher du soleil. Son sommet, le Königstein, qui culmine à 2573 m, est le plus haut de Namibie. C'est en redescendant de ce sommet qu'au début du XXe siècle, un Allemand découvrit de très belles peintures rupestres vieilles d'environ 4000 ans. La plus connue, celle dite de la Dame Blanche, représente un cortège au centre duquel figure un guérisseur bochiman, membre d'une des tribus arrivées en Namibie probablement au VIIIe millénaire, dont le corps est orné de peintures rituelles. Cette découverte illustre deux épisodes de l'histoire de la Namibie : la colonisation allemande et l'histoire plus ancienne de son peuplement. Aujourd'hui, malgré la fin de l'apartheid, la coexistence des Bochimans, des Bantous, des Européens et des Indiens d'Asie, tous arrivés à des périodes différentes, reste un problème majeur du sud de l'Afrique.

18 mars

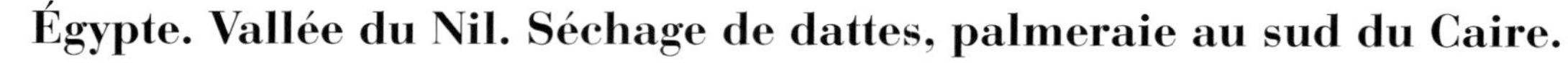

Égypte. Vallée du Nil. Séchage de dattes, palmeraie au sud du Caire.

Les palmiers-dattiers ne se développent que dans les milieux arides et chauds disposant de quelques ressources hydriques, comme les oasis. La production mondiale de dattes atteint 4 millions de tonnes par an. L'essentiel de la récolte du Moyen-Orient et du Maghreb est destiné au marché intérieur de chaque pays, l'exportation ne représentant qu'une proportion de 5 %. L'Égypte, 2e producteur mondial, récolte chaque année près de 650 000 tonnes de dattes, consommées localement à raison de 10 kg par personne et par an. Ces dattes sont habituellement conservées de façon artisanale : triées par variétés, elles sèchent au soleil, protégées du vent et de l'eau par un muret de terre et de branches, puis sont confinées dans des paniers tressés de palmes. Bien que la consommation directe soit majoritaire, un certain nombre de produits dérivés (sirop, farine, pâte, vinaigre, sucre, alcool, pâtisseries…) sont fabriqués de façon artisanale ou industrielle à partir de ce fruit.

19 mars

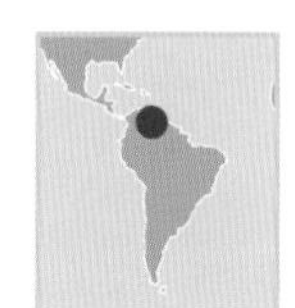

Venezuela. Région de la Gran Sabana.

Rivière sur l'Auyantepui.

La région de la Gran Sabana, au sud-ouest du Venezuela, est une vaste plaine couverte de savane et de forêt dense d'où émergent d'imposants reliefs tabulaires constitués de roches gréseuses, appelés *tepuis*. Sur l'un d'entre eux, l'Auyantepui ou « montagne du diable », qui couvre 700 km^2 et culmine à 2 580 m, serpente le río Carrao. Arrivée en bordure du *tepui*, cette rivière se précipite en une cascade vertigineuse de 978 m, le Salto Angel, chute d'eau libre la plus haute du monde. Riche en gisements d'or et de diamants, la région de la Gran Sabana et ses nombreux cours d'eau suscitent depuis 1930 la convoitise de maints prospecteurs, attirés notamment par des villes comme Icabaru, rendue célèbre par la découverte d'un diamant de plus de 150 carats, ou comme El Dorado, dont le nom évoque à lui seul l'époque des conquistadores.

20 mars

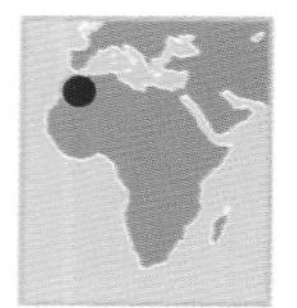

Maroc. Région d'Ar-Rachidia, Haut Atlas. Village dans la vallée du Rhéris.

S'inspirant de l'architecture berbère, qui naguère répondait à la nécessité de se protéger des invasions, les villages fortifiés se succèdent dans la vallée du Rhéris, comme le long de la plupart des oueds du Sud marocain. Aujourd'hui, alors que les menaces de razzias ont disparu, l'imbrication des habitations, l'étroitesse des fenêtres et la structure en terrasse des toitures qui recouvrent maisons et ruelles ont pour destination principale de préserver les occupants de la chaleur et de la poussière. Ces toits plats communicants permettent de faire sécher les récoltes. Parfaitement intégrées dans le paysage, les maisons sont généralement bâties en pisé d'argile et de chaux prélevées sur place. D'apparence robuste, ces constructions sont fragiles, car en matériaux friables ; la moitié des édifices construits il y a cinquante ans sont aujourd'hui en ruines.

21 mars

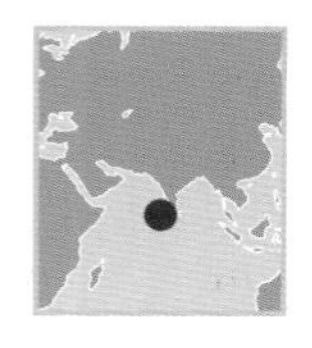

Maldives. Atolls de Male Nord. Îlots de Vabbinfaru.

À quelque 500 km à l'ouest de Ceylan, les Maldives, véritable poussière d'atolls, comptent entre 1 120 et 2 000 îles selon le mouvement des bancs de sable. Kalhuhuraa, qui portait de riches palmeraies au début du siècle, a disparu. Kuda Huraa vient de se couper en deux. Les atolls (*divehi* en langue maldive) se forment au gré de la croissance de minuscules polypes, les coraux. Les Maldives en comprennent un nombre record et possèdent le plus grand d'entre eux, Huvadhoo, qui fait 70 km de tour, 53 km de large et atteint 86 m de profondeur au centre de son lagon. Charles Darwin pensait que les atolls s'étaient formés dans des réserves d'eau douce pendant que les pics volcaniques dont sont issues les Maldives s'enfonçaient lentement sous les eaux. Le biologiste Hans Haas a montré qu'ils proviennent en fait du mode de croissance des récifs coralliens vers l'extérieur et de leur dépérissement progressif qui creuse le lagon.

22 mars

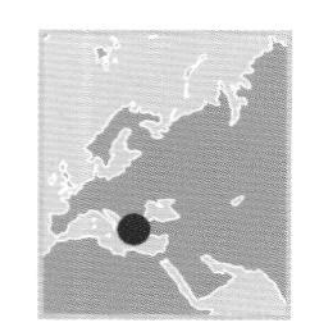

Grèce. Thessalie. Monastère des Météores.

Dans la plaine de Thessalie, en Grèce, s'élèvent les Météores, pitons de calcaire et de grès sculptés par l'érosion fluviale au cours de l'ère tertiaire. Sur ces éminences rocheuses, des moines anachorètes ont construit, du XIVe au XVIe siècle, 24 monastères surplombant la vallée du Pénée, perchés entre 200 m et 600 m de hauteur. Longtemps ces édifices sont restés difficilement accessibles, treuils et cordages étant les seuls moyens d'y pénétrer ; ce n'est qu'à partir de 1920 que furent installés des escaliers et des passerelles permettant aux touristes de visiter ces sites qui sont inscrits sur la Liste du patrimoine mondial de l'Unesco depuis 1988. La plupart de ces *Meteorisa monastiria* (monastères suspendus) sont aujourd'hui en ruine, et seuls quatre d'entre eux sont toujours occupés par des communautés chrétiennes orthodoxes.

23 mars

Japon. Honshu. Île de pêcheurs dans la baie d'Hiroshima.

Le Japon est un pays d'îles essentiellement tourné vers la mer dont les Japonais exploitent les richesses depuis toujours. Outre la pêche, la culture des huîtres et des algues s'y pratique depuis le XVIIe siècle et la consommation de produits de la mer y est une des plus fortes au monde. Cette « civilisation de la mer », selon l'expression du géographe François Doumenge, est née dans le « Japon de l'Endroit », celui de la mer Intérieure et de l'océan Pacifique, mais elle se développe actuellement dans l'ensemble du pays. Ainsi, le Japon occupe la première place mondiale dans toutes les activités économiques liées à la mer et il est le premier producteur mondial de produits marins. Le Japon est aussi, avec la Norvège, l'une des deux seules nations qui pratiquent encore la pêche commerciale des baleines. En voie de disparition car trop chassées, la plupart des espèces de baleines sont maintenant protégées sur l'ensemble de la planète et un moratoire interdit leur chasse. Pourtant, malgré les incessantes condamnations de la communauté internationale, la flotte japonaise continue (souvent sous couvert de missions scientifiques) à capturer à échelle industrielle des centaines de ces animaux qui finissent en mets de choix sur les tables japonaises.

24 mars

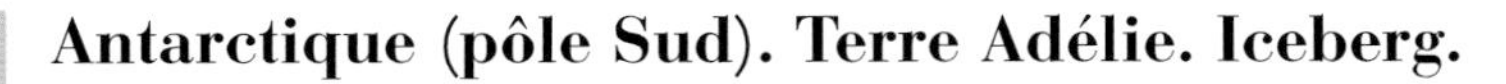

Antarctique (pôle Sud). Terre Adélie. Iceberg.

La gigantesque calotte polaire de l'Antarctique se prolonge loin dans la mer où ses vastes glaciers finissent par se morceler en énormes icebergs, dont certains atteignent la superficie de la Corse pour une hauteur totale de plus de 500 m. Leur taille les rend moins dangereux que les petits icebergs de l'hémisphère Nord, issus de la fine couche glacée de l'Arctique qui ne dépasse pas les 10 m. Comme ces icebergs de l'Antarctique sont constitués d'eau douce gelée, on a imaginé de les remorquer jusque dans les pays chauds et désertiques pour irriguer ceux-ci. Ces projets extravagants n'ont pas eu plus de succès que ceux d'une mer intérieure saharienne par percement d'un canal de la Méditerranée à la dépression des Chotts. Avec le réchauffement de la planète, certains climatologues craignent un *upsurge* de l'Antarctique : une partie de la calotte de glace de 2 km d'épaisseur glisserait dans l'océan et y fondrait, relevant le niveau des mers de plus de 10 m. Des scientifiques moins pessimistes soulignent que le mouvement d'*upsurge*, bien que rapide à l'échelle géologique, devrait prendre sept cents ans, ce qui nous laisserait le temps de réagir.

25 mars

Turquie. Anatolie, Cappadoce. Maisons troglodytiques près d'Uçhisar.

La Cappadoce, au cœur de l'Anatolie, compte plusieurs volcans aujourd'hui éteints dont les éruptions passées ont projeté alentour quantité de cendres et de débris divers. Cette matière solidifiée, appelée tuf volcanique, a été ciselée par l'érosion qui a dessiné un paysage de dômes, de cônes et d'aiguilles d'apparence presque lunaire. Dès l'âge du bronze, les hommes ont creusé dans cette roche tendre des habitats troglodytiques. À partir du IVe siècle, la région a abrité des communautés chrétiennes érémitiques qui ont taillé dans le tuf volcanique des monastères, des églises ainsi que des cités souterraines utilisées comme refuge lors des invasions arabes du VIIe siècle. Inscrits sur la Liste du patrimoine mondial de l'Unesco en 1985, les sites rupestres de Cappadoce sont l'un des pôles d'attraction touristique majeurs de Turquie, pays qui accueille aujourd'hui près de 9 millions de visiteurs par an.

26 mars

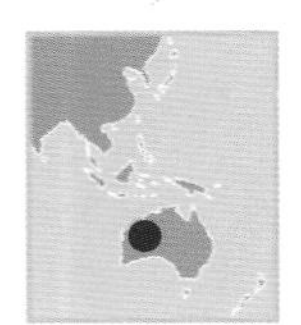

Australie. West Kimberley. Mont Trafalgar dans la réserve Prince Regent.

Entre la mer de Timor et le désert de Gibson, la région sauvage du Kimberley abrite moins de 20 000 habitants. C'est par excellence l'*outback*, l'arrière-pays immense et inaccessible de l'Australie occidentale, qui, avec ses zones désertiques, couvre un tiers de la superficie du pays, soit cinq fois celle de la France pour 1,8 million d'habitants seulement. La réserve de Prince Regent longe la rivière du même nom et a été classée Réserve de la biosphère par l'Unesco pour sa forêt tropicale sèche ou à feuilles caduques. Les crocodiles y attendent le retour de l'eau et des crues en période estivale, lors des pluies de mousson, qui rafraîchissent le climat étouffant. Autour de la réserve s'étendent les territoires des Aborigènes, dont l'étymologie signifie « ceux qui étaient là depuis l'origine ». Décimés par les Européens, on estime aujourd'hui leur nombre à 265 000, dont les trois quarts sont métissés. Dans leur culture, le mont Trafalgar symbolise l'harmonie entre d'une part la terre, les rochers et les êtres vivants, créés par les esprits des ancêtres, et d'autre part les hommes, dont la tradition orale et les déplacements gardent vivante la mémoire du *Dreamtime*, le temps du rêve et de la création.

27 mars

Inde. Uttar Pradesh. Varanasi, les *ghâts*, bain rituel dans le Gange.

Les *ghâts* de Bénarès, Varanasi en langue hindi, attirent depuis des temps immémoriaux les pèlerins hindous pour la crémation des morts, qui permet au corps de regagner le Gange sous forme de cendres. Varanasi, dont l'étymologie signifie « la ville entre les rivières Varuna et Asi », est la ville sainte dédiée à Shiva, le dieu de la destruction et de la reproduction dans le panthéon hindou. La chevelure du dieu enferme Ganga, déesse du Gange, fleuve de la vie. Les pèlerins qui meurent à Varanasi auront une meilleure chance d'atteindre le *moksha*, salut spirituel qui libère du cycle des réincarnations. Comme six autres centres religieux, la ville est une *tirtha*, un gué entre le monde des souffrances et le monde du divin. De leur vivant, les pèlerins s'immergent dans le fleuve pour se purifier et accomplir le culte, le *puja*. Offrandes, prières et méditation accompagnent les ablutions. Les *ghâts* désignent tout aussi bien les immenses plateaux qui, à partir de l'Himalaya, s'étagent jusqu'au fleuve que les quelques marches d'escalier aménagées sur ses berges. L'hindouisme, religion de 800 millions d'Indiens, de 20 millions de Népalais, des Balinais, de Mauriciens et de Fidjiens, est le troisième plus important culte au monde.

28 mars

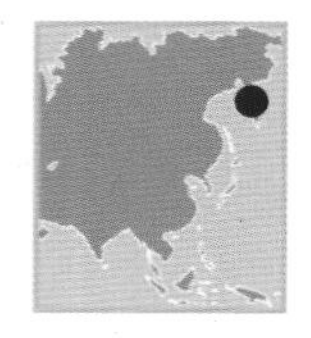

Russie. Kamtchatka. Lac dans un cratère du volcan Mutnovsky.

Issu de la juxtaposition de deux volcans, le Mutnovsky, au sud du Kamtchatka, en Sibérie, culmine à 2 324 m et abrite à son sommet deux lacs de cratère. Depuis cent cinquante ans, cet ensemble volcanique a connu une quinzaine d'éruptions explosives, la dernière datant de 1961. Aujourd'hui, son activité se limite à l'émission de gaz soufrés, ou fumerolles, à très haute température (600 °C). Géologiquement très jeune, avec moins d'un million d'années d'existence, la péninsule du Kamtchatka est située sur une zone de subduction, là où la plaque tectonique Pacifique plonge sous la plaque Eurasie. Elle abrite 160 volcans, dont 30 encore actifs, inscrits sur la Liste du patrimoine mondial de l'Unesco depuis 1996. On estime que près de 1 400 volcans dans le monde peuvent entrer en éruption à tout moment ; 60 % d'entre eux sont situés sur le pourtour de l'océan Pacifique, dans la « ceinture de feu ».

29 mars

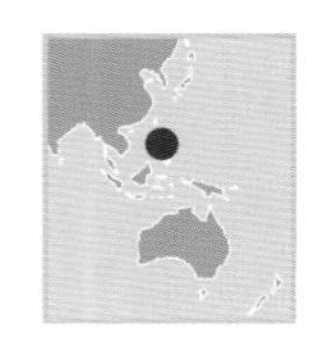

Philippines. Île de Luçon. Village de Bacolor sous une coulée de boue.

En 1991, le volcan Pinatubo, sur l'île de Luçon aux Philippines, entre en éruption après plus de six siècles de sommeil, projetant jusqu'à 30 000 m d'altitude un nuage de 18 millions de m^3 de gaz sulfureux et de cendres qui anéantit toute vie dans un rayon de 14 km. Dans les jours qui suivent, des pluies diluviennes se mêlent aux cendres éparpillées sur plusieurs milliers de km^2, provoquant d'importantes coulées de boue, les *lahars*, qui engloutissent des villages entiers. Même plusieurs années après l'éruption, ce phénomène se reproduit à chaque tempête tropicale, et de nouveaux villages, comme Bacolor en 1995, sont dévastés par des *lahars*. Le bilan des pertes liées à l'éruption du Pinatubo a été estimé à 875 morts et 1 million de sinistrés. Près de 600 millions d'habitants de notre planète vivent sous la menace de volcans et, chaque année, en moyenne, plus de 700 personnes sont tuées lors d'éruptions volcaniques.

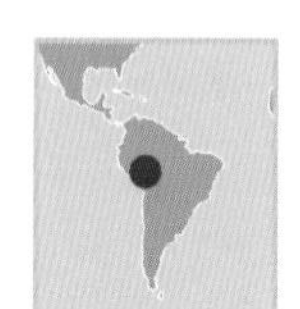

Pérou.

« Chandelier » de la péninsule de Paracas.

Communément appelé « le chandelier », ce dessin de 200 m de haut sur 60 m de large, gravé dans la falaise de la péninsule de Paracas, sur la côte péruvienne, serait, selon les spécialistes, la représentation d'un cactus ou de la constellation de la Croix du Sud. S'il présente des similitudes avec les célèbres tracés de Nazca, à environ 200 km au sud-est, il est en revanche l'œuvre d'une civilisation antérieure, les Paracas, dont on a retrouvé dans la région une nécropole de 429 corps momifiés, ou *fardos* funéraires. Réputés pour leurs tissus, broderies et céramiques, les Paracas, dont la civilisation s'est épanouie vers 650 av. J.-C., étaient surtout un peuple de pêcheurs. Visible de très loin en mer, « le chandelier » constituait certainement un point de repère pour la navigation, comme il l'est encore aujourd'hui pour les marins qui croisent au large.

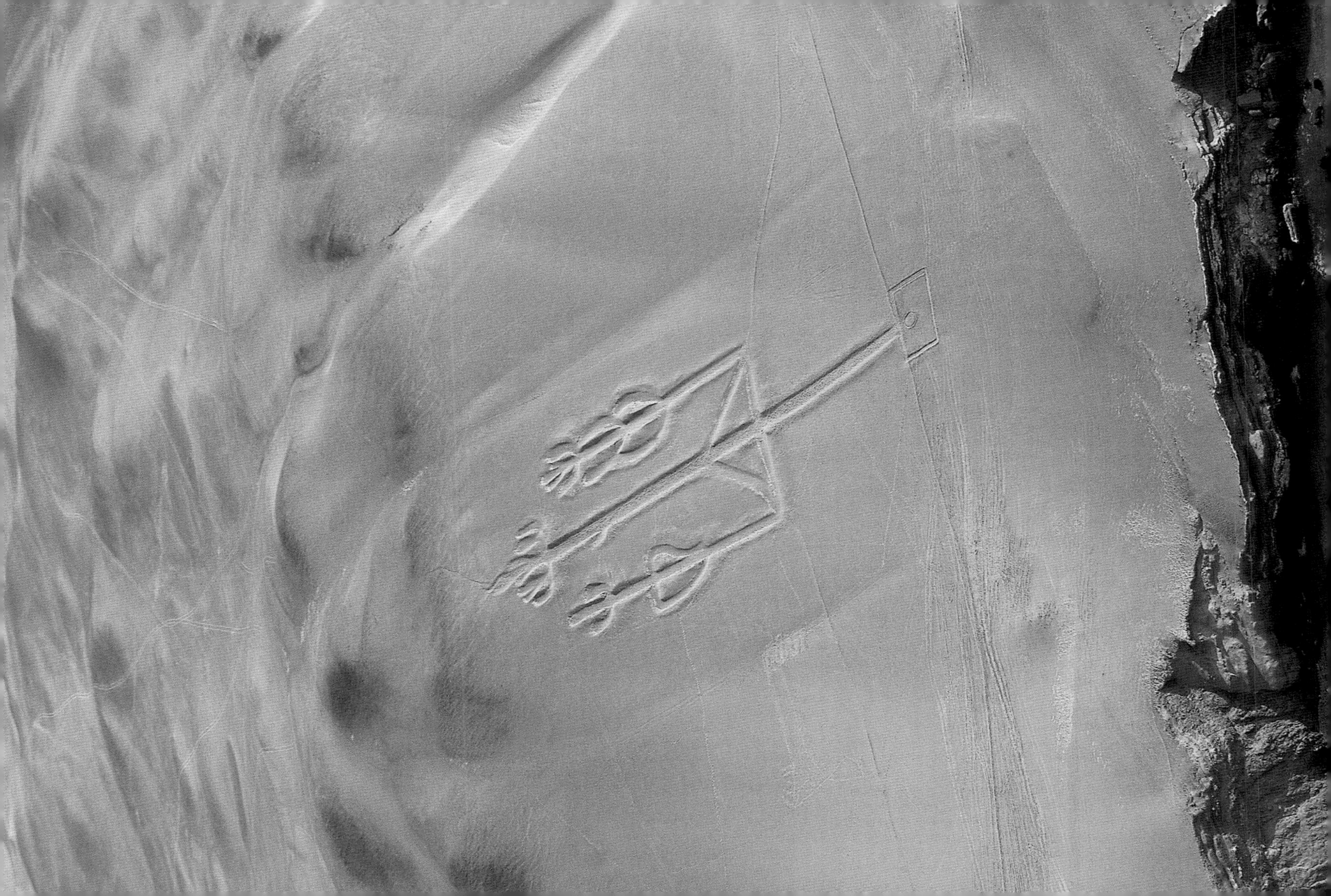

31 mars

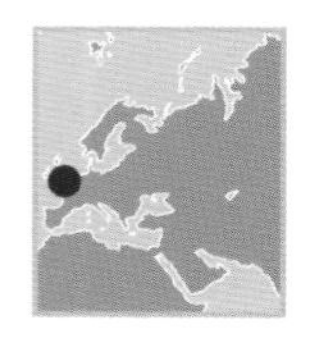

Angleterre. Wiltshire. Graphisme agricole.

Ces cercles mystérieux qui intriguèrent l'opinion anglaise ne sont pas la trace laissée par un vaisseau interplanétaire. Ils ont été dessinés par des Anglais très terrestres et assez farceurs qui ont voulu se moquer d'une opinion publique prompte à croire aux démons et aux merveilles. Mais à leur manière, ces plaisantins ont été conventionnels. Comme l'avait noté le philosophe Roland Barthes, ils ont attribué aux petits visiteurs verts des empreintes parfaitement circulaires. Dans l'imagerie populaire, le Martien symbolise en effet un Terrien qui a vaincu la matière. Il se déplace sans bruit dans des objets ronds, lisses et symétriques qui ne laissent aucune pollution. Barthes s'est cependant lui aussi moqué un peu vite des Martiens. À partir de 1998, les astronomes ont commencé à découvrir des planètes en dehors du système solaire. On en compte plus d'une cinquantaine aujourd'hui et l'on pense qu'il en existe des millions de milliards, ce qui rend presque certaine l'existence de la vie en de nombreux endroits du cosmos. Même s'ils ne laissent pas de cercles dans les champs anglais, des millions d'êtres organisés sont peut-être en train de scruter eux aussi la terre depuis le ciel.

1er avril

Irlande. Comté de Clare. Îles d'Aran, falaises d'Inishmore.

Au large des côtes irlandaises, les îles d'Aran – Inishmore, Inishmaan et Inisheer –, dont les falaises atteignent 90 m de hauteur, protègent la baie de Galway des vents et des courants violents de l'Atlantique. Inishmore, la plus grande (14,5 km sur 4 km), est aussi la plus peuplée, avec près d'un millier d'habitants. Depuis des siècles, les populations ont elles-mêmes contribué à fertiliser le sol de ces îles en épandant régulièrement sur la roche un mélange de sable et d'algues destiné à constituer la mince couche d'humus nécessaire à l'agriculture. Afin de protéger leurs parcelles de l'érosion éolienne, les îliens ont construit un vaste réseau de murets brise-vent, représentant au total près de 12 000 km, qui donne à ces terres l'apparence d'une gigantesque mosaïque. Tirant l'essentiel de leurs ressources de la pêche, de l'agriculture et de l'élevage, les îles d'Aran accueillent un nombre croissant de touristes, attirés notamment par de nombreux vestiges archéologiques.

2 avril

Japon. Honshu. Scène dans les rues de Tokyo.

Tokyo n'est devenue la capitale du pays qu'en 1868, lorsque l'empereur Meiji Tenno s'y installa pour moderniser le pays. De prime abord, cette cité de 12 millions d'habitants entassés sur 2 000 km² n'a pas grand charme. Incendies, tremblements de terre et bombardements l'ont en effet plusieurs fois détruite au cours du dernier siècle. En 1923, avec un tremblement de terre de 8,2 sur l'échelle de Richter, 575 000 maisons furent détruites. En 1944 et 1945, les raids américains firent plus de 400 000 morts. Après la guerre les Japonais songèrent à la reconstruire selon le plan quadrillé de Le Corbusier. Il en demeure une vague affinité avec ces très larges boulevards aux autoroutes empilées, délimitant les districts dont les rues plus irrégulières encadrent à leur tour des quartiers (*Chome*) presque villageois où, à la surprise des étrangers, les maisons souvent en bois n'ont pas d'adresse. Au sein même de leurs mégalopoles, les Japonais savent reconstruire des espaces intimes et privés qui évitent la standardisation inhumaine de nos « grands ensembles ».

3 avril

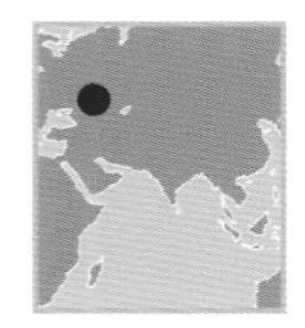

Kazakhstan. Région d'Aralsk. Mer d'Aral, bateau échoué.

Dans la première partie du XXe siècle, la mer d'Aral, au Kazakhstan, atteignait une superficie de 66 500 km^{2} qui la situait par son importance au 4e rang mondial des lacs endoréiques (ou mers intérieures) ; la pêche au chalut y était d'ailleurs couramment pratiquée. Après la construction, dans les années 1960, d'un vaste réseau d'irrigation destiné à la monoculture du coton de la région, le débit des cours d'eau Amou Daria et Syr Daria, qui alimentaient la mer d'Aral, a diminué de manière inquiétante ; et la mer a perdu 50 % de sa superficie et 75 % de son volume en eau. Conséquence directe de la diminution hydrique, sa salinité n'a cessé d'augmenter au cours des trente dernières années, pour atteindre aujourd'hui 30 g/l, soit trois fois sa concentration originelle en sel, entraînant notamment la disparition de plus d'une vingtaine d'espèces de poissons. De plus, les poussières salées, portées par les vents, brûlent toute végétation sur plusieurs centaines de kilomètres alentour, contribuant ainsi à la désertification des milieux. S'il est l'un des plus connus, l'exemple de la mer d'Aral n'est pas unique : quelque 400 000 km^{2} de terres irriguées dans le monde seraient touchées par un excès de sel.

4 avril

Islande. Détail de la rivière Pjorsa.

La rivière Pjorsa (ou Thjorsa), qui coule avec un débit de 385 m^3/s sur une distance de 230 km, est la plus longue d'Islande. Elle creuse son lit dans des terrains recouverts de lave et charrie jusqu'à l'océan de multiples déchets organiques et minéraux, d'où sa couleur caractéristique. L'ensemble du pays est couvert d'un vaste réseau de rivières non navigables, pour la plupart issues de torrents subglaciaires, dont les parcours variables et torturés empêchent toute construction d'ouvrages permanents tels que ponts ou barrages. L'Islande, dont le nom signifie littéralement « terre de glace », est la plus grande des îles situées sur l'émergence de la dorsale sous-marine médio-atlantique. En raison d'une activité volcanique permanente, l'île s'agrandit au gré du mouvement des deux plaques tectoniques à la jonction desquelles elle se trouve.

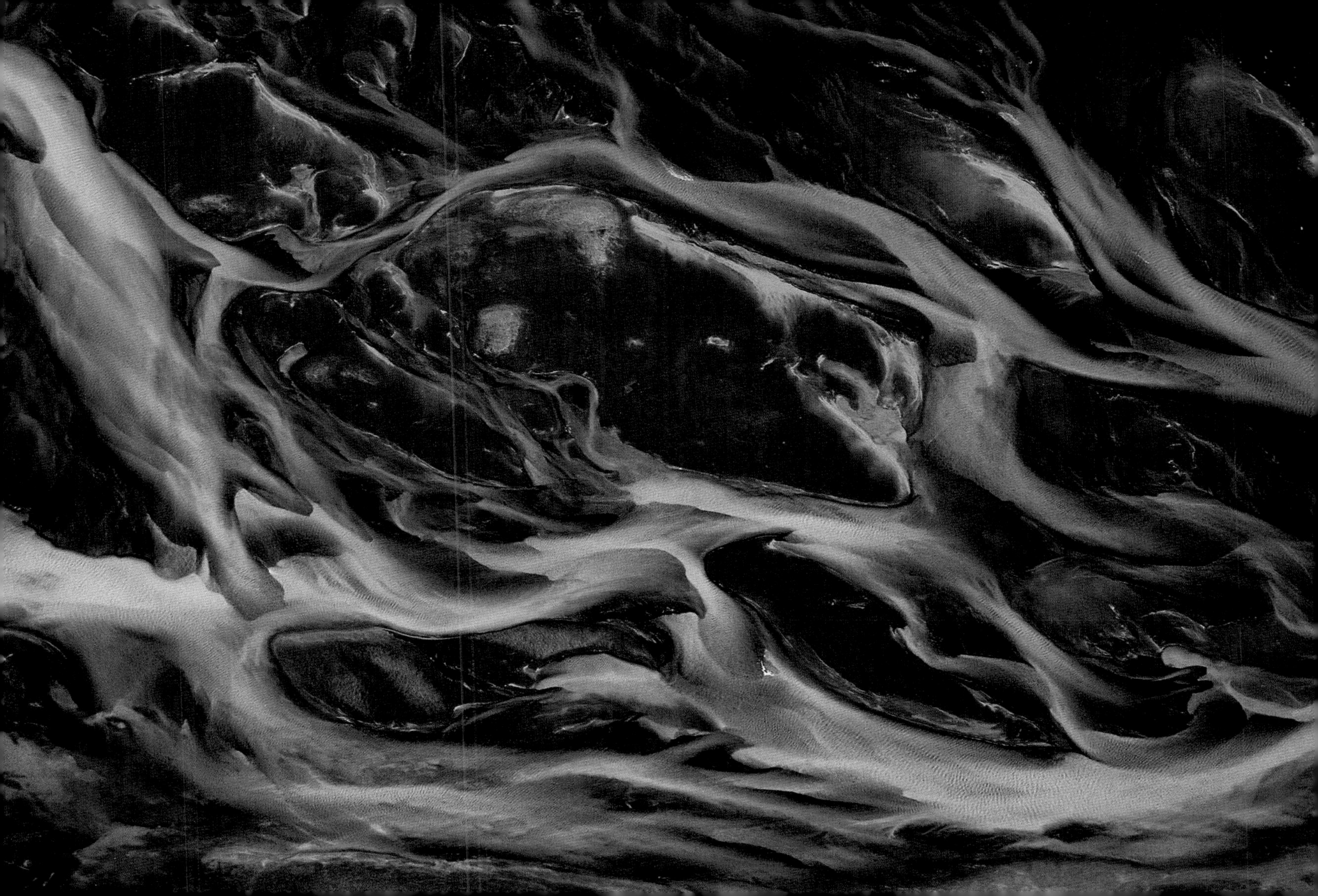

5 avril

Égypte. Vallée du Nil. Tombes modernes dans un cimetière d'Assiout.

À 400 km au sud du Caire, Assiout, capitale de la Moyenne Égypte, vit avec ses morts. Les tombes et les cimetières qui sont à ses portes ou dans ses proches environs retracent son histoire et celle de l'Égypte depuis la période pharaonique. La tombe de Hapidjefa Ier (prince de la province d'Assiout sous le pharaon Sésostris Ier de la XIIe dynastie) se trouve à la limite sud-ouest de la ville. Les tombes du Moyen et du Nouvel Empire ont été retrouvées à 6 km au sud. Quant aux sépultures des deux derniers millénaires, elles se séparent en deux groupes. Chrétiennes, elles sont situées tout près du cimetière copte d'El Deir. Musulmanes, elles ont été regroupées autour de la tombe princière d'Hapidjefa Ier. Tous ces cimetières ont en commun de ressembler à des villes, d'être les villes des morts. C'était déjà le cas pour les grandes nécropoles de Louxor à l'époque d'Aménophis IV, de Ramsès II et de Néfertiti, et c'est encore le cas à l'intérieur même du Caire où les immenses cités des morts de l'époque mamelouk ont été recolonisées par les plus pauvres, qui vivent dans les monuments funéraires.

6 avril

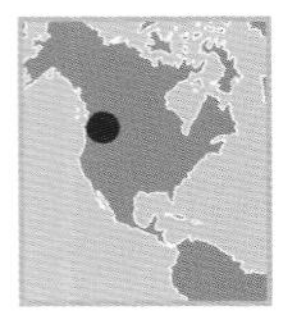

États-Unis. État de Washington. Agriculture près de Pullman.

Surnommé *Evergreen State*, « État toujours vert », l'État de Washington développe depuis des décennies la culture du blé, s'efforçant aujourd'hui de l'adapter à la topographie du terrain afin de ménager un sol fragilisé par d'anciennes pratiques agricoles érosives. L'« agro-business », qui allie agriculture, industrie, recherche et investissements financiers, maintient les États-Unis au 1er rang des exportateurs mondiaux de céréales (environ 40 % du total mondial). 70 % des céréales américaines sont utilisées pour l'alimentation du bétail, contre 2 % en Inde. Des modifications génétiques introduites pour la production de semences de blé, de maïs et de riz ont permis de créer des variétés à haut rendement, résistantes aux parasites et aux maladies. Bien que répandus sur le continent américain, ces organismes génétiquement modifiés (OGM) sont objets d'interdictions et de controverses dans l'Union européenne, soucieuse de mieux connaître les effets de leur consommation.

7 avril

Australie. Queensland. Plage de White Haven's à marée haute.

Whitsunday, aujourd'hui inhabitée, est l'une des 74 îles de l'archipel des Cumberland, proche de la côte est-australienne. Elle doit son nom au capitaine Cook qui découvrit l'archipel en 1770, un dimanche de Pentecôte, jour traditionnellement baptisé « Whitsunday » en Grande-Bretagne. L'île semble avoir été occupée dès le début du néolithique par des populations aborigènes, alors qu'elle était encore rattachée à la terre. Aujourd'hui, elle ne connaît qu'une fréquentation touristique très réglementée. La plage de White Haven's, le « havre blanc », ourlée de mangroves, est exceptionnelle par la qualité de son sable, composé à 98 % de silicate et réputé le plus pur au monde. Les rares baigneurs y côtoient des raies manta, des crocodiles de mer, des tortues marines et des bancs de dauphins. Ce site appartient au parc marin de la Grande Barrière de corail, inscrite sur la Liste du patrimoine mondial de l'Unesco, qui s'étend sur 2300 km au large de la côte australienne. Environ 20 % du corail de la Grande Barrière sont endommagés par la prolifération d'une étoile de mer, prédateur redoutable. Presque tous les coraux du globe sont actuellement en mauvaise santé ce qui de proche en proche, par un processus analogue à la désertification terrestre, réduit la faune et la flore qui vivent à leur contact.

8 avril

Mali. Cultures maraîchères aux environs de Tombouctou.

Dans la région aride de Tombouctou, au cœur du Mali, la culture maraîchère est rendue difficile par un sol sableux peu fertile et par les conditions climatiques : les températures diurnes peuvent atteindre 50 °C et les précipitations n'excèdent guère 150 mm par an. Constitués d'une juxtaposition de parcelles d'environ un mètre de côté dans lesquelles l'eau est utilisée avec parcimonie, ces jardins des sables produisent des légumes (pois, fèves, lentilles, haricots, choux, salades, arachides…) principalement destinés à la consommation locale. Le développement croissant du maraîchage au Mali est une conséquence des grandes sécheresses des années 1973-1975 et 1983-1985 qui, en décimant le cheptel des éleveurs nomades du nord du pays, ont contraint une partie d'entre eux à se sédentariser pour se reconvertir dans l'agriculture.

9 avril

France. La Réunion. Éruption du piton de la Fournaise au sud-est de la Réunion. Comparée à l'île Maurice, sa proche voisine âgée de plus de 5 millions d'années, l'île de la Réunion, avec ses 2 millions d'années, est relativement jeune. Elle doit son existence aux laves basaltiques émises par les deux volcans du piton des Neiges (3 069 m) et du piton de la Fournaise (2 632 m). Le piton de la Fournaise est aujourd'hui le seul volcan actif de l'île. Il est entré dans l'histoire au XVIIIe siècle lorsque les naturalistes français escaladèrent ses flancs. Le 17 juillet 1791, une phase explosive modifia le paysage du volcan en donnant naissance au cratère Dolomieu, une vaste bouche de 200 m de diamètre et de 40 m de profondeur, toujours en activité. Le lundi 18 mars 1986, l'observatoire volcanologique enregistra des secousses en profondeur et alerta la population de Saint-Philippe. Le mercredi 19, tandis que l'on fêtait partout dans l'île les quarante ans du département français, le volcan participa à sa façon à l'événement. En s'épanchant hors de ses frontières naturelles au milieu des habitations, heureusement désertées, il a augmenté la superficie de la Réunion de 25 ha pris sur la mer, venant ainsi prouver que la formation de l'île n'est pas encore terminée.

10 avril

Tunisie. Nefzaoua. Oasis de Kebili.

Kebili est la principale oasis du Nefzaoua, dans le Sud tunisien. Cernée par les sables, cette zone fertile est irriguée comme toutes les oasis par un affleurement de la nappe phréatique qui donne naissance à de nombreuses sources. L'exploitation des eaux souterraines à l'aide de motopompes a transformé la steppe prédésertique en un espace agricole moderne, avec multiplication des périmètres irrigués. Les nappes de surface se sont vite taries. On a alors exploité par forage des nappes plus profondes qui s'épuisent à leur tour. Cette fuite en avant ou plutôt en profondeur va bientôt toucher à sa fin. On a oublié que cette eau est probablement non renouvelable. Ce n'est pas tant le désert qui progresse que la steppe qui se dégrade sous l'effet des activités humaines. Les aires délaissées sont en effet envahies par de petites dunes de sable poussé par le vent. Tel un phénomène de mitage, ces tas se rejoignent progressivement et fusionnent, amenant la désertification. Causes naturelles et causes humaines se joignent donc dans l'avancée du désert saharien car au sud, dans le Sahel, on trouve les mêmes causes et les mêmes effets.

11 avril

Somaliland (Somalie). Cultures en terrasses, environs de Shiik Abdal Area.

Dans ces régions en proie à la malnutrition et parmi les plus pauvres du monde, la culture de melons et de tomates en terrasses, comme ici, est plutôt rare en zone de relief. Les cultures vivrières sont en effet généralement réservées aux très rares terres arables des zones plates. Avec seulement 400 mm de pluie par an intercalés entre deux saisons sèches, l'eau est le principal facteur limitant pour la survie des populations agricoles. Ici, elle est stockée dans des réservoirs *(hafir)* et transportée sur de courtes distances pour alimenter des systèmes de micro-irrigation. Mais ces cultures vivrières, comme au Yémen voisin, de l'autre côté de la mer Rouge, sont très fortement concurrencées par celle du qat *(Catha edulis)*, une plante hallucinogène de la famille des Célastracées, dont la grande majorité des hommes, dès l'âge de 18 ans, mâchent les feuilles jusqu'à trois fois par jour. La dépendance à cette plante est au cœur d'un circuit économique considérable puisqu'une botte de qat se paie 2 ou 3 dollars.

12 avril

Madagascar. Région d'Antananarivo.

Travaux dans les rizières sur les berges du lac Itasy.

La région du lac Itasy s'est convertie au cours des deux derniers siècles à la riziculture intensive, contrôlée par de grands propriétaires fonciers. Le passage de la polyculture à une monoculture irriguée a eu pour conséquence la diffusion du paludisme sur les hauts plateaux malgaches. La période de croissance du riz coïncide avec celle de la reproduction d'une variété de moustique, l'*Anopheles funestus*, un excellent vecteur de la maladie. Les pratiques culturales – l'irrigation sans assèchement régulier – favorisent l'éclosion des larves. Le paludisme a été maîtrisé dans les années 1950, grâce à la nivaquine et au DDT. Le lac Itasy est cependant resté un foyer résiduel de la maladie. Les désordres politiques, l'arrêt ou l'irrégularité des traitements, la raréfaction des médicaments et surtout la plus grande résistance des nouvelles souches ont entraîné dans les années 1980 une recrudescence de l'épidémie qui recommence à tuer des dizaines de milliers de personnes par an. La lutte est ouverte dans le monde entier entre la vitesse de découverte de nouveaux traitements et la vitesse de mutation des parasites, microbes et bactéries. La situation sanitaire mais surtout sociale et politique en sont l'arbitre.

Japon. Tokyo, quartier de Shinjuku.

Les villes se construisent, enflent, engloutissent d'immenses territoires et en réunissant des millions d'individus deviennent des mégalopoles. Tokyo s'étend aujourd'hui sur 70 km et compte 28 millions d'habitants. C'est la plus vaste agglomération du monde. Mais elle sera bientôt dépassée par Le Caire, Lagos, Bombay, Mexico ou São Paulo car c'est dans les pays pauvres que sont en train de se créer les plus vastes concentrations urbaines que la terre ait jamais portées. Une part importante des 5 milliards de citadins de demain se concentrera dans les 25 mégapoles de 7 à 30 millions d'habitants que la planète comptera en 2025. Les trois quarts d'entre eux vivront dans les pays du Sud. Tokyo sera alors la seule ville riche à continuer de figurer sur la liste des 10 plus grandes villes du monde. Cette croissance des mégapoles s'est faite, jusqu'à maintenant, de manière souvent anarchique ; elle nécessite aujourd'hui l'invention d'une nouvelle civilisation urbaine respectant l'environnement et les citoyens, dans la perspective d'un développement durable de la planète.

14 avril

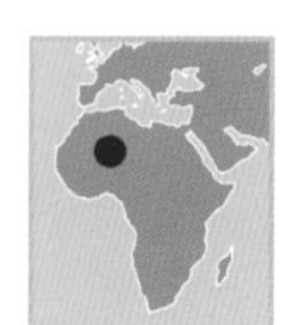

Niger. Massif de l'Aïr.

Minaret de la grande mosquée d'Agadez.

La grande mosquée d'Agadez, dans le massif de l'Aïr, au centre du Niger, a été édifiée au XVIe siècle, époque où la ville était à son apogée. Ce bâtiment en terre séchée de style « soudanais » est surmonté d'un minaret pyramidal de 27 m de haut, hérissé de treize rangées de pieux qui renforcent la fragile structure mais servent aussi d'échafaudage pour restaurer périodiquement son enduit. Dernière grande agglomération avant le Sahara et important carrefour commercial, Agadez, surnommée la « porte du désert », se situe au croisement des grandes pistes de caravanes transsahariennes. Elle est une des villes saintes de l'islam et la majorité de ses habitants sont musulmans, comme 99 % de la population nigérienne. Aujourd'hui, l'islam compte plus de 1,1 milliard de fidèles sur toute la planète, ce qui en fait la seconde religion du monde par le nombre d'adeptes.

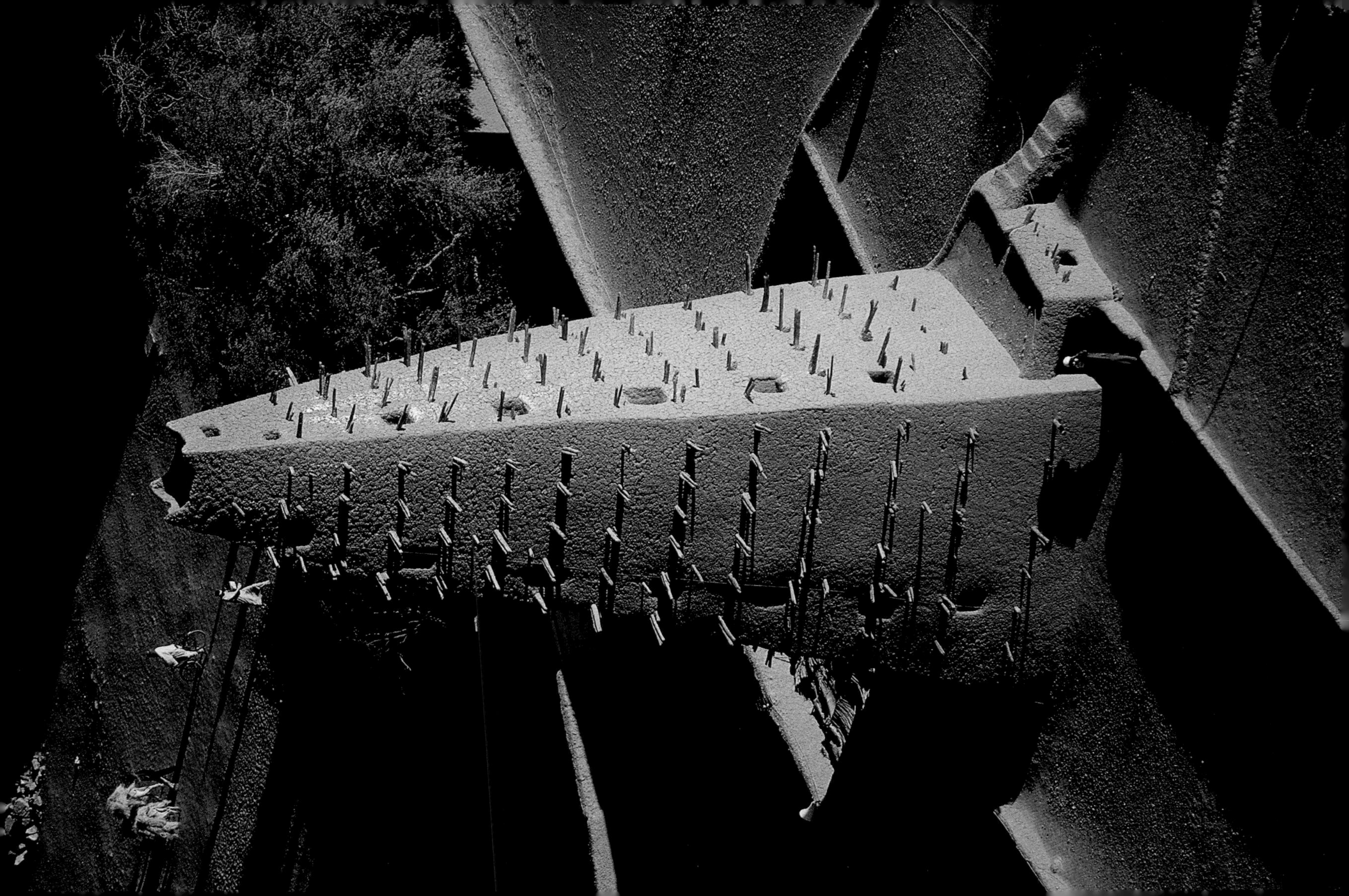

15 avril

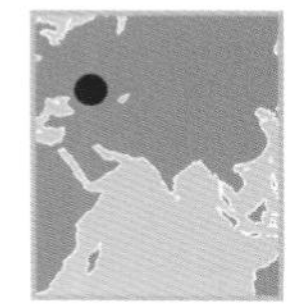

Kazakhstan. Région de Kazalinsk. Brûlis près de Kazalinsk.

Au-delà du fleuve Oural, de la mer Caspienne au Sin-Kiang, s'étendent à perte de vue les steppes kazakhes. Moins de 10 millions de Turco-Mongols peuplent ces 2 700 000 km² qui ont traditionnellement constitué un glacis entre la Russie et la Chine. Les derniers soulèvements de hordes rebelles (c'est le sens du mot *kazakh* en turc) ont ravagé le pays entre 1783 et 1796 avant que les Russes ne l'annexent définitivement en 1846 pour protéger leurs colonies sibériennes. Ces derniers constituent actuellement 35 % de la population dont une partie sont des Allemands, installés au XVIIIe siècle sur la Volga par Catherine II et déportés au Kazakhstan par Staline en 1941. Un moment ces colons espérèrent créer un nouveau grenier à blé dans ces terres orientales, mais il a fallu bientôt déchanter. Avec l'érosion éolienne qui enlève le fragile manteau d'humus et avec les vents violents qui déposent le sel de la mer d'Aral, presque asséchée par le pompage intensif de l'irrigation, le Kazakhstan va bientôt se retrouver plus déshérité qu'il ne l'était au temps des nomades. Il ne le devra pas à une catastrophe planétaire, mais au mépris des règles de l'agriculture locale au nom d'un productivisme importé.

16 avril

Inde. Uttar Pradesh. Récolte du blé dans la région de Mathura.

Le Nord de l'Inde dans lequel se trouve l'État de l'Uttar Pradesh, est une plaine fertile. Arrosée par le Gange et ses affluents qui sont constamment alimentés par les neiges de l'Himalaya, c'est l'une des plus importantes régions agricoles du territoire. La récolte manuelle du blé, destiné à la consommation locale et nationale, est, comme on peut l'observer ici, un travail effectué principalement par les femmes. Là comme ailleurs, elles ne sont généralement pas rémunérées pour cela, car elles travaillent souvent dans le cadre d'une économie familiale, cultivant, récoltant et préparant les aliments pour leur entourage. Quand elles sont payées comme travailleurs agricoles, les femmes sont toujours au bas de l'échelle des rémunérations et des hiérarchies. Il est très rare qu'elles soient employeurs. Dans la plupart des régions rurales les plus pauvres du globe, les femmes n'ont ni le droit de travailler la terre en leur nom ni celui d'accéder aux prêts bancaires. Avec la mécanisation et l'agriculture industrielle, le nombre total de travailleurs agricoles sur la planète est en constante diminution mais cela ne concerne globalement que la main-d'œuvre masculine, de sorte que les femmes représentent une part de plus en plus grande de ces travailleurs.

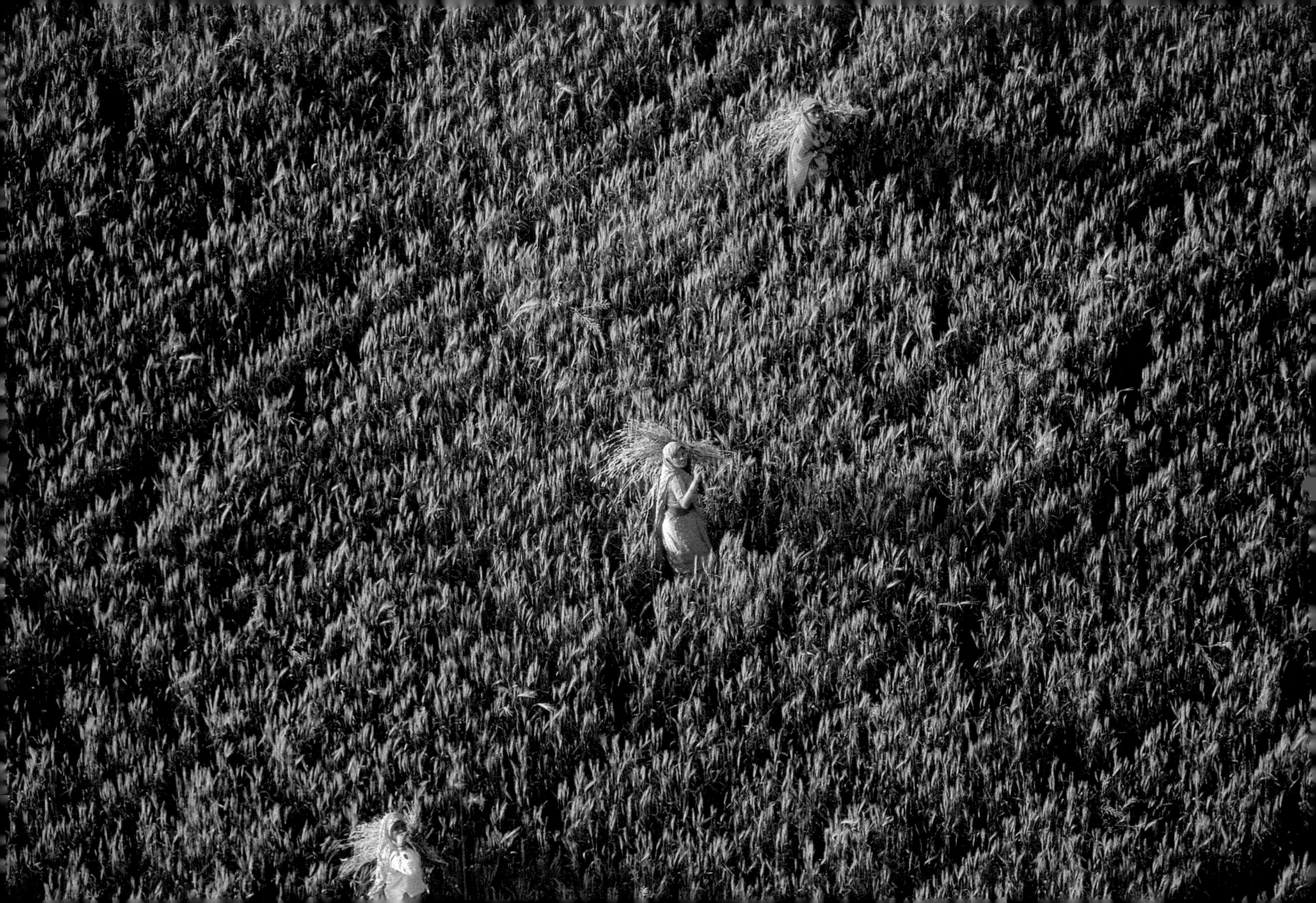

17 avril

Brésil. État d'Amazonas. Exploitation forestière sur l'Amazone, autour de Manaus.

Un peu plus long que le Nil, avec ses 7 025 km, l'Amazone est le premier fleuve du monde pour l'étendue de son bassin : environ 6 millions de km², répartis sur six pays d'Amérique latine. Le plus puissant fleuve du monde est également le plus navigable, favorisant l'exploitation de la forêt qui, avec 3 000 essences inventoriées, constitue la première ressource de l'Amazonie même si seulement une trentaine d'entre elles sont commercialisables. Le défrichement de la forêt devrait permettre d'étendre l'espace agricole mais la médiocrité des sols en limite l'intérêt. L'exploitation forestière du bassin amazonien s'avère même extrêmement destructrice. De vastes zones sont coupées à blanc, les arbres sont abattus et traînés sur le sol afin d'être regroupés, ce qui détériore le terrain de façon durable : les énormes chaînes utilisées pour tracter les troncs labourent et détruisent la maigre couche d'humus. Dès lors les pluies, qui ne sont plus absorbées par le couvert végétal, lessivent littéralement le sol, ce qui provoque en outre l'ensablement de nombreux affluents de l'Amazone. Alors que des rizières d'Asie se maintiennent avec un millier d'habitants au km², cette belle forêt d'Amazonie, malgré une densité mille fois inférieure, est menacée.

France. Puy-de-Dôme. Chaîne des volcans d'Auvergne. Le puy de Côme.

Au cœur du Massif central, les quelque 80 volcans éteints de la chaîne des Puys, ou monts Dômes, sont remarquablement conservés et témoignent de leur activité volcanique récente (15 000 ans). Désignés par le vieux mot français Puy, et par celui de Duma d'origine celtique, renvoyant tous deux à l'idée de hauteur, ils ont aussi été qualifiés de « volcans de manuels scolaires » tant certains cratères, de type strombolien, apparaissent bien dessinés à leur sommet. La qualité de ce patrimoine naturel tient à la rareté des habitations, au reboisement en résineux des espaces abandonnés avec l'exode rural, à la persistance enfin du vieux droit coutumier qui a toujours préféré la propriété collective au parcellaire privé. La création en 1977 du parc régional des Volcans témoigne de l'ensauvagement de cette région, mais illustre aussi les contradictions du « management » de la nature : les adeptes du tourisme vert se heurtent aux éleveurs de moutons qui veulent clore leurs pacages ; la forêt en s'étendant fragilise peu à peu les sommets ; il ne manque plus que la réintroduction de loups pour entraîner un conflit général.

19 avril

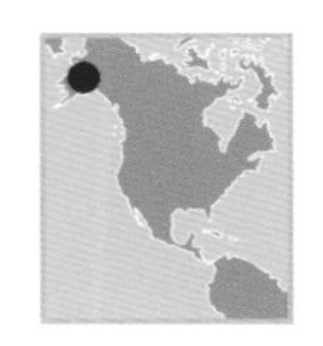

États-Unis. Alaska. Îlot boisé sur un lac de la péninsule de Kenaï.

En Alaska, le plus grand État américain avec 1,5 million de km² (soit un cinquième des États-Unis), la péninsule de Kenaï, sur la côte méridionale, est, contrairement à la majeure partie du territoire, préservée du *permafrost* (gel permanent du sol) par un climat océanique tempéré. Elle présente des paysages de forêts et de lacs dont les eaux claires reflètent le ciel avant que l'hiver ne les transforme en glace. Très poissonneux, ces lacs foisonnent de truites arc-en-ciel et de brochets nordiques, mais surtout de saumons qui remontent les cours d'eau de la péninsule en été et font le bonheur des ours noirs et des grizzlys de la région. Ces saumons font également l'objet d'une pêche sportive et commerciale ; 10 millions d'entre eux sont capturés chaque année et alimentent les industries de conditionnement de l'Alaska, qui fournissent pour moitié les conserveries de saumon du monde.

20 avril

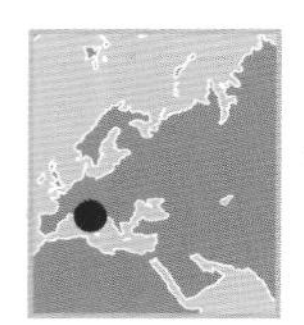

Italie. Vénétie. Vue générale de la ville de Venise.

Venise n'est pas une île, mais un archipel de 118 îles, séparées par 200 canaux qu'enjambent plus de 400 ponts. Le Grand Canal – « la plus belle rue que je crois être en tout le monde » écrit Philippe de Commynes au XVe siècle – en constitue la principale artère ; sur ses rives, ont été édifiés les plus beaux palais de la Renaissance et de l'époque baroque par l'aristocratie vénitienne, ainsi que les principales églises de la cité. De telles constructions, et bien d'autres lieux célèbres de la ville comme la place Saint-Marc, le palais des Doges ou encore le théâtre de la Fenice, symbolisent le destin exceptionnel de la Sérénissime, lié avant tout à la maîtrise de la mer ; dès l'an mil, Venise tenta d'imposer sa suprématie en Adriatique puis dans toute la Méditerranée jusqu'aux confins de la mer Noire, par l'établissement de comptoirs commerciaux. Les puissances maritimes ont dominé le monde jusqu'au XVIIe siècle : Athènes, Rome, Gènes, Venise, les Pays-Bas et l'Angleterre, puis les puissances continentales l'ont emporté. On pense que le XXIe siècle verra le retour des grandes puissances maritimes – Europe, États-Unis et Japon – tant pour des raisons de commerce que pour la localisation des populations au voisinage des mers et des océans.

21 avril

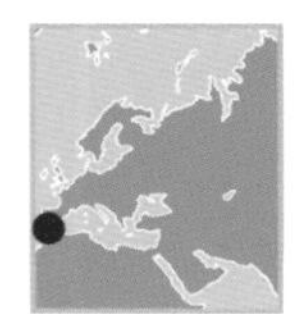

Espagne. Andalousie. Paysage de champs.

Les collines argileuses au sud de la vallée du Guadalquivir sont propices à la culture des céréales. Depuis des millénaires, elles ont été aménagées en terrasses, d'abord par les Ibères, puis par les Romains et les Berbères islamisés qui s'emparèrent de la région dès 711 pour la conserver durant sept siècles. Les seuls à n'avoir pas participé à l'aménagement de la nature furent les Vandales qui laissèrent seulement leur nom : Vandalousie est devenu Andalousie. Avec 6 millions d'habitants, c'est la province la plus dense et la plus peuplée d'Espagne. Par maints signes, elle constitue une transition vers l'Afrique : on cultive dans la plaine le bananier et la canne à sucre, on sème l'orge, le seigle et le blé dur sur les hauteurs comme en Kabylie et dans le Rif. À l'est, derrière l'écran de la sierra Nevada que ne franchissent pas les nuages, le climat devient assez désertique pour que l'on y tourne des westerns. Mais la présence de l'Afrique se fait aujourd'hui sentir plus cruellement avec ces milliers de Marocains qui tentent de traverser chaque année le détroit de Gibraltar pour chercher un emploi en Europe. 456 d'entre eux ont péri noyés l'an passé.

22 avril

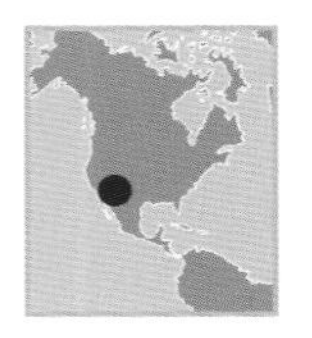

États-Unis. Californie. Éoliennes de Banning Pass dans les environs de Palm Springs.

Ce superbe paysage étoilé d'éoliennes est désormais classique aux États-Unis et en Europe du Nord. L'Allemagne tient le premier rang pour la puissance installée. L'utilisation de l'énergie du vent, bien qu'encore marginale dans le bilan énergétique mondial (sa puissance installée approchait 10 000 mégawatts au début de 1999), a connu une croissance exceptionnelle dans les trois dernières années du XXe siècle. Les projets déjà engagés devraient porter la puissance éolienne mondiale à plus de 20 000 mégawatts à la fin de l'année 2002. Parfaitement renouvelable et non polluante, l'énergie éolienne utilise aujourd'hui les méthodes les plus modernes mises au point dans l'industrie aéronautique.

23 avril

Russie. Kamtchatka. Flancs enneigés du volcan Kronotskaya.

À l'extrémité orientale de la Sibérie, la presqu'île du Kamtchatka s'étend sur près de 370 000 km². Très montagneuse, cette région de la Fédération de Russie se caractérise avant tout par le fait que la nature y est reine et l'homme peu présent (la densité est inférieure à un habitant par km²). Avec ses nombreux volcans (plus d'une centaine dont une vingtaine encore en activité), elle fait partie de la ceinture de feu du Pacifique. Le Kronotskaya, l'un des plus élevés, culmine à 3 528 m alors que la hauteur de la plupart des autres oscille entre 1 000 et 1 600 m. La région comprend aussi de nombreuses sources thermales chaudes, des chutes d'eau et des geysers, des fleuves violents et des torrents. Elle abrite sur 9 000 km² la réserve naturelle de Kronotski où vivent, protégés, les ours bruns du Kamtchatka, mais également des lynx, des zibelines et des renards. En face, séparé par le détroit de Béring, l'Alaska américain présente le même aspect. Il y a vingt-six mille ans, de petites bandes d'hommes franchirent le détroit alors à sec et progressivement peuplèrent toute l'Amérique. Les Sioux, les Incas, les Guaranis sont leurs descendants : ils venaient du Kamtchatka.

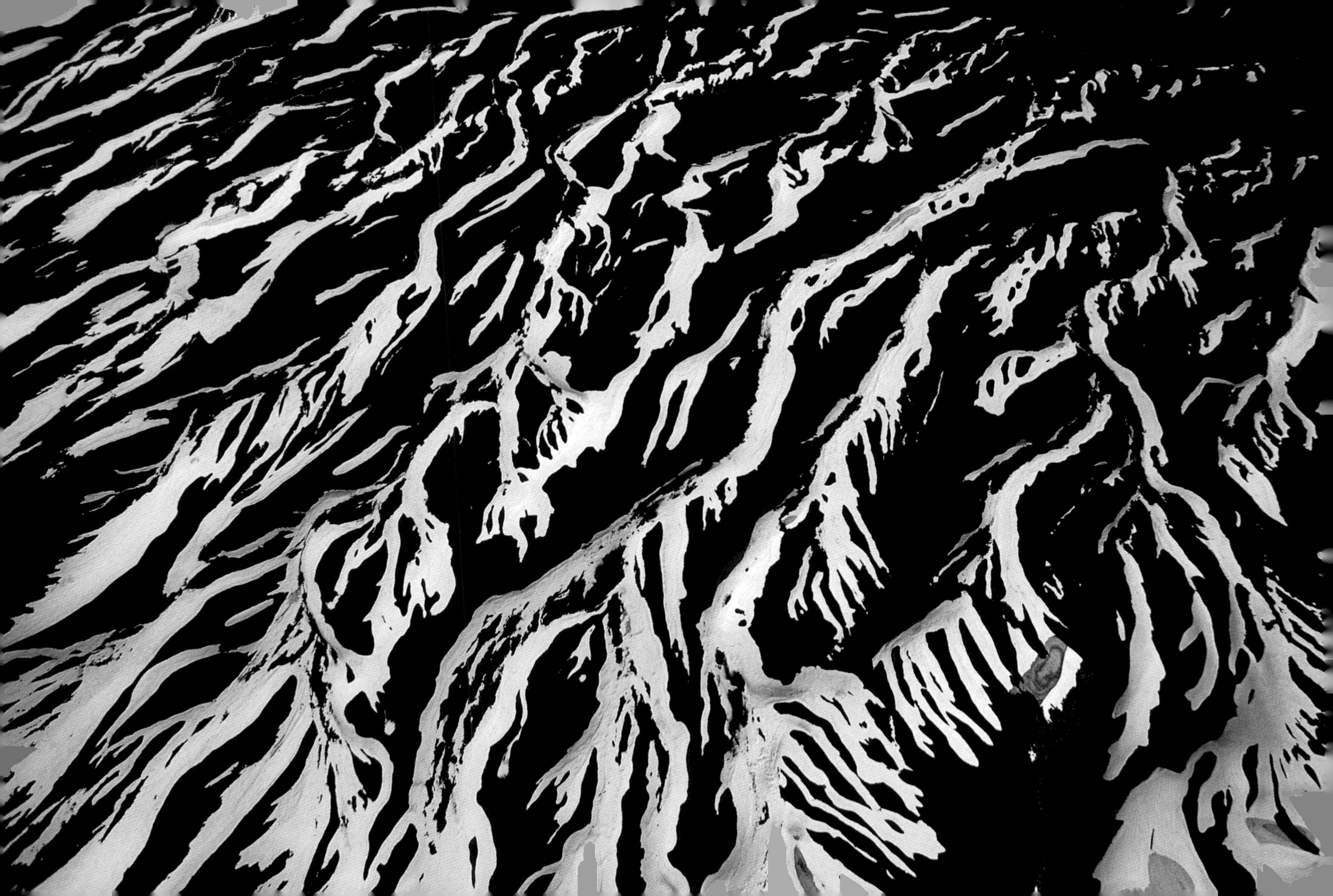

24 avril

Brésil. Le Corcovado surplombant la ville de Rio de Janeiro.

Perchée sur un piton rocheux de 704 m appelé Corcovado (« bossu »), la statue du Christ rédempteur domine la baie de Guanabara et son célèbre « Pain de sucre », ainsi que l'ensemble de l'agglomération de Rio de Janeiro. C'est à une méprise des premiers navigateurs portugais qui jetèrent l'ancre dans la baie, en janvier 1502, que la ville doit son nom de « fleuve de janvier », ces derniers croyant pénétrer dans l'embouchure d'un cours d'eau. Capitale du Brésil de 1763 à 1960, Rio de Janeiro est aujourd'hui devenue une mégalopole qui s'étend sur 50 km et abrite plus de 10 millions d'habitants. Le Christ rédempteur du Corcovado rappelle que le Brésil est le premier pays catholique de la planète, avec environ 121 millions de baptisés. Dans le monde, le catholicisme (près d'un milliard de fidèles) est lui-même majoritaire au sein de la religion chrétienne qui, avec presque 2 milliards d'adeptes, est la plus pratiquée dans le monde.

25 avril

Japon. Honshu. Serres entre Nara et Osaka.

Depuis les années 1960, l'agriculture japonaise a connu une importante mutation avec le développement de la production laitière et fruitière et l'extension de l'élevage industriel de viande. Cela se répercute sur le paysage des campagnes japonaises. Des serres de vinyle (pour la culture intensive de fruits et légumes primeurs) se sont multipliées dans les banlieues des principales villes (comme Tokyo et Osaka) et ont même gagné les régions traditionnelles de rizières (comme la plaine de Nara, l'île de Honshu, ou encore celle d'Okoyama, sur la mer Intérieure), allant parfois jusqu'à y remplacer la culture du riz. La production des autres cultures traditionnelles japonaises, comme le mûrier, le théier et les céréales (blé et orge), diminue progressivement avec pour conséquence l'obligation pour le Japon d'importer de grandes quantités de blé, d'orge ou de soie, matière dont il était, il y a une trentaine d'années encore, le premier exportateur mondial.

26 avril

Tunisie. Gouvernorat de Nabeul. Agriculture près de la ville d'Hammamet.

La Tunisie possède une longue tradition en matière d'irrigation. Mais l'exploitation multimillénaire des sols les a fragilisés et la salinisation les a progressivement stérilisés. L'épuisement des nappes superficielles oblige à chercher l'eau toujours plus profondément. Malgré ces conditions défavorables, depuis trois décennies, la mise en valeur par l'irrigation représente une orientation permanente et prioritaire de la politique agricole tunisienne. Le pays consacre régulièrement 30 à 40 % de ses investissements agricoles à la mise en place d'une importante infrastructure de mobilisation, de transfert et de distribution des eaux. En trente ans la surface irriguée a quintuplé (aujourd'hui plus de 250 000 ha). La production de fruits et légumes a progressivement remplacé celle des céréales et suffit désormais à la consommation intérieure. Les exportations se développent rapidement, tirées par les dattes et les agrumes : la Tunisie pourrait devenir l'un des potagers de l'Europe comme le furent il y a quarante ans l'Italie et l'Espagne.

27 avril

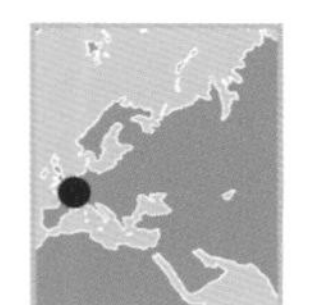

France. Yvelines. Château de Versailles au coucher du soleil.

En 1661, le roi de France Louis XIV ordonne la construction à Versailles, près de Paris, d'un palais dont l'édification, sur une zone marécageuse, nécessitera cinquante années de travaux. Bâti au cœur d'un domaine de 800 ha agrémenté de somptueux jardins, de 34 bassins et 600 jeux d'eau, le château couvre une superficie au sol de 55 000 m². Pendant plusieurs années, il abrita un millier de nobles et 4 000 serviteurs, avant d'être pillé lors de la Révolution de 1789 et laissé à l'abandon. À partir de la fin du XIXe siècle, il est peu à peu remis en état et remeublé, notamment grâce aux dons de 400 mécènes et aux subventions de l'État. Inscrit sur la Liste du patrimoine mondial de l'Unesco en 1979, le château de Versailles est aujourd'hui en majeure partie restauré et accueille chaque année plus de 2,5 millions de visiteurs.

28 avril

Islande. Région du Myrdalsjökull. Rivière près de Maelifellssandur.

Alimentées par de fortes précipitations (1 200 mm en moyenne par an) et par la fonte des glaces, les rivières islandaises, comme ici dans la région du Myrdalsjökull, présentent toutes un régime glaciaire : basses eaux en hiver, débit maximum en été au moment des grandes fontes. Elles sont entrecoupées de cascades et de rapides car l'érosion n'a pas encore adouci les jeunes reliefs volcaniques. Ces rivières constituent le domaine de prédilection des pêcheurs qui viennent du monde entier pour y attraper saumons et truites, acceptant même de payer un droit journalier considérable aux fermiers dont les domaines englobent des rivières ou des lacs, ces derniers disposant du privilège de les exploiter. Il y a deux siècles, les saumons et les truites étaient aussi fréquents dans les rivières françaises qu'en Islande. Pour preuve, des contrats d'ouvriers agricoles interdisant à leurs patrons de leur servir du saumon plus de deux fois par semaine. Bien que de façon moins visible, nos rivières ont été autant modifiées que nos paysages par l'agriculture et l'industrie.

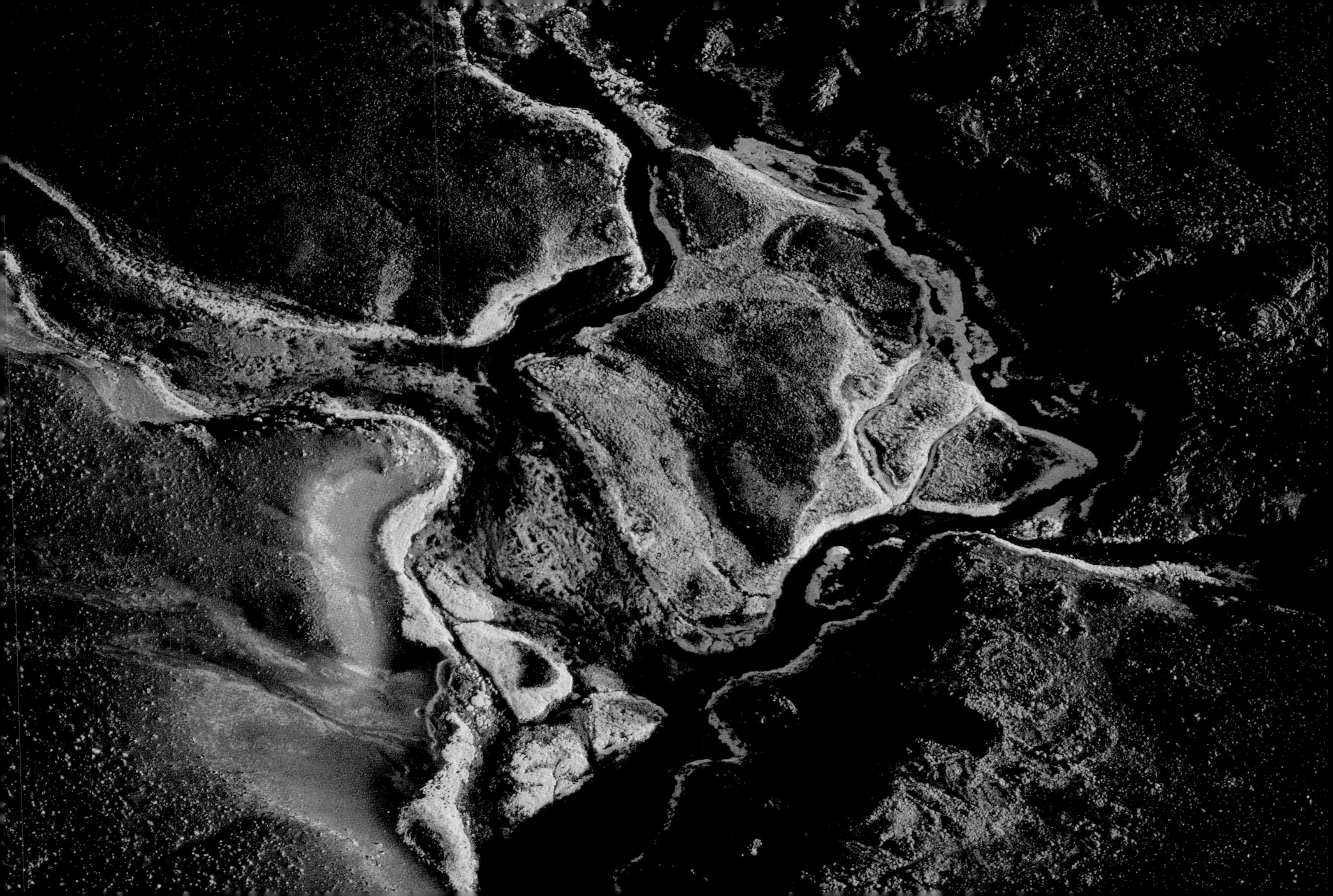

29 avril

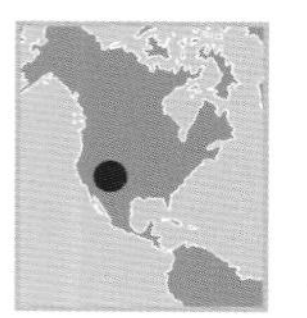

États-Unis. Utah. Lake Powell. San Juan River Arm, partie ouest.

Situé dans les Rocheuses, à l'extrême sud-est de l'Utah, le Lake Powell compte parmi les plus grands lacs artificiels du monde. Avec ses 65 000 ha, ses 170 m de profondeur, ses 300 km de long et ses 3 500 km de littoral, ses dimensions le placent d'emblée à l'échelle du continent américain. Si la construction du barrage de Glen Canyon Dam, à l'origine de sa création, débute en 1956, le lac proprement dit n'est rempli qu'en 1980, alimenté par des rivières comme le Colorado, San Juan, Escalante et Dirty Devil. Les étapes successives de son aménagement évoquent l'histoire de la région, de ce Far West mythique et de ses Indiens, à la conquête desquels étaient partis, dès le XIXe siècle, les colons européens établis à l'est du continent. Avant d'être recouverte par les eaux du Lake Powell, cette terre appartenait aux Navajos qui furent contraints de l'échanger contre un territoire de même superficie plus au sud de l'Utah et moins apte encore à faciliter leur survie. Par une revanche de l'histoire, les Indiens d'Amérique s'accroissent aujourd'hui rapidement, dépassant les cinq millions de personnes, et revendiquent avec un succès grandissant leurs terres ancestrales : le Lake Powell pourrait bientôt redevenir indien.

30 avril

Kenya. Flamants roses sur le lac Nakuru.

D'une superficie de 62 km^2, le lac Nakuru, au cœur du parc national du même nom, accueille près de 370 espèces d'oiseaux, parmi lesquelles les petits flamants *(Phoeniconaias minor)* et les flamants roses *(Phoenicopterus ruber)* sont sans doute les plus nombreux. La haute teneur en sel de ce plan d'eau favorise la prolifération d'algues, de plancton et de crevettes qui constituent l'essentiel de l'alimentation de ces oiseaux. Cependant, les produits chimiques utilisés dans les cultures riveraines ont peu à peu pollué les eaux du lac, limitant le développement des végétaux et animalcules. Les flamants, qui étaient au nombre de 2 millions sur ce site dans les années 1970, l'ont peu à peu déserté, et plus des deux tiers ont migré vers d'autres lacs. On estime que c'est dans cette région d'Afrique orientale, la Rift Valley, que vivent plus de la moitié des flamants du monde.

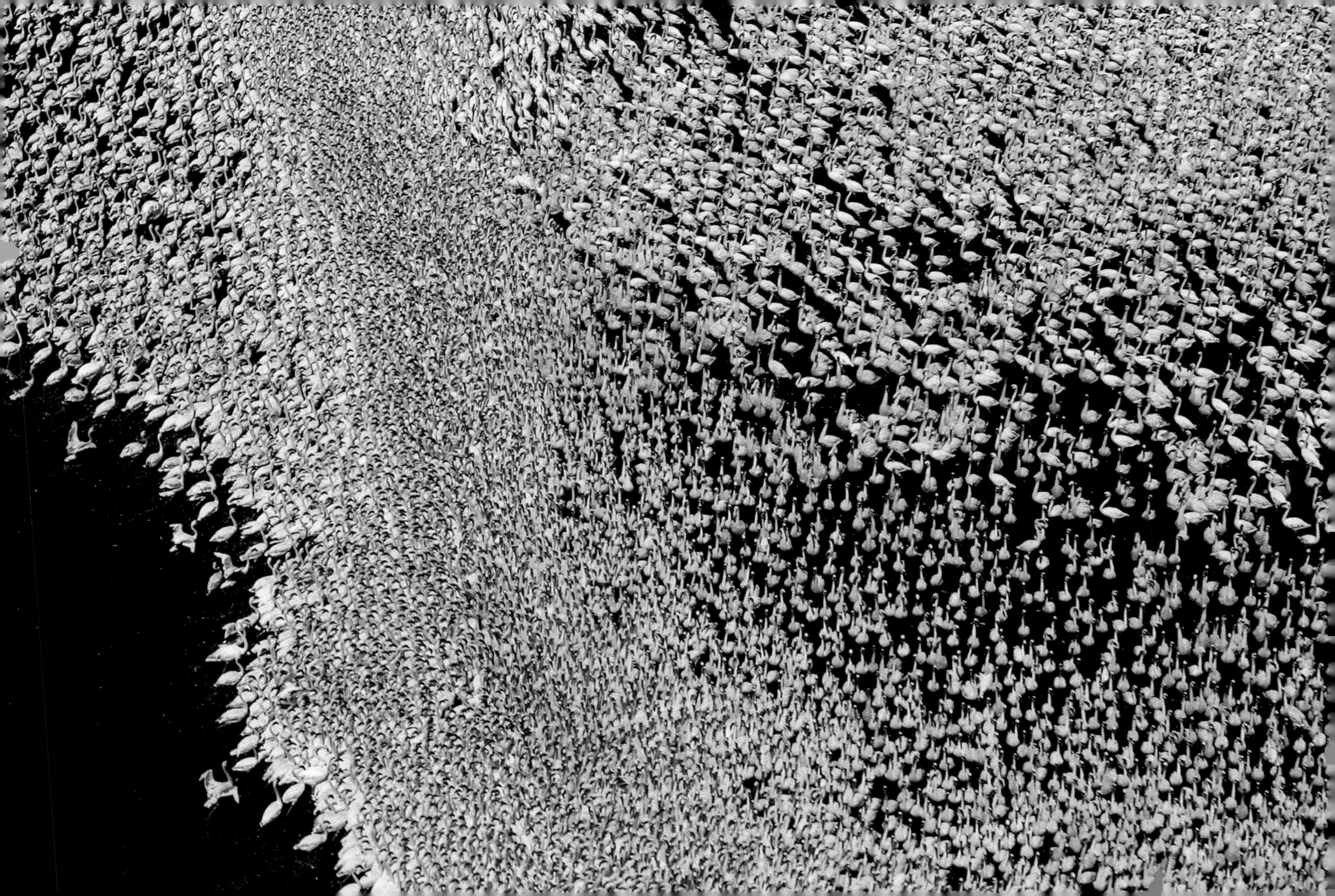

1er mai

États-Unis. Marathon de New York passant sur le Verrazano Bridge.

Le sport est-il une préoccupation de riches ? On peut le supposer et c'est regrettable car la pratique sportive contribue certainement à une meilleure qualité de vie tandis que ses vertus éducatives sont unanimement reconnues. Cependant l'investissement personnel dans un sport dépend en grande partie du niveau de vie. Les populations pauvres dont les besoins fondamentaux ne sont pas satisfaits en sont, de fait, exclues. Aux Jeux olympiques de Los Angeles, on a décerné 687 médailles dont 597 (87 %) à 26 pays industrialisés et 90 (13 %) à 21 pays du tiers-monde. C'est exactement le gouffre que l'on retrouve dans le système économique international entre le Nord et le Sud. Le sport de compétition devenu aujourd'hui sport-spectacle est pourtant une passion partagée par l'ensemble de la planète. Et de plus en plus, les affrontements sportifs reflètent fidèlement la violence des antagonismes entre nations. Ces enjeux politiques se doublent de nouveaux enjeux économiques et médiatiques avec l'omniprésence de l'argent dans toutes les compétitions. Miné par ces problèmes et par les affaires de dopage et de corruption, le sport mondial se doit aujourd'hui de reconnaître et gérer ces phénomènes pour conserver toutes ses vertus.

40

2 mai

France. La Réunion. Hélicoptère dans le cirque de Salazie.

Au centre de l'île de la Réunion, les parois abruptes du cirque de Salazie abritent une succession de cascades connues sous le nom de Voile de la Mariée. Avec ses 10 400 ha, ce vaste cratère dominé par le piton des Neiges (3 069 m) est aujourd'hui le plus accessible des trois cirques que comprend l'île. L'isolement de ceux qui y vivaient est cependant resté légendaire. À la fin du XVIIIe siècle, les colons français venus exploiter les ressources de l'île Bourbon furent exclus de l'économie des plantations de canne à sucre et refoulés dans les Hauts. La mise à l'écart de ceux que l'on appellera les « Petits Blancs », par opposition aux « Grands Blancs » enrichis par l'agriculture sucrière des Bas, a entraîné leur isolement culturel. Les Hauts ne seront désenclavés qu'en 1946 par une route qui traverse le cirque. Les « Petits Blancs » émigrèrent alors en nombre vers le littoral, puis vers la France. Le développement du tourisme de masse enferme ceux qui restent dans une « exotisation » de leur culture réputée passéiste voire attardée, perpétuant sous un autre mode la « malédiction des Cirques ».

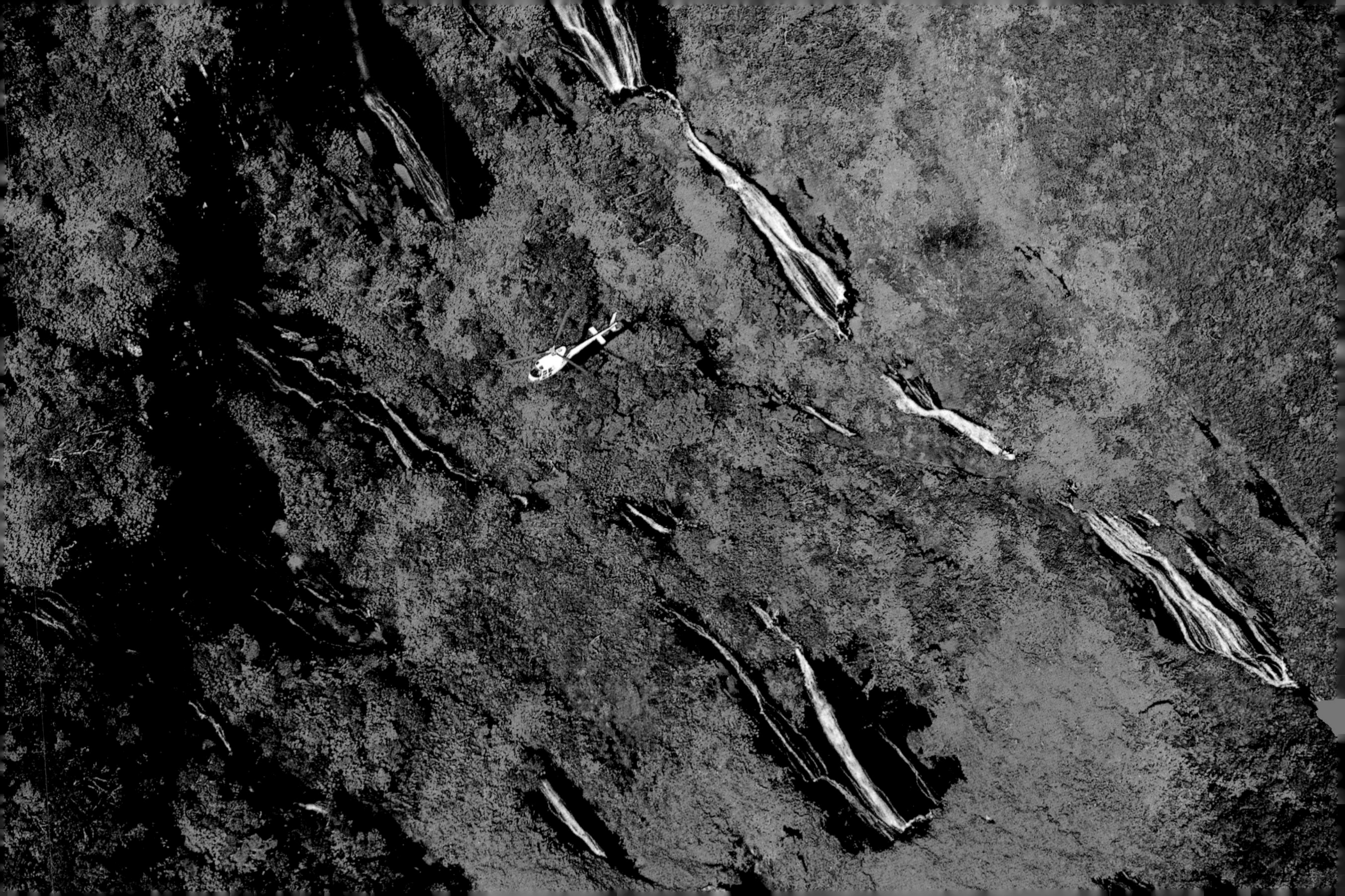

3 mai

Maroc. Tapis de Marrakech.

Les tapis marocains, de renommée internationale, s'exportent bien. La plupart proviennent de manufactures mécanisées mais la fabrication familiale et artisanale reste une tradition bien vivante au Maroc. Les tapis sont traditionnellement tissés en laine, symbole de protection et de bonheur, éventuellement associée à de la soie, du coton et parfois du poil de chameau ou de chèvre. Les couleurs et motifs sont caractéristiques des régions de fabrication, et c'est dans le Haut Atlas, au pied duquel se trouve Marrakech, que les tons sont les plus chauds. 90 % des tapis de la région sont confectionnés dans les villes de Tazenakht et Amerzgane par une main-d'œuvre presque exclusivement féminine et bon marché. La condition de la femme au Maroc, comme dans tous les pays régis par le droit musulman, n'est pas très enviable malgré une Constitution garantissant théoriquement l'égalité des hommes et des femmes. Si le divorce est autorisé, le mari conserve le droit de répudier sa femme et ses enfants, sans aucune compensation, et la polygamie (jusqu'à 4 femmes) est encore une pratique courante. Les organisations de défense des droits de l'homme fondent beaucoup d'espoir sur les décisions du jeune roi Muhammad VI pour faire évoluer le statut juridique des femmes.

4 mai

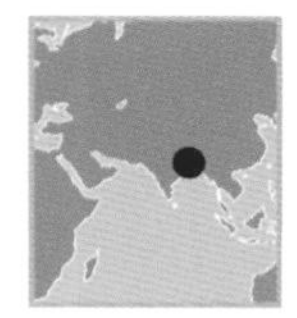

Bangladesh. Village inondé au sud de Dacca.

Avec 850 habitants par km², le Bangladesh est le grand État le plus densément peuplé du monde, trois fois plus que l'Inde, sept fois plus que la Chine. C'est aussi l'un des pays les plus pauvres, avec un PNB de 260 dollars par habitant. Établi sur une plaine deltaïque très fertile mais extrêmement basse, parcourue par quelque trois cents cours d'eau, le pays doit affronter depuis toujours les crues dévastatrices des grands fleuves himalayens, le Gange et le Brahmapoutre. En période de mousson, il n'est pas rare que les deux tiers du pays soient sous les eaux. La gravité des inondations est accentuée par la déforestation du massif himalayen, notamment au Népal. L'agriculture, qui fait vivre les quatre cinquièmes de la population, a réduit à moins de 10 % le couvert végétal qui limitait l'étendue des inondations. Chaque année, celles-ci font de nombreuses victimes et laissent le quart de la population sans abri. Les épisodes les plus meurtriers sont dus au passage des cyclones, qui s'accompagnent de raz de marée pouvant occasionner plusieurs centaines de milliers de morts, comme en 1970 et en 1991. Le Bangladesh est actuellement un des pays les plus exposés aux risques du changement climatique, à la fois par la recrudescence des cyclones et par la lente remontée du niveau marin.

5 mai

Mauritanie. Caravane de dromadaires aux environs de Nouakchott.

Dans tous les pays riverains du Sahara, comme la Mauritanie, le dromadaire se révèle l'espèce domestique la mieux adaptée à l'aridité du milieu. Baptisé « vaisseau du désert », cet animal peut ne boire qu'à de longs intervalles et, en hiver, dans un bon pâturage, se passer d'eau pendant plusieurs mois. En revanche, l'été, en fonction de la chaleur et de l'effort fourni, il ne peut tenir que quelques jours sans boire, quand un homme dans les mêmes conditions mourrait de déshydratation en 24 heures. La réserve de graisse contenue dans son unique bosse intervient dans sa régulation thermique, ce qui lui permet de supporter un échauffement de son corps sans transpirer pour se refroidir. En Mauritanie, les Maures élèvent le dromadaire pour son lait et sa viande, ainsi que pour son cuir et sa laine. À la fin des années 1990, le cheptel de dromadaires du pays serait de l'ordre d'un million de têtes.

6 mai

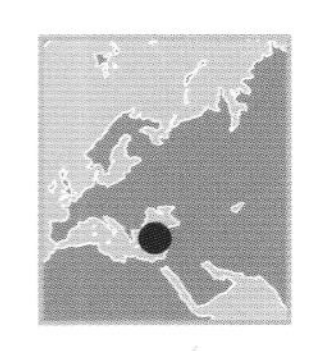

Turquie. Anatolie. Cratère près d'Ilhara.

La chaîne des volcans anatoliens occupe 8 % du territoire de la Turquie. Non loin d'Ilhara, se dresse l'un d'entre eux, le Hasan Dagi, un cône volcanique aux pentes douces, qui culmine à 3 268 m. La prospérité de cette région à l'ère néolithique a reposé largement sur l'exploitation de l'obsidienne, une pierre volcanique tranchante précieuse pour la fabrication des armes et des outils. Le volcanisme est aussi la source indirecte d'une extraordinaire formation géologique du paysage anatolien, les cheminées de fée. Ces cavités à l'intérieur de pitons ont été modelées par l'érosion de la couche de tuf (formée au fil des siècles par les cendres et les boues crachées par les volcans) qui recouvrait la terre. Elles ont abrité les ermites du christianisme primitif puis des chapelles richement décorées aujourd'hui abandonnées. Le volcanisme reste particulièrement actif dans la région où il a causé un important séisme en août 1999 au cours duquel plusieurs centaines de personnes ont péri. Plus bas en Syrie et en Jordanie, de grandes villes détruites au VIe siècle n'ont jamais été réoccupées.

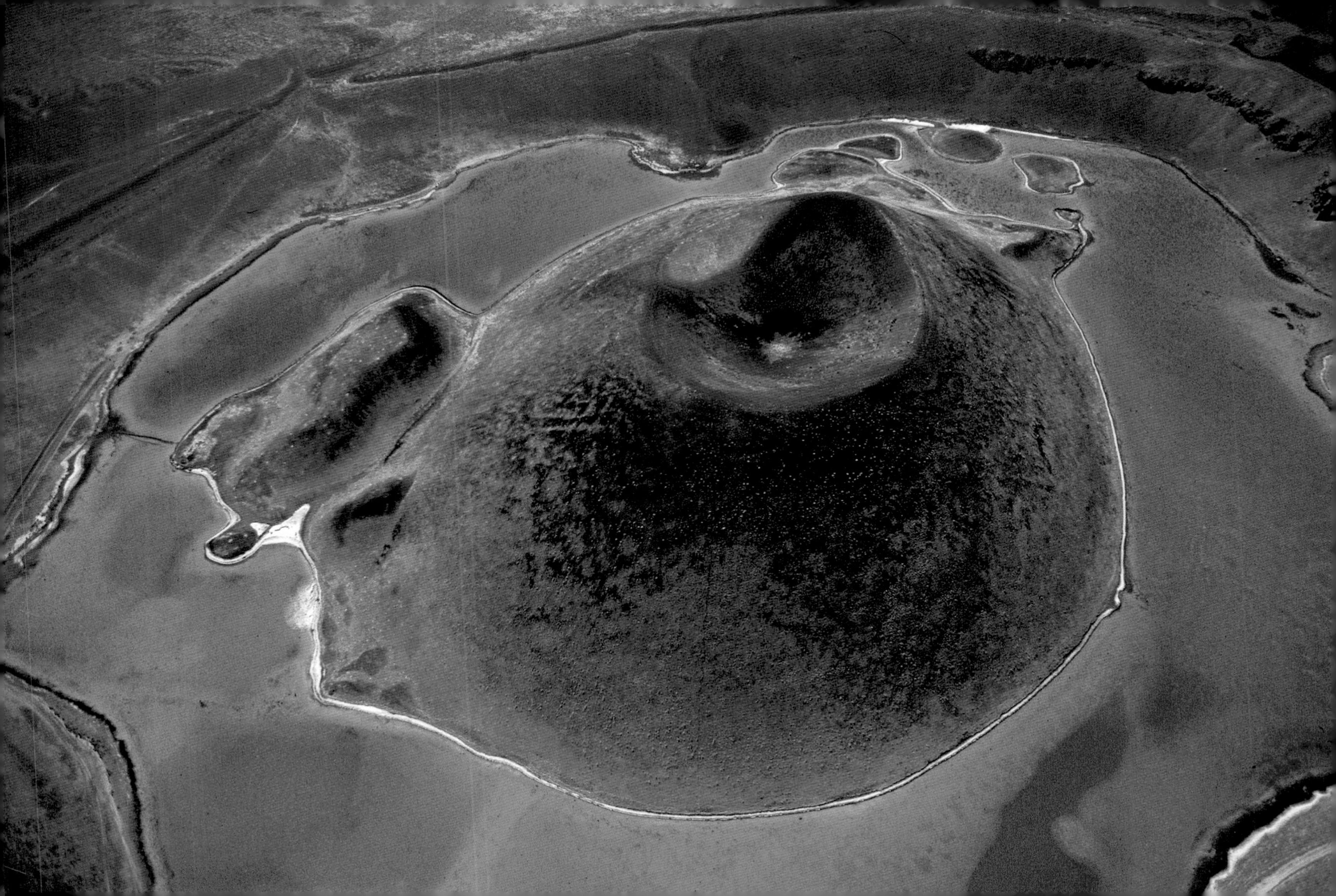

7 mai

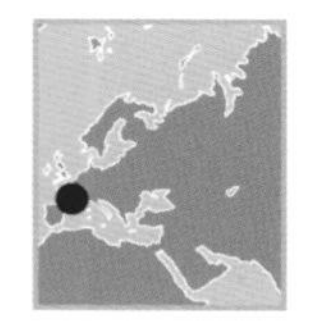

France. Gironde. Réserve naturelle du banc d'Arguin.

À l'embouchure du bassin d'Arcachon, entre le Cap-Ferret et la dune du Pilat (la plus haute de France, 106 m), le banc d'Arguin affleure sous les eaux de l'océan Atlantique. Constitué d'un ensemble d'îlots sableux qui changent de forme et de place au gré des vents et courants marins, suivant un cycle relativement régulier d'environ 80 ans, ce site, d'une superficie variable de 150 à 500 ha, a été classé réserve naturelle en 1972. Le banc d'Arguin est en effet une escale, un lieu d'hivernage ou de nidification pour de nombreuses espèces d'oiseaux migrateurs ; on y rencontre notamment une colonie de 4 000 à 5 000 couples de sternes *(Sterna sandvicensis)* parmi les trois plus importantes d'Europe. Malgré son statut de protection, la réserve naturelle est menacée par l'importance de l'affluence touristique et le développement croissant d'activités ostréicoles à sa périphérie.

8 mai

Brésil. Détail d'un immeuble de São Paulo.

Plus de 5 millions de Paulistanos – habitants de São Paulo – vivent au sein de banlieues ouvrières sous-équipées, dans des immeubles au confort précaire appelés *cortiços*. Mégalopole de 18 millions d'habitants qui s'accroît chaque année de 600 000 nouveaux venus, São Paulo est la plus grande agglomération du Brésil et de toute l'Amérique du Sud. Ville industrielle et véritable moteur de l'économie nationale, elle compte plus de 36 000 entreprises, fournit la moitié des produits manufacturés du pays et abrite près de 45 % de la main-d'œuvre ouvrière brésilienne. Dans cette ville, pourtant la plus prospère du pays, près d'un million d'enfants vivraient dans la rue (soit un sur cinq), livrés à la mendicité, la petite délinquance et la prostitution. Dans tout le Brésil, on estime que 7 à 9 millions de mineurs sont abandonnés à eux-mêmes dans les rues des grands centres urbains.

9 mai

États-Unis. Massachusetts. Brockton, traces sur un plan d'eau gelée.

Cette photo est difficilement compréhensible au premier coup d'œil. On cherche en vain la cause de ces étranges traces de glissades qui pourraient être dues à des animaux, des hommes ou même, pourquoi pas, des voitures. Aucune explication ne semble cependant satisfaisante car la plupart de ces empreintes ne vont pas jusqu'au bord et ne se prolongent pas sur la terre ferme. Ce dessin spectaculaire est, en effet, une création naturelle qui ne doit rien à une intervention extérieure mais qui est due à une action mécanique de la glace qui recouvre l'étang. En regardant attentivement les longues traces noires, on aperçoit en leur milieu de fines lignes blanches. Ce sont des lignes de craquelures de la glace dans des zones de fragilité. Remontant par ces étroites fissures, l'eau du lac perle en surface et se répand en une mince couche. Le mélange d'eau, de glace et de neige crée, parallèlement à ces fêlures en longueur, les marques noires. Puis, en s'accumulant, ce magma de glace fondue forme une bordure blanche qui souligne le dessin. L'ensemble de la région de Brockton, ancienne zone glaciaire modelée par le mouvement des glaciers, est riche en lacs peu profonds sur lesquels on observe ce type de phénomène.

10 mai

Petites Antilles. Saint-Vincent-et-les-Grenadines.

Îlots des Tobago Cays près d'Union Island.

À 7 km au nord-est d'Union Island, la plus méridionale des îles de Saint-Vincent-et-les-Grenadines, quatre îlots désertiques et rocailleux et quelques récifs sont connus sous le nom de Tobago Cays. Protégés de l'océan Atlantique par une barrière de corail, leurs criques et leurs plages de sable blanc, bordées de palmiers, attirent les plaisanciers tandis que la richesse et la diversité de leurs fonds marins leur valent d'être considérés comme l'endroit le plus réputé des Caraïbes pour la plongée sous-marine. Mais leur succès démesuré (un grand nombre de yachts mouillent dans leurs eaux lors de la belle saison) a incité les instances politiques de cet État indépendant, appartenant au Commonwealth britannique, à prendre des mesures : celles-ci concernent aussi bien l'aménagement de mouillages que l'interdiction de tout prélèvement de la flore et la faune marines ; les Tobago Cays ont, par ailleurs, été déclarés parc national.

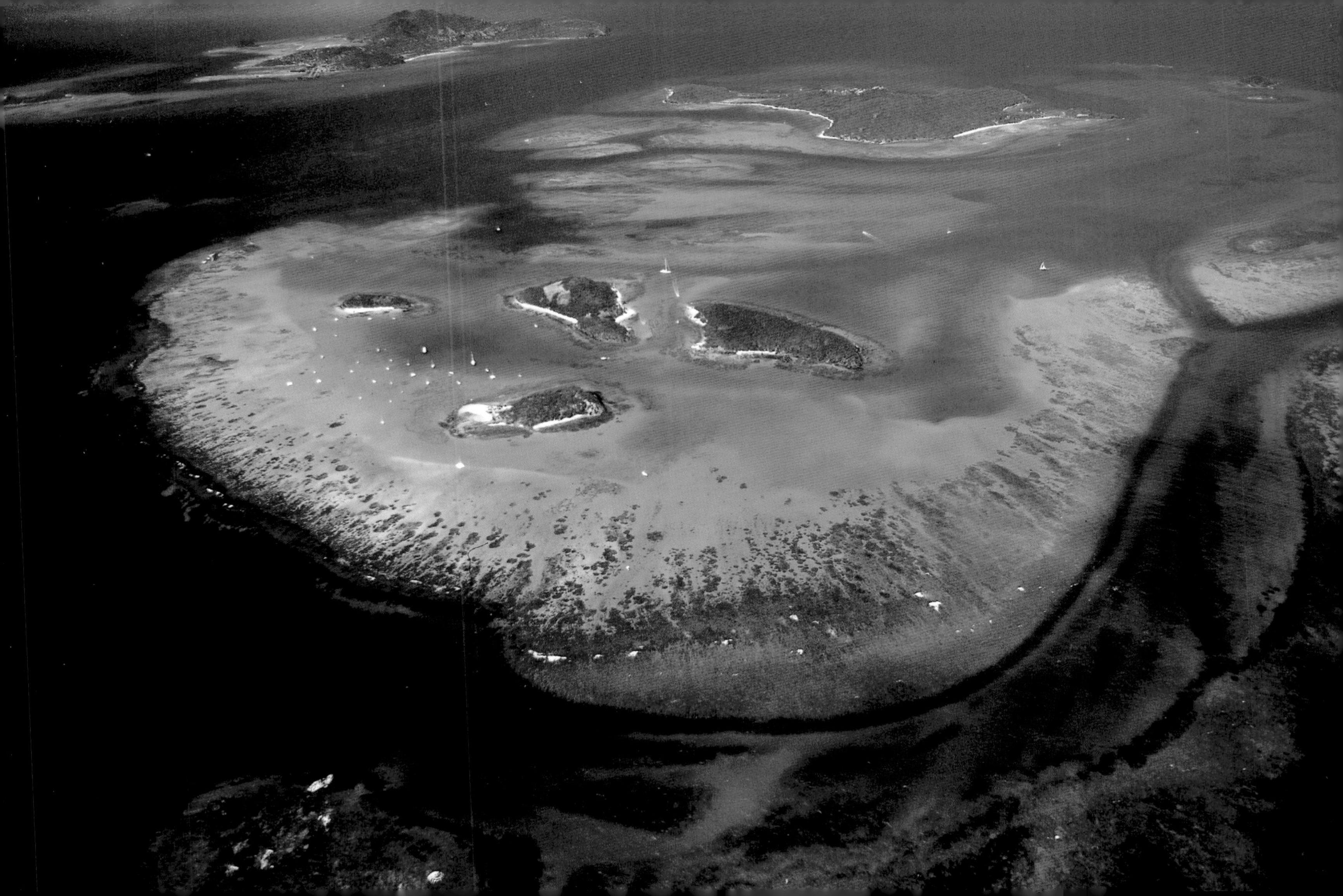

11 mai

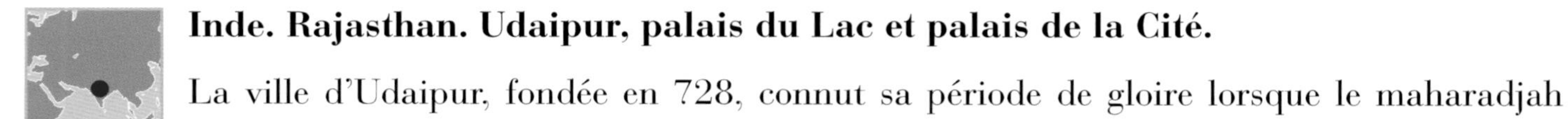

Inde. Rajasthan. Udaipur, palais du Lac et palais de la Cité.

La ville d'Udaipur, fondée en 728, connut sa période de gloire lorsque le maharadjah Udai Singh II en fit la capitale du Mewar en 1567. Le Mewar, pays fertile au sud-est du Rajasthan, est séparé du Marwar, le « pays de la mort », par la chaîne précambrienne des Aravalli, qui s'étend du nord au sud sur 700 km et partage en deux le Rajasthan : une moitié bénéficie de l'influence océanique, à l'est des montagnes dont les sommets retiennent les nuages et la pluie, l'autre moitié, désertique, ne reçoit que 200 mm d'eau par an. À Udaipur, les Moghols ont irrigué la ville, qui compte trois lacs régulant le climat urbain. Udai Singh II fit établir un barrage pour agrandir le lac Pichola avant d'élever le palais de la Cité sur ses rives. En 1746, Jagat Singh II édifia le palais du Lac, un joyau de marbre sur une petite île, qui servait de résidence d'été à la famille royale. Reconverti en hôtel depuis l'indépendance de l'Inde, ce fabuleux palais joue de l'alternance de l'eau et du marbre, ses façades se reflétant dans l'eau et l'eau s'égrenant dans l'édifice en une succession de fontaines, bassins et jardins suspendus. Les maharadjahs parvinrent ainsi à rendre réel le mirage des palais flottants du désert de Thar.

12 mai

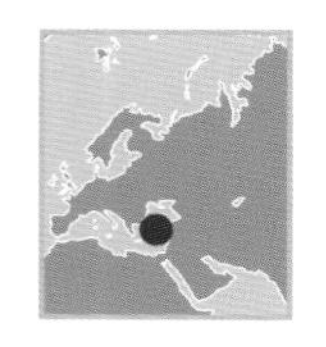

Turquie. Anatolie. Marécages à Kaunos.

Face à l'île de Rhodes, ces marécages en aval du lac de Köycegiz sont très proches de la mer Égée. À proximité aussi, près de la petite ville de pêcheurs de Dalyan, les ruines de l'antique Caunus, ville catienne de la Pérée rhodienne, attirent de nombreux touristes qui viennent contempler ses remparts, ses tombeaux et surtout son théâtre de 20 000 places. En bordure du marécage, une plage abrite une population de tortues *Caretta caretta*. Dans les années 1990, les initiatives visant à protéger ces tortues des effets du tourisme de masse, avec un très fort écho médiatique, sont apparues comme un symbole de la prise de conscience écologiste en Turquie. Le tourisme représente une ressource économique d'importance pour le pays, celui-ci accueillant plus de 7 millions de visiteurs par an, dont un quart d'Allemands.

13 mai

Kenya. Parc national de Tsavo-Est. « L'arbre de vie ».

Symbole de vie parmi les vastes étendues désolées, cet acacia du parc national de Tsavo-Est est le point de convergence des pistes d'animaux sauvages venant profiter de ses feuilles ou de son ombre. Traversé par l'axe routier et ferroviaire Nairobi-Mombasa, le parc est ouvert au public dans sa partie ouest, alors que les deux tiers de sa partie est, plus arides, sont réservés aux scientifiques. Déjà réputé pour ses nombreux éléphants, Tsavo a connu dans les années 1970 un afflux encore plus massif de pachydermes fuyant la sécheresse et le braconnage. Entassés dans l'espace limité du parc, ils ont sérieusement endommagé la végétation, suscitant une controverse sur la nécessité d'un abattage sélectif. Les braconniers ont en définitive mis un terme au débat en exterminant près de 80 % des 36 000 éléphants du parc ! Le parc national de Tsavo accueille aujourd'hui 100 000 visiteurs par an.

14 mai

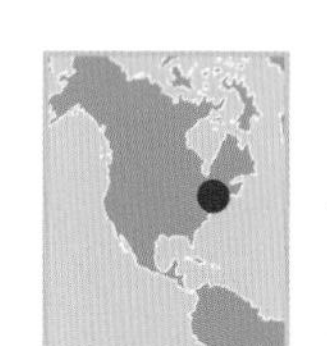

États-Unis. New York. 570 Lexington Avenue.

Le quartier de Park Avenue, et plus particulièrement sa partie médiane (située entre la 42e et la 55e Rue, avec notamment Madison et Lexington Avenue), est sans conteste le plus emblématique de New York. Ses gratte-ciel construits au début du XXe siècle captent irrésistiblement l'attention, tels le General Electric Building, le Waldorf Astoria ou encore le célèbre Chrysler Building. Leurs architectes ont mis un point d'honneur à particulariser leurs derniers étages où foisonnent les formes complexes, flèches, échauguettes, mosaïques ou motifs Art déco – comme si leur touche personnelle ne commençait qu'au 30e ou 40e étage. Paradoxalement ces gratte-ciel, qui ont symbolisé pour des générations de voyageurs et d'immigrants la vision du Nouveau Monde, ne représentent guère la ville américaine, constituée au contraire de millions de maisons particulières éparpillées dans des banlieues (les *suburbs*) souvent très lointaines. L'urbanisme futur sera sans doute marqué à travers le monde par la colonisation de vastes surfaces pour un habitat individuel. Les gratte-ciel, eux, resteront l'apanage de centres d'affaires de plus en plus concentrés.

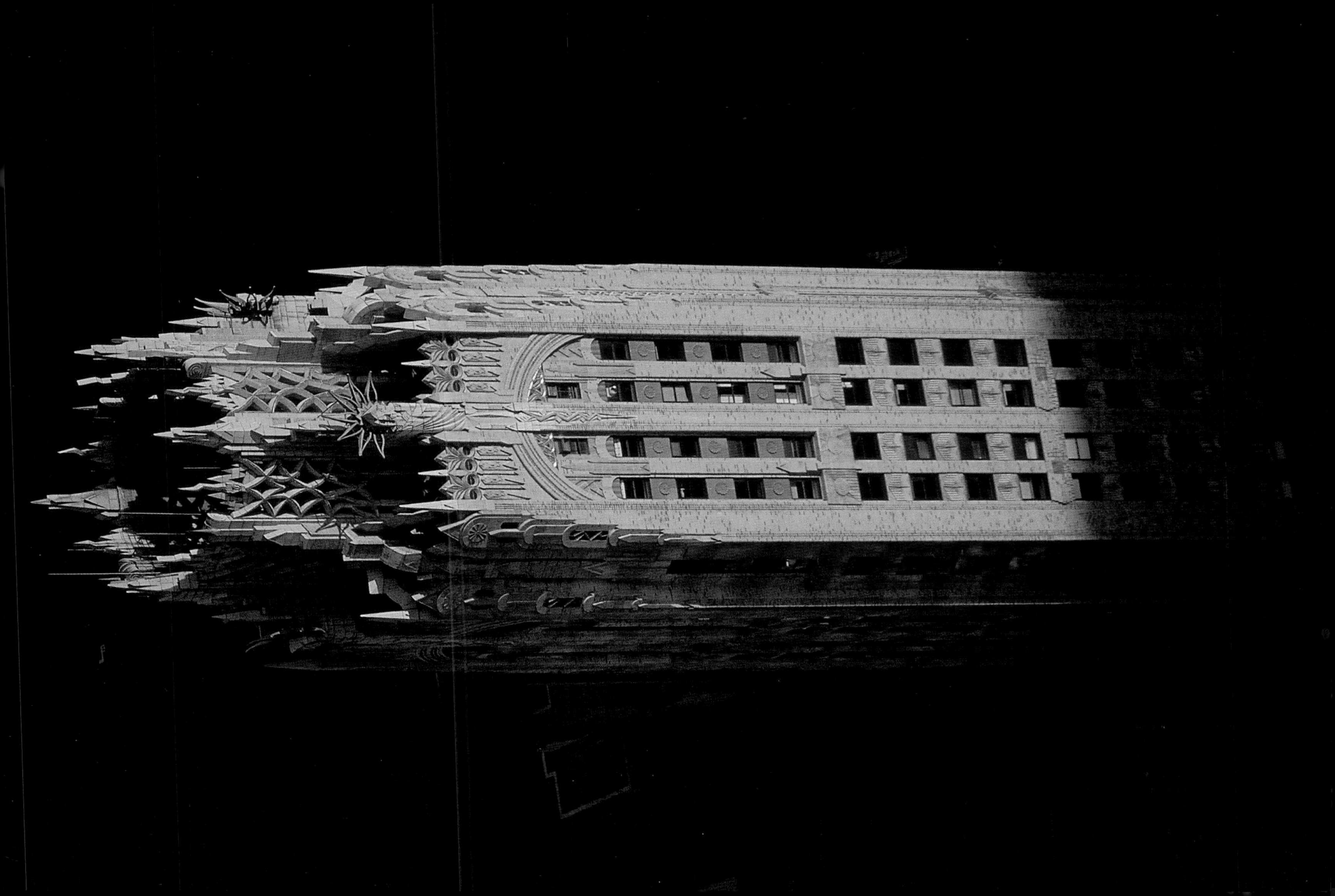

15 mai

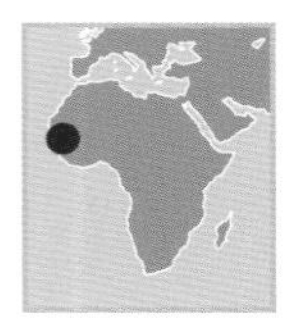

Sénégal. Environs de Dakar. Barques sur le lac Rose.

Il y a une vingtaine d'années, le lac Rose, autrefois appelé lac Retba, était encore alimenté par les pluies de l'hivernage, que restituaient progressivement les dunes environnantes. Attirés par ses eaux poissonneuses et préservées, des Peuls s'étaient fixés dans la région et avaient fondé des villages permanents. Mais la sécheresse persistante, interrompant l'alimentation en eau douce, a réduit dramatiquement la surface du lac et donc accru considérablement sa salinité, aujourd'hui comparable à celle de la mer Morte, avec 320 g de sel par litre. Pour expliquer cette « catastrophe » naturelle, certains habitants de la contrée évoquent la vengeance d'un génie-femme, jaloux de voir les pêcheurs lui voler les poissons de son lac. À l'activité de pêche a donc succédé l'exploitation du sel, dont on récolte chaque jour une trentaine de tonnes. La technique est simple : munis d'un bâton pour casser la croûte de sel déposée au fond du lac, les ramasseurs récoltent des blocs qu'ils entassent dans une série de cuvettes de plastique, arrimées à la taille et qui les suivent dans leurs déplacements. Il est possible de rapporter jusqu'à 500 kg sur la rive et de gagner ainsi 1 500 francs C.F.A. par jour (à peu près 2 dollars).

16 mai

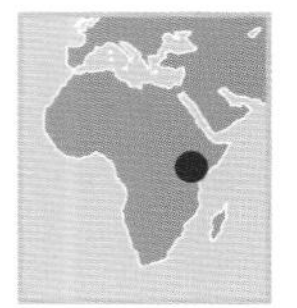

Kenya. Formation cristalline sur le lac Magadi.

Née d'une déchirure de la croûte terrestre survenue 40 millions d'années environ avant notre ère, la grande fracture du Rift s'étend sur près de 7 000 km à l'est de l'Afrique. Bordée de hauts plateaux volcaniques, son vaste fossé d'effondrement, succession de dépressions (Rift Valley) allant de la mer Rouge jusqu'au Mozambique, abrite un chapelet de grands lacs (Turkana, Victoria, Tanganyka...) et de plans d'eau, comme le lac Magadi, le plus méridional du Kenya. Alimenté par les eaux des pluies qui lessivent les pentes volcaniques avoisinantes en emportant des sels minéraux, celui-ci contient une eau à haute teneur en sel. Par endroits, sa surface est marbrée de *licks*, dépôts salins cristallisés mêlés à l'eau saumâtre. Bien qu'inhospitalier, ce milieu n'est toutefois pas exempt de vie : des millions de petits flamants viennent se nourrir des microalgues, crevettes et autres crustacés qui prolifèrent dans les eaux du lac.

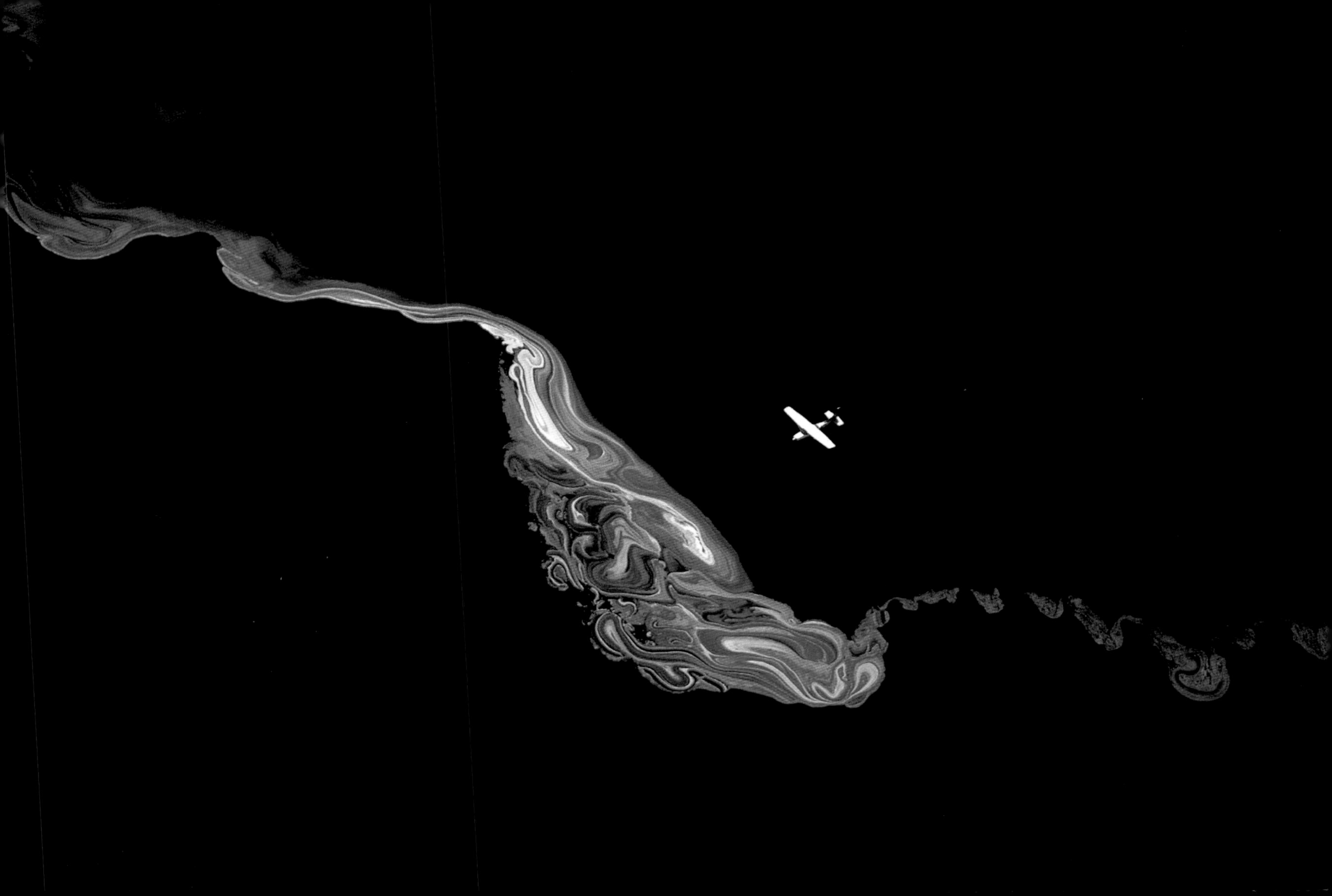

17 mai

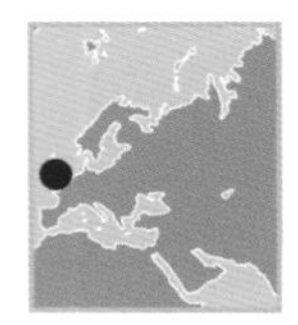

Angleterre. Wiltshire. Cheval blanc de Westbury.

À l'ouest de Londres, dans la région de Wiltshire, la figure du cheval blanc, taillée dans la craie, se détache sur les coteaux de Westbury. Parmi la dizaine de chevaux blancs recensés dans la région, celui d'Uffington est le plus célèbre et le plus connu. Le tracé caractéristique de ses membres, effilés et nettement séparés les uns des autres, a permis de le rapprocher des dessins qui ornent certaines pièces de monnaie anglaises de l'âge du fer tardif. On a suggéré qu'il constituait l'emblème d'une des tribus de l'époque préromaine, celle des Dobunni ou des Atrebates. On ne dispose pas, pour les autres chevaux blancs, de traces analogues permettant de remonter à leur origine. Certains y voient l'effigie du dragon combattu par saint Georges. Ils furent tous retaillés au XVIIIe siècle. Depuis lors, l'entretien régulier de leur silhouette est l'occasion de fêtes locales. Célébrés par le poète anglais Thomas Hugues qui voyait en eux les « fragments blêmes et silencieux d'un monde blême et silencieux », ils continuent de susciter des interprétations les plus diverses. Ils montrent en tout cas que, dès les temps reculés, l'homme a cherché à modeler le paysage et à y inscrire durablement la trace de sa puissance ou de ses rêves.

18 mai

Argentine. Culture de thé dans la province de Corrientes.

La fertilité de la terre rouge et les pluies régulières de la région de Corrientes fournissent les conditions optimales pour la culture du thé. Dans un souci de protection des sols contre l'érosion, les théiers sont plantés suivant les courbes de niveau et protégés du vent par des haies. Contrairement aux pays d'Asie et d'Afrique, où les jeunes pousses sont récoltées manuellement, on procède, en Argentine, à une cueillette mécanique, notamment au moyen de tracteurs enjambeurs qui sillonnent les plantations régulières d'arbustes. Le thé hybride de la variété indienne Assam, cultivé dans ce pays, fait l'objet d'une faible production (50 000 tonnes par an) ; récolté en été, il complète l'importante production hivernale de maté traditionnel, sorte de houx consommé en infusion et dit « thé des jésuites ». Aujourd'hui, le thé est cultivé dans 40 pays, l'Inde, la Chine, Sri Lanka et le Kenya fournissant à eux seuls 60 % de la production mondiale.

19 mai

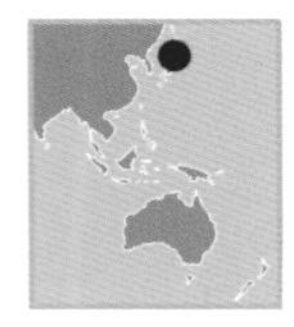

Japon. Honshu. Temple au sud de Tokyo.

Si l'on devait n'employer qu'un seul mot pour définir la spiritualité des Japonais, ce serait celui de « syncrétisme ». Syncrétisme entre les croyances indigènes, animistes et polythéistes, et les doctrines monothéistes importées de l'étranger. Syncrétisme entre le shintoïsme, le bouddhisme et ses nombreuses sectes, le confucianisme et dans une moindre mesure, le christianisme (qui compte plus d'un million de fidèles sur les 121 millions d'habitants du Japon). Durant la journée, les Japonais s'arrêtent aussi bien dans un sanctuaire shinto que dans un temple bouddhique ou une chapelle, parfois immédiatement voisins, pour se recueillir. Conscients de cette diversité, ils prétendent pour plaisanter que leur pays compte 300 millions de fidèles : shintoïstes à la naissance car c'est un culte de vie, chrétiens au mariage à cause du faste de la cérémonie et bouddhistes à la mort car cette religion se préoccupe du destin des âmes avec une inégalable douceur.

20 mai

Mali. Pirogues sur le fleuve Niger à Gao.

Importante artère de communication du Mali, le fleuve Niger permet une liaison commerciale entre les abords de Bamako, la capitale, et Gao, au nord du pays (1 400 km). Cependant, les navires de taille moyenne ne peuvent le parcourir que pendant la période des hautes eaux de juillet à décembre, car seuls les bateaux à faible tirant d'eau peuvent naviguer sur le Niger en toute saison. Les Bozo, peuple traditionnellement pêcheur, sont devenus les « maîtres du fleuve » en assurant les transports locaux avec leurs pinasses. D'apparence fragile, ces grandes pirogues, qui font de fréquents va-et-vient dans le port de Gao, peuvent transporter chacune plusieurs tonnes de marchandises. Elles acheminent notamment de part et d'autre des berges du Niger des quantités importantes de bourgou, une plante fourragère qui se développe dans les eaux du fleuve et sert à alimenter le bétail transhumant de la région.

21 mai

Tunisie. Gouvernorat de Médenine. Lagune sur l'île de Djerba.

La basse et plate Djerba (le point culminant est à 50 m au-dessus du niveau de la mer) n'est autre que l'ancienne Méninx phénicienne puis romaine, et surtout la mythique « île des Lotophages » qu'Ulysse ne quitta qu'à contrecœur. En dépit de fréquentes incursions étrangères, la population à majorité berbère et musulmane hétérodoxe (les kharidjites), qui compte aussi l'une des plus anciennes communautés juives de l'Afrique maghrébine, a su maintenir un particularisme et un équilibre aujourd'hui menacés. Haut lieu du tourisme tunisien (le plus important du Maghreb), disposant d'un aéroport international et d'une digue routière qui la relie au continent, Djerba est devenue une usine à loisirs tandis que ses activités traditionnelles (pêche, culture irriguée) stagnent. Les Djerbiens, qui ne récupèrent qu'une faible part des dépenses touristiques, tendent à émigrer dans les grands centres urbains du pays où ils tiennent des commerces. Par ailleurs, ce site exceptionnel commence à être affecté par la pollution pétrolière qui s'étend dans le golfe de Gabès et entre Bizerte et le golfe de Tunis. Exode et pollution sont parfois la rançon d'un tourisme débridé.

22 mai

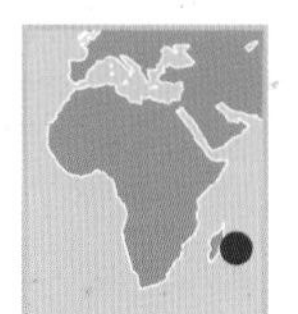

France. La Réunion.

Cône éruptif du piton de la Fournaise.

Le piton de la Fournaise, qui culmine à 2631 m au sud-est de l'île de la Réunion, est le volcan le plus actif de la planète après le Kilauea à Hawaï. En activité depuis quatre cent mille ans, il entre en éruption en moyenne tous les quatorze mois ; cependant, dans la grande majorité des cas, les projections de magma ne dépassent pas les trois zones de dépressions, ou *caldeiras*, qui l'entourent. Exceptionnellement, comme en 1977 et 1986, surviennent des éruptions plus violentes au cours desquelles des coulées de lave dévastatrices envahissent les pentes boisées et les zones habitées de l'île. Aujourd'hui, sur les 500 volcans actifs de la planète situés au-dessus du niveau de la mer, 140 sont surveillés en permanence ; c'est le cas du piton de la Fournaise qui, depuis l'installation d'un observatoire volcanique en 1979, est certainement l'un des plus contrôlés au monde.

23 mai

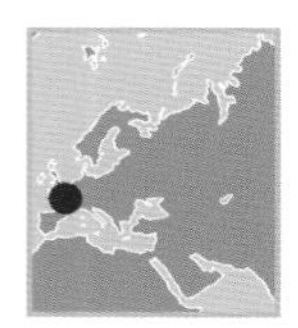

France. Nord-Gascogne. Naufrage du pétrolier *Erika*.

Le 11 décembre 1999, un pétrolier en mauvais état battant pavillon maltais et manœuvré par un équipage indien, demande au port de Saint-Nazaire le droit d'accoster à cause d'avaries légères. La capitainerie du port lui refuse l'escale. L'*Erika* poursuit sa route le long de la côte bretonne où une mer forte le brise en deux morceaux qui coulent quelques heures plus tard. Plus de 10 000 tonnes de pétrole lourd se répandent alors en nappes qui après avoir dérivé pendant deux semaines viennent polluer la côte atlantique sur plus de 500 km. Cette pollution n'est malheureusement pas la plus importante de ces dernières années : en 1993, le *Braer* a répandu 85 000 tonnes de brut au large des îles Shetland et en 1996, le *Sea Empress* a déversé 65 000 tonnes sur les côtes du pays de Galles. Le plus sévère dégât du pétrole ne se mesure cependant pas en tonnes mais en espèces rares que la pollution détruit. Avec quelques centaines de tonnes de mazout, la récente catastrophe survenue aux îles Galapagos, l'un des conservatoires mondiaux de la faune, en est le triste augure. L'accord international *Oil Pollution Act* impose certes aux pétroliers de plus grandes précautions dont une double coque, mais il ne prend effet qu'en 2010.

ERIKA
VALLETTA

24 mai

Koweït. Al Khiran. Lacs de pétrole près de Al Burgan.

Ce paysage de désolation est un aspect de la crise puis de la guerre qui ont suivi l'invasion du Koweït par l'Irak le 2 août 1990. Au cours de ce conflit, 300 millions de tonnes de pétrole ont brûlé, soit plus d'un dixième de la consommation mondiale annuelle. Le Moyen-Orient concentre les deux tiers des réserves mondiales de pétrole et un tiers de celles de gaz naturel. Au quotidien, l'exploitation pétrolière provoque un saccage des lieux d'exploitation et des pollutions lors du transport, du raffinage et de l'utilisation finale. C'est à ce stade ultime que se situent les plus graves atteintes à l'environnement. À l'échelle de vastes régions urbaines dans lesquelles le transport automobile ne cesse de poser des problèmes grandissants pour la santé humaine. À l'échelle globale où les sous-produits de la combustion du pétrole jouent un rôle majeur dans la modification de la composition chimique de l'atmosphère et les dérèglements des climats.

25 mai

Venezuela. Région de Bolivar. Brûlis près de la retenue d'eau artificielle du Guri.

Aux environs du plus grand barrage hydroélectrique du monde – celui du Guri dans l'État de Bolivar, au sud-est du Venezuela – et de son immense lac de retenue, de petits paysans cultivent sur brûlis le manioc et le maïs de manière intensive sans se soucier de l'épuisement des sols. Ils participent à une destruction qui s'étend à l'ensemble du continent sud-américain, pourtant le moins peuplé de tous. Dans le cadre d'une réforme agraire hâtive et mal appliquée, ces paysans ont enfin obtenu de la terre. Ils se sont endettés pour acquérir semences et matériel et sont entraînés dans la spirale des emprunts à taux usuraire pour tenter de rembourser. Dans quelques années, ils n'auront plus d'autre solution que de vendre à bas prix leur lopin à un gros propriétaire foncier ou à une compagnie qui constituera alors un vaste domaine, une *hacienda*. D'artisanale, l'exploitation du sol deviendra systématique jusqu'à ne laisser qu'une croûte de latérite dure et stérile. L'un des sols les plus riches du monde, porteur d'une incroyable diversité biologique, sera ainsi devenu en quelques années une steppe aride parcourue par des troupeaux faméliques. Cinq siècles après sa découverte, l'Amérique du Sud n'a toujours pas trouvé une agriculture « durable ».

26 mai

Brésil. État d'Amazonas. Région de Manaus. Flottage du bois sur l'Amazone.

Dans cette région où la densité du couvert végétal ne permet pas d'autre accès aux zones d'exploitation, le flottage est le moyen de transport de bois le plus rentable. Les grumes liées entre elles sont stockées sur le fleuve Amazone avant d'être remorquées vers les scieries. L'exploitation du bois, apport économique majeur pour le Brésil, se fait au prix d'une déforestation inquiétante de près de 19 000 km² chaque année. La forêt amazonienne a ainsi déjà perdu 10 % de sa superficie originelle ; sa destruction progressive menace l'habitat des populations indigènes mais aussi des milieux qui abritent la moitié des diverses espèces du monde. L'Asie et l'Afrique surexploitent également leurs ressources forestières : sur les 18 millions de km² de forêts tropicales que compte la planète, 120 000 km² disparaissent chaque année.

27 mai

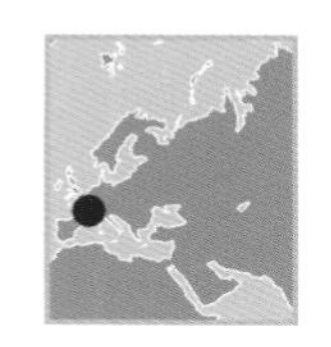

France. Haute-Savoie. Cordée d'alpinistes à l'ascension du mont Blanc.

Les Alpes, la plus importante chaîne montagneuse d'Europe, sont nées il y a environ 65 millions d'années. À 4 807 m, le mont Blanc est leur sommet le plus élevé. Connu au XVIe siècle sous le nom de « montagne Maudite », il représentait pour les pasteurs de la vallée de Chamonix un chaos de rochers et de glaciers stériles et dangereux. Excepté pour quelques intrépides chasseurs de chamois et quelques chercheurs de cristaux de roche, il le restera jusqu'à la fin du XVIIIe siècle, quand Jacques Balmat, Gabriel Pacard et Horace Bénédict de Saussure grimpent au sommet en 1787 et prouvent, après une marche pénible de deux jours, que l'on peut survivre à une nuit passée en altitude. Depuis, les ascensions se sont multipliées. Cent quinze personnes atteignent le sommet entre 1787 et 1860. À la motivation scientifique du Siècle des lumières, ont succédé la recherche de l'exploit, puis maintenant le tourisme. Le sommet, équipé pour les randonneurs, voit défiler jusqu'à trois cents personnes par jour. Cet essor, qui constitue la première ressource économique pour les gens de la vallée, est menacé car le site, fragile, se dégrade. Ce ne sont pas les grandes villes ni les riches plaines qui souffrent le plus de la fréquentation humaine, mais les espaces extrêmes – déserts et haute montagne.

28 mai

Chine. Région de Pékin.

La Grande Muraille près de Gubeikou.

Dès les origines, la Grande Muraille fit partie, avec la soie et les alliances matrimoniales, des moyens qu'utilisa – à des époques différentes – la diplomatie chinoise dans ses rapports frontaliers avec les cavaliers nomades venus des steppes du Nord. Les fortifications que l'on visite aujourd'hui datent du XVIe siècle, lorsque les empereurs Ming décidèrent de construire un dispositif de défense statique sur une longue distance (plus de 2 000 km) contre les fédérations mongoles. Celui-ci a mobilisé à certaines époques (de 550 à 577, de 1410 à 1430, par exemple) jusqu'à 100 000 hommes. La Grande Muraille est devenue, depuis trois siècles, un mythe aux significations imaginaires que le gouvernement actuel de la Chine a transformé en emblème national, ce qui n'empêche nullement certains Chinois d'y voir un long dragon couché protégeant malgré tout le pays des aventuriers continentaux.

29 mai

Inde. Uttar Pradesh. Le Taj Mahal à Agra.

Construit entre 1632 et 1653 à la demande de l'empereur moghol Shah Djahan, le Taj Mahal est dédié à son épouse, Mumtaz Mahal (l'« élue du palais »), morte en mettant au monde leur quatorzième enfant. Du haut de ses 74 m, il surplombe la rivière Yamuna, à Agra, en Inde. Orné de fines sculptures (versets coraniques, motifs floraux et géométriques) et de pierres semi-précieuses, ce mausolée de marbre blanc est l'œuvre d'une trentaine d'architectes et 20 000 ouvriers. Inscrit sur la Liste du patrimoine mondial de l'Unesco en 1983, cet édifice a commencé à être altéré par la pollution industrielle du XXe siècle. Aussi, en 1993, 212 usines d'Agra ont été fermées afin de préserver sa blancheur, symbole de la pureté de l'âme dans la religion musulmane. Si l'islam (2e religion du pays avec environ 100 millions d'adeptes) prédomine dans certaines régions de l'Uttar Pradesh, l'Inde demeure hindouiste pour les quatre cinquièmes de sa population et abrite à elle seule plus de la moitié des hindous du monde.

30 mai

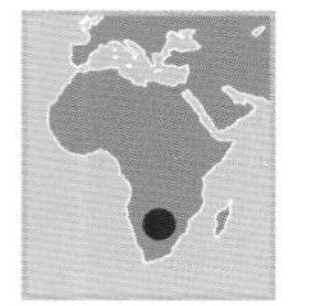

Botswana. Delta de l'Okavango. Antilope en bordure d'étang.

Au Botswana, la politique de protection de la faune commence avant l'indépendance, avec l'imposition en 1963 du « Fauna Conservation Act ». Excepté l'éléphant et la hyène brune, la chasse est autorisée au Botswana mais strictement réglementée. Elle constitue une source importante de devises pour le pays qui délivre trois types de permis : gratuit à ceux pour qui la chasse est un moyen traditionnel de subsistance ; bon marché aux autres Bostwanais ; très onéreux pour les touristes étrangers. La chasse de subsistance prélève le plus gros tribut. On estime en effet que 90 % des animaux tués le sont pour la nourriture. Parallèlement la chasse autorisée aux étrangers rapporte, en plus des permis, des revenus au pays par le biais de droits d'entrée dans les parcs nationaux (17 % de la surface du pays) et de taxes d'exportation. De multiples organisations non gouvernementales travaillent en outre à promouvoir et à protéger les richesses de la faune (164 espèces de mammifères, 550 d'oiseaux et plus de 150 espèces de reptiles). Autant de dispositifs qui limitent le braconnage, véritable plaie des parcs nationaux africains.

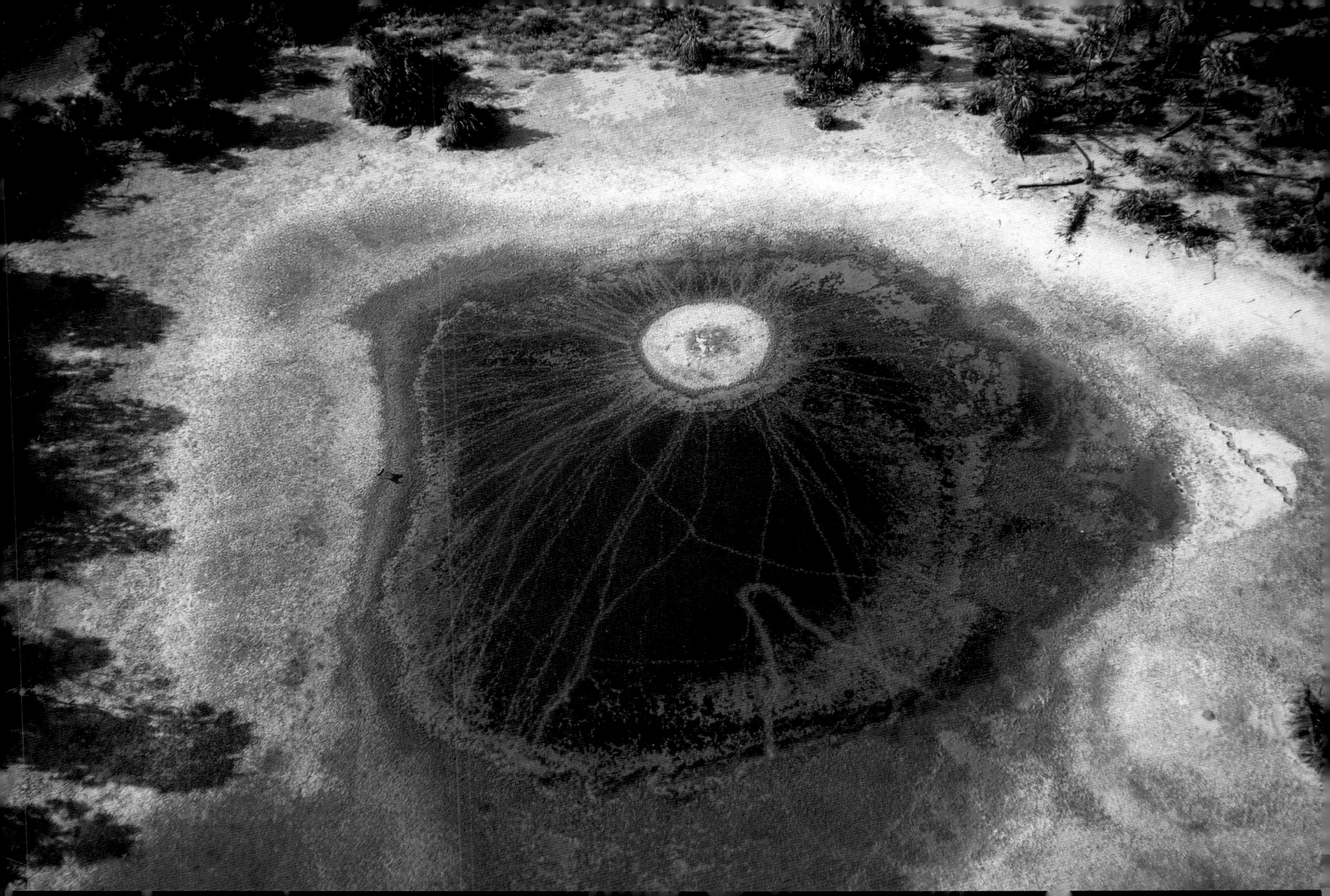

31 mai

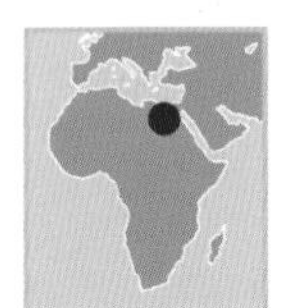

Égypte. Vallée du Nil.

Route coupée par une dune.

Issus d'anciennes alluvions fluviales ou lacustres accumulées dans des dépressions, et triés par des milliers d'années de vents et de tempêtes, les grains de sable s'accumulent devant le moindre obstacle et créent ainsi des dunes, puis des massifs dunaires. Actuellement, tous les massifs dunaires sont stables. Seules se déplacent naturellement de petites dunes, dites libres, migrant d'un lieu producteur de sable dans la direction du vent dominant, allant parfois jusqu'à recouvrir des infrastructures, comme cette route dans la vallée du Nil. La forme sphérique des grains de sable et la force des vents du désert provoquent le déplacement de certaines dunes à un rythme pouvant atteindre 10 m par an. Les régions situées sur le pourtour du Sahara ont également à affronter de violentes tempêtes de sable qui détruisent la végétation, contribuant à l'aridification des milieux.

1er juin

France. Seine-et-Marne. Maincy.

Parterres de broderies du château de Vaux-le-Vicomte.

Les « tapis de turquerie », ou parterres de broderies en haies de buis du château de Vaux-le-Vicomte, sont, comme l'ensemble du parc, l'œuvre de l'architecte-jardinier André Le Nôtre (1613-1700). Réalisé pour Nicolas Fouquet, surintendant général des Finances, le château a été construit en cinq ans par quelque 18 000 ouvriers. Le jardin, agrémenté de plusieurs plans d'eau et fontaines, offre une perspective de 2 500 m qui a nécessité la destruction de deux hameaux. Invité par Fouquet en 1661, le jeune roi Louis XIV, offusqué par le faste de la fête, ordonna une enquête sur le surintendant et le fit emprisonner. Le Nôtre, quant à lui, se vit confier le titre de contrôleur général des Bâtiments du roi. Il élabora d'autres jardins classiques dits « à la française » pour les châteaux de Saint-Germain-en-Laye, Saint-Cloud et Fontainebleau, mais son chef-d'œuvre reste les jardins du château de Versailles, palais du « Roi-Soleil » Louis XIV.

2 juin

Brésil. État d'Amazonas. Mélange des eaux du río Negro et de l'Amazone.

C'est en aval de Manaus seulement que le Solimões prend officiellement son nom d'Amazone, après avoir reçu le río Negro, long de 2 200 km. En Amazonie, on distingue les « rivières blanches », aux eaux boueuses venues des Andes, des « rivières noires », aux eaux transparentes mais teintées en brun-rouge par la décomposition des végétaux, teinte qui apparaît noire dès que la profondeur atteint plus d'un mètre. Or, au confluent du Solimões et du río Negro, les eaux des deux fleuves ne se mêlent pas. Sur près de 80 km, l'eau limoneuse du Solimões côtoie dans son propre lit l'eau de son affluent et seules quelques taches café au lait apparaissent. Ce phénomène s'explique par leur différence de vitesse. Juste avant la confluence, le río Negro se répand en un gigantesque dédale de lagunes et de bras secondaires délimitant plus de quatre cents îles, dont la moitié sont submergées des mois durant par les crues. Ce sont les Anavilhenas, le plus grand archipel fluvial du monde. La vitesse du río Negro est donc quasi nulle lorsqu'il atteint l'énorme flot en mouvement du Solimões, et ne peut s'y fondre. Il coule alors à ses côtés, d'autant plus longtemps que la différence de densité des eaux ne facilite pas leur mélange. Quand ils finissent par se rencontrer, l'Amazone existe enfin.

3 juin

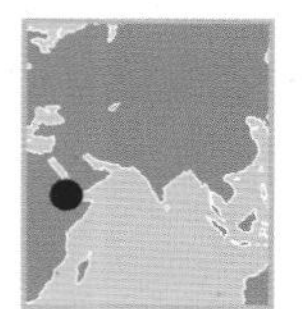

Djibouti. Îles de Maskali (au premier plan) et Moucha (au second plan).

Situées dans le golfe de Tadjoura, à environ une heure de boutre de la capitale, les îles de Maskali et Moucha sont l'un des principaux sites touristiques de la république de Djibouti, avec leurs palétuviers – caractéristiques des paysages de la mangrove – et leurs plages de sable fin. Entourées de récifs coralliens, leurs eaux très poissonneuses ont toujours attiré les pêcheurs sous-marins et elles ont même accueilli, à plusieurs reprises, les championnats du monde de chasse sous-marine. Elles abritent une faune marine souvent très rare (dont des espèces dites endémiques parce qu'elles n'existent nulle part ailleurs). Pour protéger cette faune, dont certaines espèces sont en voie de disparition, le gouvernement de Djibouti a réglementé la chasse sous-marine. À l'est des îles Moucha et Maskali, il a notamment créé un parc national sous-marin où toute activité de chasse et de pêche (en particulier la capture des tortues et de leurs œufs) est formellement interdite.

4 juin

Égypte. Barques prises dans les jacinthes d'eau sur le Nil.

Signalée pour la première fois au début du siècle dans le delta du Nil, en Égypte, et dans la province du Natal, en Afrique du Sud, la jacinthe d'eau *(Eicchornia crassipes)* est un végétal aquatique envahissant originaire du Brésil. Introduite sur le continent africain comme plante ornementale, elle a colonisé en moins de cent ans plus de 80 pays dans le monde, proliférant dans les zones de rejet des eaux usées. Entrave à la navigation, cette espèce contribue à la sédimentation des cours d'eau et des berges fluviales, ainsi qu'à l'obstruction des canaux d'irrigation agricoles et des turbines des barrages hydroélectriques. L'épais tapis végétal qu'elle constitue engendre un phénomène d'eutrophisation, c'est-à-dire une diminution de la teneur en oxygène des eaux profondes, en raison de la concentration de débris organiques. Ce phénomène de pollution asphyxie poissons et amphibiens en les privant d'oxygène. De plus, les jacinthes d'eau abritent de nombreux micro-organismes responsables de maladies transmissibles à l'homme. En revanche, elles absorbent les excès de nitrates, le soufre ainsi que certains métaux lourds.

5 juin

Antarctique (pôle Sud). Terre Adélie. Icebergs et manchots Adélie.

L'Antarctique s'étend sur 16,5 millions de km^2 (30 fois la France), que prolongent sur la mer 1,5 million de km^2 supplémentaires de glaciers – les ice-shelfs. Dès la fin du XIXe siècle, ce sixième continent désolé attira la convoitise des grandes puissances qui y installèrent progressivement des bases. La concurrence s'intensifia quand des corsaires allemands en firent leur repaire durant la guerre de 1940. En 1946, les États-Unis organisèrent une démonstration de force en débarquant 5 000 hommes. Des industriels s'enflammèrent à l'évocation des richesses minières du continent glacé. Pour mettre fin à cette colonisation rampante, les scientifiques organisèrent alors une année géophysique internationale en 1958 qui déboucha le 1er décembre 1959 sur un traité international neutralisant les revendications territoriales. Les douze puissances signataires gardèrent leurs secteurs et leurs bases mais s'interdirent toute autre prise de possession et acceptèrent au cours des années suivantes treize nouvelles nations. L'Antarctique est ainsi devenu le seul endroit au monde où le projet d'une constitution « cosmopolitique » prôné par le grand philosophe Emmanuel Kant se soit durablement réalisé. Quand les autres continents suivront-ils cet exemple ?

6 juin

Argentine. Province du Neuquén. Hêtres sur les monts Traful.

Au cœur du parc national de Nahuel Huapi, dans le sud-ouest de la province du Neuquén, en Argentine, de nombreux lacs d'altitude (700 m en moyenne) aux eaux d'un bleu intense, d'origine glaciaire, baignent les pieds des monts et des pics rocheux de la cordillère des Andes. L'humidité du climat de cette région favorise le développement de hêtres (variétés *Nothofagus pumilio* et *antartica*) qui ont colonisé les flancs des montagnes, les égayant de couleurs flamboyantes en automne. Plus au sud, alors que l'altitude décroît sensiblement, les forêts de hêtres s'éclaircissent progressivement, cédant la place à la steppe de Patagonie. La partie de la cordillère des Andes située entre l'Argentine et le Chili constitue, avec une longueur d'environ 5 000 km, la plus longue frontière naturelle terrestre de la planète.

7 juin

Turquie. Istanbul. Basilique Sainte-Sophie.

À Istanbul, l'ancienne Constantinople ou Byzance, sur la rive occidentale du détroit du Bosphore qui sépare l'Europe et l'Asie, s'élève la basilique Sainte-Sophie, construite de 532 à 537 sous le règne de l'empereur byzantin Justinien. Longtemps considéré comme le monument sacré le plus important de la chrétienté, ce bâtiment est couronné d'une majestueuse coupole de plus de 30 m de diamètre culminant à 56 m au-dessus du sol, dont l'édification constitue une prouesse technique pour l'époque. Après la prise de Constantinople par les Turcs en 1453, Sainte-Sophie est transformée en mosquée ; quatre minarets et plusieurs contreforts sont ajoutés à sa structure initiale. En 1934, le gouvernement de la République turque laïque décide d'en faire un musée, permettant ainsi au public d'y admirer, entre autres, de remarquables mosaïques byzantines.

8 juin

Équateur. Quito, paysage agricole : petits champs.

L'Audiencia de Quito des conquistadors espagnols, nommée au XVIIIe siècle, pour sa position équinoxiale, les « Terres sous l'Équateur », demeure un pays au lourd héritage colonial, visible dans son agriculture. Celle-ci fait encore vivre près de la moitié de la population et 27 % du territoire lui est consacré mais elle ne représente plus que 15 % du PIB. Les réformes agraires de 1964, 1972 et 1978 ont mis fin à l'ordre féodal traditionnel du Huasipungo de la Sierra andine, caractérisé par les grandes *haciendas* des colons espagnols, gérées par des métis et cultivées par des Indiens réduits au servage. Cependant la répartition des terres demeure particulièrement inégalitaire. Tandis que les petits paysans, à la tête des minifundias des hauts plateaux, survivent à peine, les meilleures terres, celles des vallées et surtout de la côte, destinées aux cultures d'exportation (bananes, cacao, café), restent concentrées entre les mains de riches propriétaires. Ajoutons l'épuisement des réserves de pétrole et les dégâts considérables du phénomène El Niño (20 000 victimes) : tous les ingrédients d'une explosion sociale sont réunis.

9 juin

Namibie. Région de Swakopmund. Oryx dans le désert du Namib.

Formé il y a 100 millions d'années, le désert du Namib, en Namibie, est considéré comme le plus vieux du monde. Il couvre la totalité des 1 300 km du littoral et s'étire sur près de 100 km de large à l'intérieur des terres, occupant un cinquième du pays. Constitué en grande partie de plaines caillouteuses, il abrite également 34 000 km^2 de dunes de sable qui, avec 300 m de hauteur, sont les plus élevées du monde. Les pluies ne s'abattent sur le Namib que tous les cinq à vingt ans, mais un épais brouillard, résultat de la rencontre des courants d'air froid de l'Atlantique avec les vents chauds provenant du cœur du continent, humecte le sable rouge orangé près de cent jours par an. Grâce à cette brume, de nombreuses espèces végétales et animales parfaitement adaptées à ce milieu peuvent subsister dans le désert du Namib, comme cette grande antilope appelée oryx ou gemsbock.

10 juin

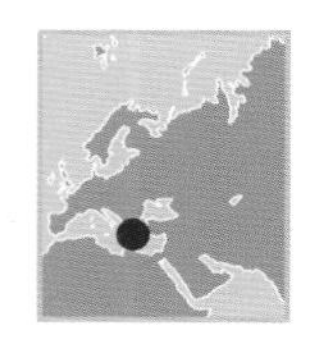

Grèce. Dodécanèse. Chapelle sur un îlot près des côtes de l'île de Kos.

Non loin des côtes de l'Asie Mineure, l'archipel grec du Dodécanèse regroupe, comme son nom l'indique, douze îles (dont l'une des plus importantes est Kos) et de nombreux îlots, pour la plupart inhabités, comme le sont d'ailleurs la majorité des îles grecques : sur les 437 îles que compte la Grèce, 154 seulement abritent une population permanente. Cette insularité (20 % de la superficie du pays) renvoie à la spécificité du relief grec, très découpé, produit d'effondrements géologiques qui ont eu lieu à la fin de l'ère tertiaire, et à la place qu'occupe la mer dans la vie de ce pays et de ses habitants depuis l'Antiquité, sur les plans tant économique que social, culturel ou politique. La présence, dans certains des îlots inhabités, de petites constructions isolées, et en particulier d'églises grecques orthodoxes, est un phénomène fréquent, qui constitue une autre particularité de ce pays : la prépondérance de la religion grecque orthodoxe pratiquée par plus de 97 % de la population. C'est elle qui a permis le maintien et la cohésion de l'hellénisme au cours des siècles de domination ottomane, elle aussi qui a assuré la survie de la langue grecque.

11 juin

France. La Réunion. Gorges du Bras de Caverne.

De nombreuses gorges comparables à celles de la rivière du Bras de Caverne, qui creuse son lit dans les fractures volcaniques du cirque de Salazie, rendent difficile l'accès à la partie centrale de l'île de la Réunion. Certains sites n'ont été explorés que tardivement, comme le Trou de fer, un ravin de 250 m visité pour la première fois en 1989. Ainsi préservée de l'emprise humaine, la forêt tropicale, où abondent bruyères géantes, fougères et lichens, a conservé son état primaire sur les reliefs volcaniques de l'île. en revanche, la forêt de basse altitude, convertie en zones agricoles ou urbaines, a disparu. Plus de 30 espèces animales ou végétales, dont une vingtaine endémiques, se sont éteintes dans l'île depuis 400 ans. Dotés d'une grande diversité biologique, les systèmes insulaires sont généralement plus exposés au risque d'extinction d'espèces que les continents.

12 juin

Argentine. Terre de Feu. Troupeaux de moutons.

Séparé de la Patagonie par le détroit de Magellan, l'archipel de la Terre de Feu fut découvert vers 1520 et devrait son nom aux feux qu'allumaient les Indiens sur les côtes. Ceux-ci furent progressivement décimés à l'arrivée des Européens (le dernier représentant des Onas s'est éteint en 1960) tandis que ce *finis terrae*, encore largement inexploré, devint mythique pour les aventuriers et les savants : Darwin lors de son périple sur le *Beagle* ; E. Lucas Bridges, fils de missionnaire né sur l'île, auteur d'un dictionnaire anglais-yamana qui a permis la survivance de cette langue malgré l'extinction de l'ethnie ; ou encore Gisèle Freund en reportage photographique en 1943 pour la revue *Life*. Après la période missionnaire, entre la fièvre de l'or et les premiers forages pétroliers, l'élevage ovin est devenu l'activité principale au nord de la grande île. Les *cabañas* (« pâturage à moutons ») sont d'immenses élevages où l'on compte un hectare et demi par tête de bétail. Réputés pour la qualité de leur viande et de leur laine, les moutons sont exportés depuis les ports d'Ushuaia et de Río Grande. Mais en dépit de campagnes de promotion pour l'« agneau de Patagonie », sa consommation pèse peu sur le marché local, la viande bovine restant la chair de prédilection des Argentins.

13 juin

Pérou. Cordillère des Andes entre Cuzco et Arequipa.

La cordillère des Andes et ses contreforts couvrent le tiers du territoire péruvien. Au sud du pays, entre Cuzco et Arequipa, les montagnes qui culminent à plus de 6 000 m d'altitude laissent progressivement la place à la Puna, région des hauts plateaux andins, perchés entre 3 500 et 4 500 m d'altitude. Celle-ci abrite les seules populations sédentaires au monde qui, avec les Tibétains, vivent à de telles altitudes. La cordillère des Andes est une formation jeune née il y a 20 millions d'années à la suite de soulèvements de la croûte terrestre et de l'accumulation de dépôts de grès et de granit. Elle s'étire sur 7 500 km le long de la côte Pacifique d'Amérique du Sud, traversant sept pays depuis la mer des Caraïbes jusqu'au cap Horn. Elle est la seule chaîne montagneuse qui maintient sans rupture une altitude élevée sur une aussi longue distance.

14 juin

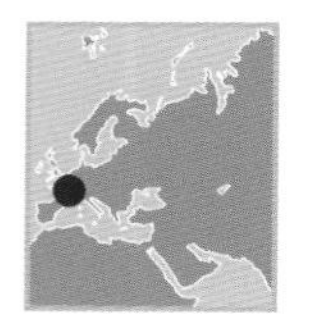

France. Indre-et-Loire. Le plus grand labyrinthe du monde, à Reignac-sur-Indre. En 1996, année de la création à Reignac-sur-Indre, en Touraine, du plus grand labyrinthe végétal du monde, 85 000 visiteurs sont venus se perdre au milieu d'un dédale de 4 ha. Depuis, chaque été, un labyrinthe éphémère de maïs ou de tournesols sort de terre. Récolté à l'automne, il renaît l'année suivante sous une forme différente, grâce à une technique éprouvée de semis et de traçage. Cet espace s'inspire d'une tradition plus ancienne dans l'art du paysage. À la Renaissance, les jardins italiens multiplient les labyrinthes : on s'y promène, on s'y perd, on y complote, on y badine. Cette légèreté efface un peu le caractère sacré et parfois menaçant des grands labyrinthes anciens, ceux des cathédrales gothiques, ceux de la Grèce du Minotaure, et plus loin encore les centaines de « châteaux de Troie » ainsi qu'on nomme ces labyrinthes de pierre qui parsèment les rivages de la Baltique. Rites solaires, pistes de danse, chemins de croix, parcours initiatiques ? Il reste dans le labyrinthe moderne un peu du mystère symbolique qui animait les « chemins de Jérusalem » et les « remparts de Jéricho ».

15 juin

Botswana. Éléphants dans le delta de l'Okavango.

Le delta de l'Okavango, vaste zone humide au cœur du Botswana, abrite une faune riche et diversifiée, en particulier plusieurs dizaines de milliers d'éléphants. Intensément chassé pour son ivoire, l'éléphant d'Afrique *(Loxodonta africana)*, le plus gros des mammifères terrestres, a bien failli disparaître. Entre 1945 et la fin des années 1980, le nombre d'éléphants du continent est en effet passé de 2,5 millions à moins de 500 000. Face à ce déclin dramatique, l'interdiction totale du commerce international de l'ivoire fut décidée en 1989 dans le cadre de la CITES (Convention sur le commerce international des espèces de faune et de flore sauvage, menacées d'extinction). En 1997, une autorisation d'exportation vers le Japon a cependant été accordée à trois pays : le Botswana, la Namibie et le Zimbabwe. Les avis des experts restent partagés quant à l'impact de cette reprise partielle du commerce de l'ivoire sur l'avenir d'une espèce toujours menacée.

16 juin

Japon. Honshu. Détail du château d'Himeji à l'ouest d'Osaka.

Littéralement, c'est le temple « de la fille du soleil », mais les 500 000 habitants de la cité qui s'étend à ses pieds le nomment aussi château du Héron blanc à cause de son élégance et de ses murs immaculés. Bien qu'il soit le plus grand château féodal du Japon, avec des dizaines de tourelles et des kilomètres de coursives, de passages secrets et de ruelles intérieures qui en font un vrai dédale, il n'appartient déjà plus à la catégorie des forteresses. Édifié dans les années 1570 par Toyotomi Hideyoshi, général tout-puissant de l'Empire, sa construction fut achevée au début du XVIIe siècle par Ikeda Terumasa, gendre du shogun Tokugawa Ieyasu. Il combine l'efficacité militaire à une esthétique raffinée qui annonce les châteaux de cour. Au dernier étage du donjon sont par exemple sculptés des *shachinoko*, dauphins de fantaisie qui protègent les toitures du feu. En Occident, les forteresses médiévales ont depuis déjà près d'un siècle cédé la place aux beaux châteaux de la Renaissance. Peut-être pour une même raison : la guerre se mène désormais au canon auquel les murailles des châteaux forts ne peuvent plus résister. D'objet défensif, le château se transforme alors en objet d'art et de loisir.

17 juin

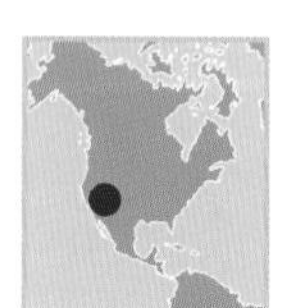

États-Unis. Arizona. B-52 sur la base aérienne Davis Monthan près de Tucson.

Plusieurs centaines de bombardiers américains B-52 Stratofortress, conservés comme réserves de pièces détachées, sont entreposés sur la base aérienne Davis Monthan, au cœur du désert de l'Arizona. Utilisé depuis 1952, cet avion a participé à la guerre du Vietnam (1954-1975), à la guerre du Golfe (1991) et en 1999 à des bombardements dans les Balkans. Il symbolise la puissance de la plus forte armée du monde qui se voudrait aujourd'hui garante d'un nouvel « ordre mondial ». Notre entrée dans le XXIe siècle est, en effet, marquée par l'incontestable domination des États-Unis dans le domaine militaire. Depuis la guerre du Golfe, leur rôle dans les conflits est devenu majeur et leur influence dans les institutions internationales comme l'OTAN se fait prépondérante. De la guerre de Bosnie à celle du Kosovo, les Américains ont dominé les décisions et les actions militaires. Un nombre croissant de pays, dont la plupart des pays européens, cherchent aujourd'hui à tempérer cette puissance et à être plus autonome vis-à-vis des Américains qui poursuivent leurs propres objectifs stratégiques. La puissance militaire n'est cependant qu'une des nombreuses facettes du modèle américain qui, du commerce à la culture, s'étend aujourd'hui sur toute la planète.

18 juin

Mali. Région de Mopti. Village sur les rives d'un bras du Niger.

En traversant le Mali, le fleuve Niger se ramifie, formant un vaste delta intérieur dans la plaine de Massina. D'un débit de 7 000 m^3/s, il constitue une manne pour les habitants de cette région aride qui, pour la plupart, se sont installés sur les rives de ses nombreux bras. Vivant au rythme des crues saisonnières qui surviennent entre août et janvier, les habitants pratiquent le commerce fluvial, la pêche, l'élevage et l'agriculture. La région de Mopti est devenue non seulement un centre commercial important mais également un carrefour où se côtoient les diverses populations de la région ; on y rencontre des pêcheurs bozo, des pasteurs nomades peuls, des cultivateurs bambara, mais aussi des Songhaï, des Touaregs, des Dogons, des Toucouleurs, etc. Dans ce pays à 90 % musulman, la mosquée constitue généralement le bâtiment central de chaque ville ou village qu'elle domine de sa stature imposante.

19 juin

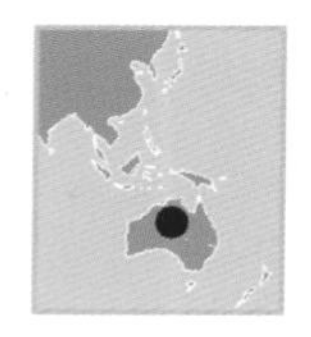

Australie. East Kimberley. Mine de diamant d'Argyle, au sud de Kununurra.

La mine à ciel ouvert d'Argyle, située sur le plateau de Kimberley, est l'unique mine de diamant exploitée en Australie, mais c'est la plus productive au monde… Le gisement fournit le tiers des diamants commercialisés et la quasi-totalité du diamant rose trouvé à la surface de la terre. La région emprunte d'ailleurs son nom à la principale roche à inclusions de diamants, la kimberlite, présente sur plusieurs continents dans d'anciennes cheminées volcaniques. On trouve à Argyle différentes qualités de diamants, la plupart utilisées pour des usages industriels et, en proportion bien moindre, des pierres précieuses telles que le diamant Champagne, offrant un dégradé de couleurs jaunes et ocre, et le diamant rose, le plus rare et le plus dur des diamants. Chaque année, plus de 7 millions de tonnes de roche sont extraites de la mine, qui recèlent environ 30 millions de carats. En bout de chaîne, seuls 400 carats de diamant rose, soit 80 grammes de pierres étincelantes, seront sertis dans des bijoux, vendus à des prix pouvant atteindre plusieurs millions de francs par carat.

20 juin

Islande. Le Maelifell en bordure du glacier Myrdalsjökull.

Né de l'une des nombreuses éruptions survenues sous la calotte du glacier Myrdalsjökull, au sud de l'Islande, le Maelifell est un tuf volcanique, c'est-à-dire un cône constitué d'une accumulation de cendres et autres projections volcaniques solidifiées. Peu à peu, cette butte s'est recouverte de *Grimmia*, une mousse qui prolifère sur les laves refroidies et dont la couleur varie du gris argent au vert lumineux selon le taux d'humidité du sol. Cette mousse fait partie des rares plantes qui ont pu se développer sur le territoire islandais, pays qui se caractérise par une certaine pauvreté botanique, avec moins de 400 espèces végétales répertoriées et seulement 25 % des terres couvertes de végétation permanente. Géologiquement très jeune, avec 23 millions d'années d'existence, l'Islande compte plus de 200 volcans actifs et de nombreux glaciers qui occupent près d'un huitième de la superficie de l'île.

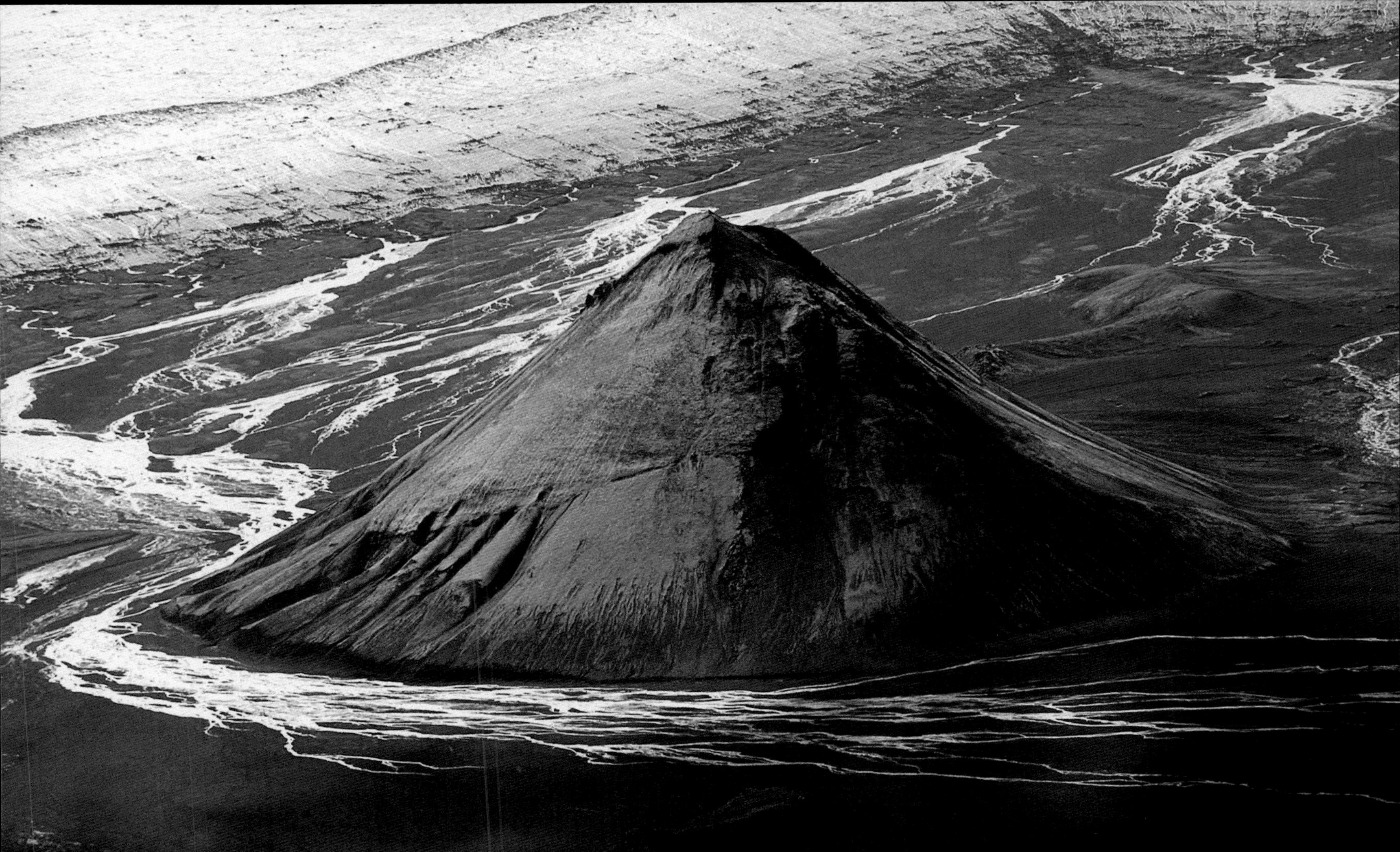

21 juin

Tunisie. Gouvernorat de Tozeur. Marabout dans Jebel Krefane.

L'Ifriqiya (la Tunisie actuelle) fut conquise par les Arabes dès la fin du VIIe siècle mais l'arabisation et l'islamisation, assez lentes au début, ne s'accélérèrent qu'à partir du XIe siècle pour prendre alors un caractère définitif. Le maraboutisme ou le culte des saints apparaît sous la dynastie Hafsides (XIIIe-XVIe siècles) et devient un élément essentiel de la dévotion : des tombeaux à coupole (marabouts) parsèment villes et campagnes. Le marabout renvoie à l'origine au résident d'un ribat (*murabit)*, moine guerrier vivant dans un couvent fortifié. Puis il en vient à désigner à la fois le saint et le mausolée (appelé aussi *zawiya*) que sa descendance puis tous ses adeptes viennent célébrer par des cérémonies musicales chantées et dansées. Proche des gens, le saint local représente un élément essentiel de la dévotion populaire et plus particulièrement féminine : en échange d'offrandes et d'hommages divers, il est le recours habituel pour obtenir des grâces. Les témoignages traditionnels de la foi populaire ne doivent cependant pas faire illusion. De tous les pays du sud de la Méditerranée, la Tunisie est celui qui est allé le plus loin dans la séparation de la religion et de l'État. À ceux qui craignent une bouffée d'islamisme au XXIe siècle, elle montre le chemin opposé.

22 juin

Argentine. Région de Santa Cruz. Rivière la Leona.

En Patagonie, à l'est du parc national de Los Glaciares, la rivière la Leona, partant du sud du lac Viedma, serpente sur une cinquantaine de kilomètres parmi les reliefs de la cordillère des Andes pour se jeter dans le lac Argentino, le plus important du pays (1 560 km²), dont elle est la principale source d'approvisionnement en eau. Rivière subglaciaire, la Leona est alimentée par des blocs d'une glace légèrement turquoise, parce qu'ancienne et très dense, détachés des glaciers. En fondant, ces blocs donnent au cours d'eau sa coloration caractéristique d'un bleu laiteux, que les Argentins appellent *dulce de glaciar*, « crème de glacier ». Le contraste de couleurs est d'autant plus saisissant que les berges, soumises à des crues successives, sont quasiment exemptes de toute végétation. La rivière fut baptisée la Leona en 1877 par l'explorateur argentin Francisco Pascasio Moreno qui, durant l'une de ses expéditions dans cette région, avait survécu à une attaque d'une femelle puma, une « lionne ». Comme la majorité des cours d'eau de Patagonie, la Leona est riche de diverses espèces de poissons, notamment de saumons et de truites.

23 juin

Kenya. Petits champs africains.

Les terres des hauteurs de Kisii, dans le sud-ouest du Kenya, offrent des conditions de fertilité exceptionnelle. Les Gusii, agriculteurs bantous qui exploitent ces terres, ont très tôt bénéficié d'une relative prospérité, contribuant par leur production de thé, de café et de pyrèthre, à l'économie nationale. Contrairement aux grandes sociétés d'exploitation du nord, soutenues par les capitaux internationaux de Kericho, la production des Gusii et de leurs voisins est aux mains de petits exploitants. Natalité élevée et pratique de la culture intensive ont conduit en effet au partage de propriétés en parcelles de plus en plus réduites. Les Gusii ont dû, pour certains d'entre eux, émigrer faute de travail mais le mode d'exploitation à petite échelle, comme l'avait pressenti l'agronome Leslie Brown dans les années 1970, a fait ses preuves face au modèle traditionnel des grandes plantations. Aujourd'hui le Kenya est le troisième producteur mondial de thé après l'Inde et le Sri Lanka et plus de la moitié de la production provient justement de la petite propriété.

24 juin

Tunisie. Troupeau de moutons dans un champ.

En Tunisie, un tiers de la population active se consacre encore à l'agriculture. L'élevage des moutons y tient une place importante, avec un cheptel moyen de quelque 7 millions de têtes. La viande de mouton reste la plus consommée et la plus appréciée par la population. Le Nord concentre 32 % de l'élevage dans les gouvernorats d'El Kef (où prédomine la rotation blé-jachère) et de Béja. Au centre et au sud du pays, ce sont essentiellement les gouvernorats de Kasserine, Kairouan et Sidi Bouzid qui pratiquent cette activité. L'élevage y reste extensif sur les maigres pâturages de steppes et les rendements sont faibles, aggravés par la sécheresse et les maladies du bétail. L'État investit dans la création de réserves d'eau pour les périodes sèches mais il y perd globalement de l'argent. Il est confronté au même dilemme que les Anglais à la fin du XVIIIe siècle : subventionner leurs cultures de blé ou bien leur industrie dont la production permettait d'acheter le blé polonais. Les Tunisiens, comme autrefois les Anglais, abandonneront sans doute leurs moutons car le marché de la nourriture se mondialise rapidement.

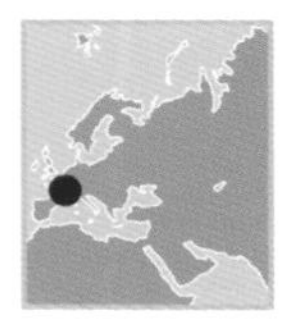

France. Saône-et-Loire. Végétation subaquatique dans la Loire près de Digoin.

Longue de 1 012 km, la Loire prend sa source en Ardèche, au sud-est du pays, et traverse une grande partie du territoire avant de se jeter dans l'Atlantique, à l'ouest. Ce cours d'eau, considéré comme le dernier fleuve sauvage de France, est soumis à un régime très irrégulier de crues et d'étiages de grande ampleur. En été, il est parfois réduit en certains passages à d'étroits filets d'eau qui ruissellent parmi les bancs de sable ; dans ses eaux peu profondes prolifèrent par endroits des plantes subaquatiques, comme ici près de Digoin. En hiver, ses crues peuvent provoquer d'importantes inondations touchant les villes et villages riverains. Afin de dompter ce fleuve imprévisible tout en préservant son équilibre écologique, un plan d'aménagement sur dix ans a été mis en place en 1994 ; il prévoit notamment la destruction d'anciens barrages et la construction de nouveaux sur certains affluents.

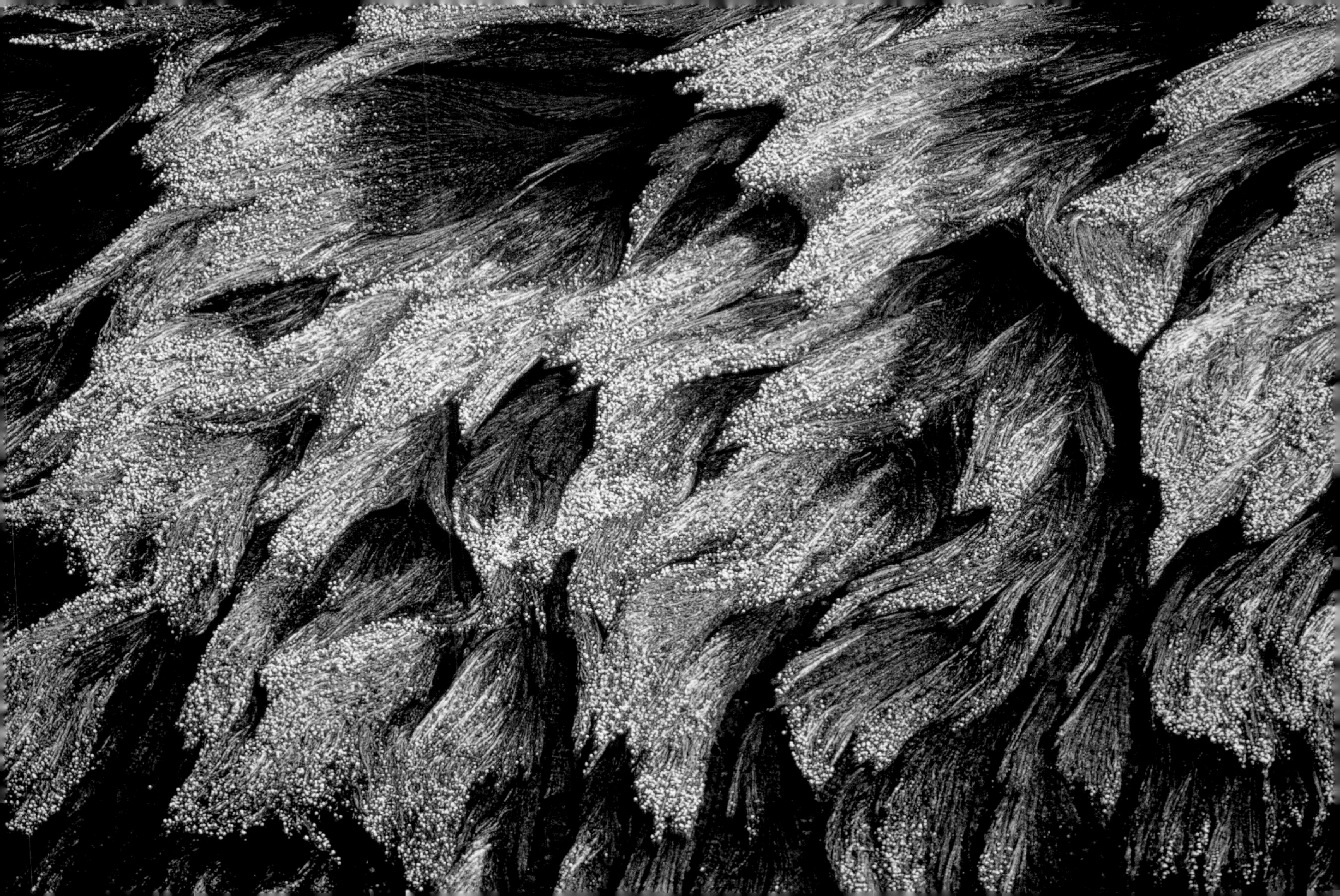

26 juin

Brésil. Mato Grosso do Norte. Troupeau de zébus sur une route, près de Cáceres.

Le Mato Grosso est le troisième État du Brésil par sa superficie. Sur son plateau central, on trouve un paysage de savanes, les *campos* en portugais, parfois parsemées d'arbres *(campo serrado)*. La température y est de 20 °C en moyenne et les pluies tombent pour l'essentiel pendant l'été austral. C'est aujourd'hui l'une des régions agricoles les plus riches du pays grâce à l'élevage et aux cultures de coton et de café. Au Brésil, culture et élevage se pratiquent sur d'immenses propriétés agricoles exploitées de façon extensive, les fazendas, qui appartiennent à quelques riches propriétaires, tandis que plus de 25 millions de paysans survivent grâce à des emplois agricoles précaires. Cette situation entraîne de violents conflits : plus de 1 000 personnes ont été tuées ces dix dernières années dans ces affrontements. Moteur de ces luttes, le Movimiento dos sem terra (mouvement des paysans sans terre) cherche à imposer un partage plus démocratique des terres. En quelque dix ans, les actions d'occupation des terres ont contraint l'État à accorder des titres de propriété à plus de 250 000 familles. Aujourd'hui ce mouvement est devenu un interlocuteur incontournable du gouvernement brésilien auprès duquel il fait entendre la voix de milliers d'exclus.

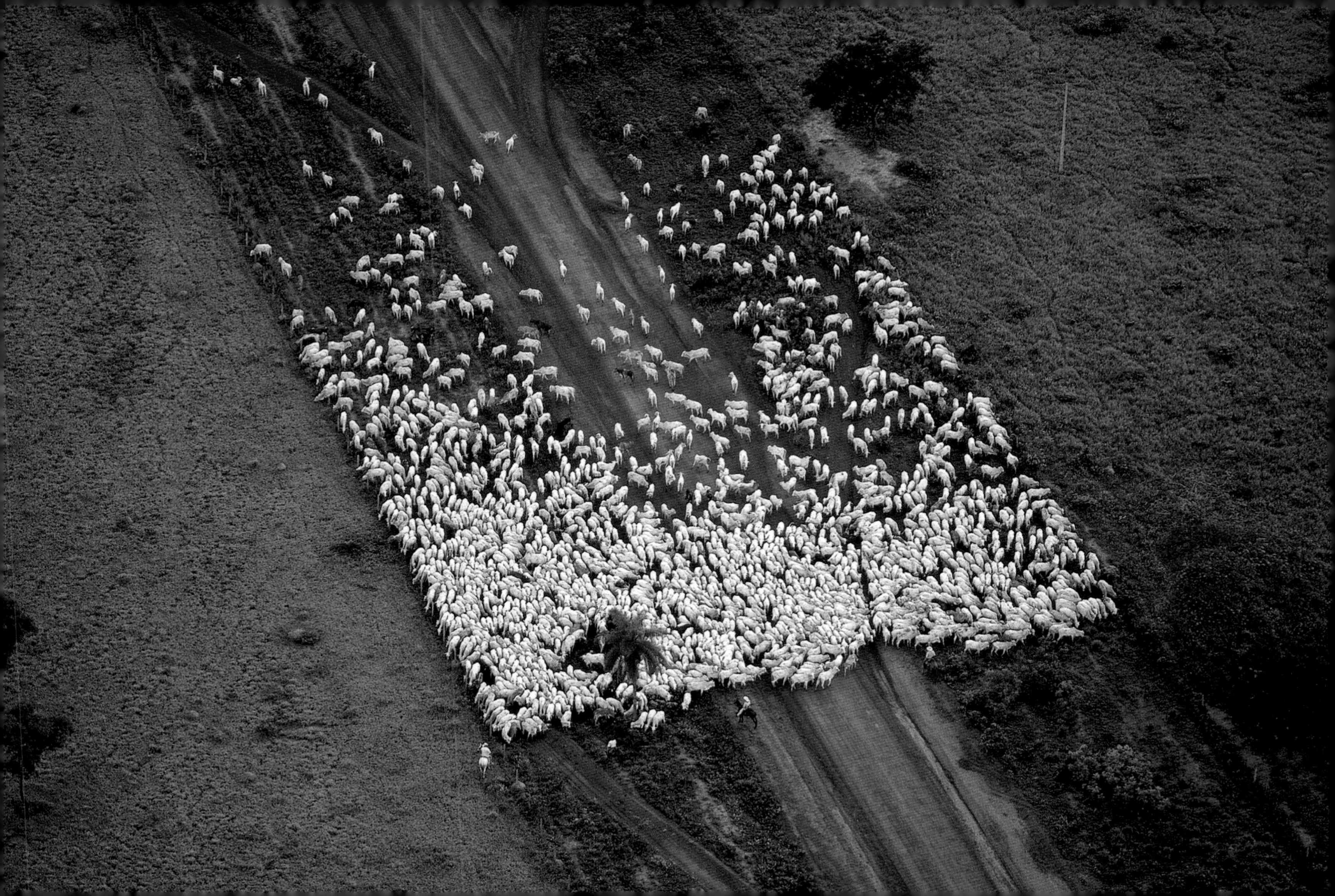

27 juin

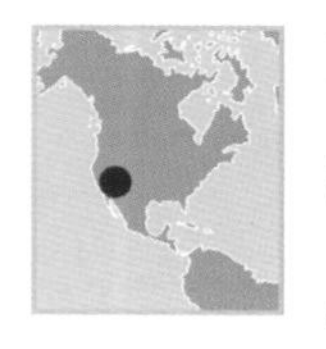

États-Unis. Californie. Los Angeles. Échangeur entre les autoroutes 10 et 110.

Si les routes et autoroutes prolifèrent comme des lianes sauvages, c'est que la circulation automobile s'accroît sans cesse. En vingt ans, par exemple, la distance moyenne entre le domicile et le travail a doublé en Europe. Aux États-Unis, chaque foyer possède maintenant en moyenne une voiture, ce qui signifie que beaucoup en ont plusieurs pour compenser face à ceux qui n'en ont aucune. Ces véhicules sont directement responsables de 20 % de l'effet de serre et sans doute indirectement de près de la moitié, car la fabrication du béton nécessaire à la construction des routes est une source importante d'émanation de gaz carbonique et les industries qui fabriquent les automobiles représentent 14 % de la production des pays développés. Les Américains sont actuellement 280 millions. Que se passera-t-il avec les Chinois et les Indiens, qui sont 2 milliards 300 millions, s'ils parviennent à posséder par ménage autant de véhicules que les Américains ? De quel droit pourrait-on leur refuser ? Ces questions ont été au centre de la conférence de Kyoto sur la réduction de l'émission des gaz à effet de serre, mais, justement, les Américains refusent d'en ratifier l'accord final.

28 juin

Argentine. Province de Neuquén. Paysage d'automne à Traful.

Au nord de la Patagonie, la région du lac Traful occupe les 750 000 ha du parc national de Nahuel Huapi, créé en 1934. On la surnomme « la Suisse argentine » pour ses sites qui rappellent les Alpes, mais aussi pour la particularité de son peuplement. Une première mission jésuite fondée en 1670 fut massacrée par les Indiens Mapuches puis ceux-ci furent définitivement soumis (et décimés) à la fin du XIXe siècle. Une colonisation européenne très diversifiée leur succéda : Espagnols, Italiens, Écossais, Anglais dans la vallée du río Negro, et Allemands, Suisses, Gallois dans la région de Bariloche. Cette ville fondée au bord du lac Nahuel Huapi est l'exemple d'une forme d'« européanité » en Argentine : de par sa population bien sûr mais aussi pour son style et son architecture (centre administratif des années 1930, chalets, magasins aux vitrines impeccables), certaines de ses activités qui peuvent surprendre (fabriques de céramiques, chocolateries). Cette Europe du bout du monde s'est acquis une mauvaise réputation en accueillant après 1945 des dignitaires nazis en fuite. Erich Priebke, le responsable du massacre des fosses Ardéatines à Rome, y fut arrêté en 1995.

29 juin

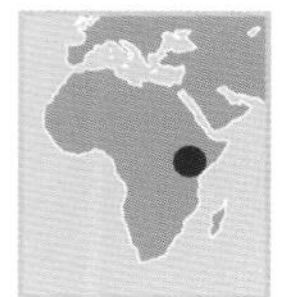

Kenya. Vallée de Suguta. Flamants roses au bord du lac Logipi.

La blancheur du natron (carbonate de sodium) cristallisé sur la berge noire volcanique du lac Logipi contraste avec le bleu-vert des algues qui prolifèrent dans l'eau alcaline et salée. Vue du ciel, cette partie du rivage dessine curieusement une forme d'huître géante. Attirés par les algues, par les crustacés et les larves d'insectes qui foisonnent dans le lac, un nombre considérable de flamants roses viennent se nourrir dans ses eaux peu profondes. D'ordinaire regroupés en immenses colonies autour de la plupart des lacs de la Rift Valley, ces échassiers ont cependant déserté la région lors de la cruelle sécheresse qui, pendant près de cinq ans, a sévi en Afrique orientale jusqu'en 1998. Au début de cette même année, les pluies importantes dues au phénomène climatique El Niño ont incité petits flamants et flamants roses à revenir peupler la Rift Valley, qui en abriterait aujourd'hui près de 3 millions.

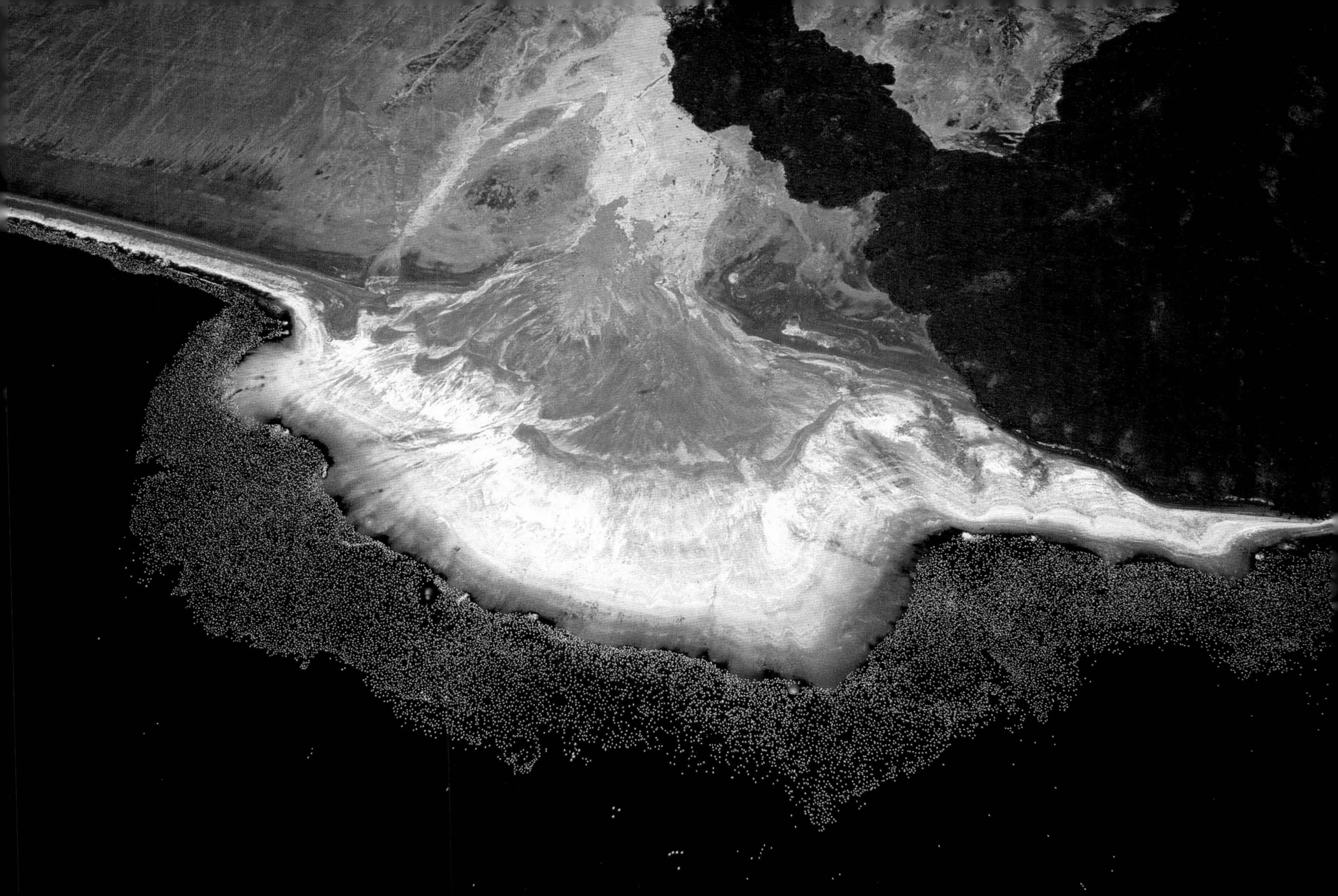

30 juin

Mexique. Décharge de la ville de Mexico.

Capitale la plus polluée du monde en raison d'importantes émanations industrielles, Mexico doit aussi gérer près de 20 000 tonnes d'ordures ménagères produites chaque jour par sa population d'environ 16 millions d'habitants. Seule la moitié de ces détritus est éliminée ; le reste s'entasse dans des décharges à ciel ouvert, quotidiennement visitées par les plus démunis en quête de produits de récupération. Les déchets ménagers s'amoncellent sur tous les continents et constituent l'un des problèmes majeurs des grands centres urbains ; c'est cependant dans les pays industrialisés que les populations rejettent les quantités d'ordures les plus importantes (de 300 à 870 kg par habitant et par an, contre moins de 100 kg pour la majorité des pays en développement). Aujourd'hui, des techniques industrielles de recyclage sont de plus en plus utilisées pour résoudre les problèmes liés à l'accumulation des détritus.

1er juillet

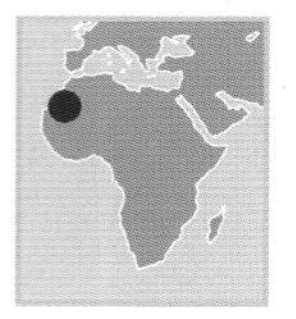

Mauritanie. Environs de Nouâdhibou. Flamants roses sur le banc d'Arguin.

Paysage de bancs de sables et de hauts fonds, le banc d'Arguin fut jadis fatal à la frégate française *La Méduse* dont le naufrage en 1816 inspira à Géricault un tableau célèbre. Entre oiseaux migrateurs (flamants roses de Camargue et autres espèces venant de Sibérie) et mammifères marins (baleines, dauphins, orques, requins...), quelque 280 espèces fréquentent cette réserve naturelle, devenue parc national en 1976 et inscrite depuis 1989 sur la Liste du patrimoine mondial de l'Unesco. La conjonction de véritables prairies sous-marines et du phénomène de l'*upwelling* (eaux froides chargées de sels minéraux remontant à la surface) expliquerait l'exceptionnelle richesse de la faune du banc d'Arguin. Située sur la côte mauritanienne entre Nouâdhibou au nord et le cap Timitris au sud, cette longue bande de 12 000 km^2 est par ailleurs quasi désertique. Seuls apparaissent çà et là quelques villages-campements de pêcheurs traditionnels Imraguen. Combien de temps échappera-t-elle encore à l'afflux de touristes ?

2 juillet

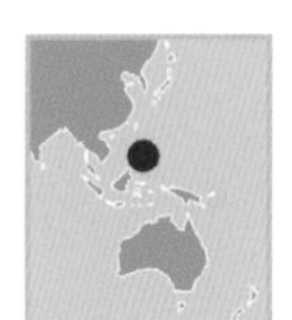

Philippines. Île de Mindanao.

Exploitation aurifère près de Davao.

Installés sur les sites d'exploitation des filons aurifères de l'île de Mindanao, les chercheurs d'or philippins occupent des abris précaires de branchages et de bâches accrochés aux flancs des montagnes. Creusés sans répit, les versants sont fragilisés par le réseau de galeries qui s'effondrent fréquemment sous les pluies torrentielles des moussons, causant la mort de dizaines de mineurs. Souvent extrait au moyen d'un outillage rudimentaire tel que marteaux ou ciseaux, le métal précieux serait ici prélevé à raison de 40 kg par jour. Depuis la préhistoire, 150 000 tonnes d'or auraient été exploitées sur l'ensemble du globe, un tiers étant utilisé pour la fabrication d'objets, un tiers thésaurisé par les États, et le reste perdu notamment par usure. Actuellement, 3 000 tonnes sont extraites chaque année dans le monde, principalement en Afrique du Sud, aux États-Unis et en Australie.

3 juillet

Brésil. État d'Amazonas.

Marécages aux bords de l'Amazone, dans la région d'Anavillanas.

Il y a 2 millions d'années, une mer intérieure peu profonde recouvrait la majeure partie de l'Amazonie qu'elle avait progressivement envahie quand l'Afrique s'était éloignée de l'Amérique en faisant apparaître l'océan Atlantique. Les dauphins d'eau douce qu'on rencontre encore dans l'Amazone attestent l'existence passée d'une faune maritime. Progressivement, la mer a été comblée par les alluvions charriées depuis la cordillère des Andes. La forêt a remplacé les lagons. Le dernier grand lac a disparu il y a 10 000 ans, laissant la place à une vaste plaine inondable, la *varzea*, qui suscite bien des convoitises. Les agriculteurs verraient d'un bon œil le drainage et l'assèchement de cette immense étendue au riche sol limoneux, les barges des prospecteurs de pétrole rôdent à l'affût de nouveaux gisements et les braconniers prennent dans leurs pièges des oiseaux rares qu'ils revendent en Amérique du Nord. La mondialisation ne signifie pas seulement une circulation effrénée des produits industriels et des capitaux, mais l'impact de l'économie dominante sur chaque mètre carré du sol terrestre, aussi éloigné, difficile d'accès et d'apparence sauvage soit-il.

4 juillet

Malaisie. Région de Kuala. Plantation de palmiers à huile.

Originaires d'Afrique occidentale, les palmiers à huile ont été introduits en Malaisie dans les années 1970 afin de diversifier une activité agricole reposant presque exclusivement sur la culture d'hévéas. Se substituant à la forêt équatoriale du pays sur plus de 20 000 km², ces palmiers sont cultivés sur les pentes des collines, aménagées en terrasses suivant les courbes de niveau afin d'éviter l'érosion provoquée par le ruissellement de l'eau. Classée au premier rang des pays producteurs et exportateurs, la Malaisie fournit les deux tiers de l'huile de palme consommée dans le monde. Cette huile, dont la production mondiale a quadruplé en cinquante ans, est devenue le deuxième corps gras végétal le plus utilisé après l'huile de soja. Principalement destinée à l'alimentation, elle entre également dans la fabrication de savons, cosmétiques et produits pharmaceutiques.

5 juillet

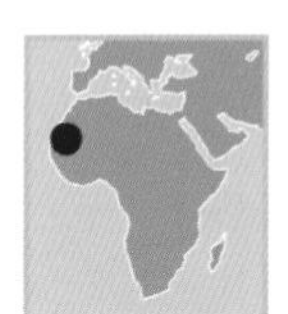

Sénégal.

Marché de poisson aux environs de Dakar.

Bénéficiant d'une alternance saisonnière de courants froids riches en matières minérales venant des îles Canaries et de courants chauds équatoriaux, les 700 km de côtes sénégalaises abondent en espèces marines. L'exploitation locale, essentiellement artisanale, se pratique à bord de pirogues et génère une production annuelle de 360 000 tonnes. Thons, sardines et merlus sont, pour l'essentiel, vendus à même la plage, sur les lieux de débarquement des pirogues. Au Sénégal, comme dans beaucoup de pays en développement, le poisson fournit 40 % des protéines consommées par la population. Pourtant cette richesse locale attire les chalutiers européens qui écument les eaux situées entre le Sénégal et la Mauritanie et en exploitent intensivement les ressources. Le mérou, la sole, le thon sont menacés. Sur la côte même du Sénégal, des espèces autrefois consommées uniquement localement comme la sardinelle ou le yète, coquillage qui entre dans la composition du plat national, le *tieboudienne*, se raréfient également. Elles intéressent maintenant de nombreux exportateurs venus du monde entier mais surtout d'Asie, d'où leur surexploitation. La pêche est toujours la première ressource économique du Sénégal.

6 juillet

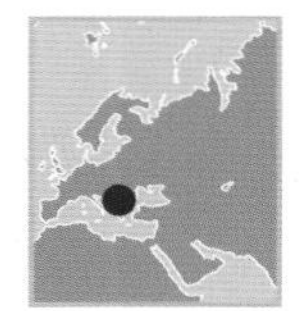

Albanie. Paysage dans la région de Kukës.

Dans la région de Kukës, au nord-est de l'Albanie, s'élève la plus haute chaîne de montagne du pays avec le mont Jezerce (2 693 m) pour point culminant. Cette enclave montagneuse délimitée par la vallée du Drin a toujours constitué un îlot de résistance aux bouleversements politiques albanais. Les clans qui y résident, organisés en vastes familles patriarcales, ont ignoré des siècles durant la domination ottomane et les décrets de ses sultans, puis les lois du roi Zog, continuant d'appliquer un droit coutumier d'origine byzantine, le Kanun, sorte de vendetta fondée sur la « vengeance de sang ». Le Kanun est superbement décrit par l'écrivain albanais Ismaïl Kadaré qui montre à travers lui le nord du pays, « l'univers des légendes », celui des « fées et des oréades, des rhapsodes, des derniers hymnes homériques au monde et du Kanun, terrible mais si majestueux ». Après la Seconde Guerre mondiale, ce monde traditionnel a encore survécu au communisme et au maoïsme, avant de devenir le refuge temporaire des Kosovars fuyant en 1999 les exactions serbes. Les clans de Kukës posent une question sensible : jusqu'où la diversité culturelle est-elle compatible avec l'unité de l'Europe ?

7 juillet

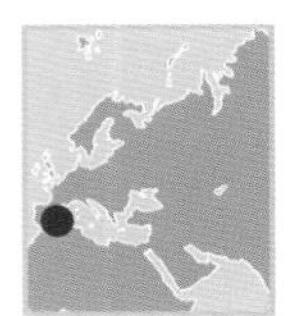

Espagne. Baléares. Récoltes des amandes sur l'île de Majorque.

Très ancienne, comme dans tous les pays méditerranéens, la culture des amandes dans l'archipel espagnol des Baléares est restée traditionnelle. Les amandes sont généralement récoltées après gaulage manuel dans des bâches étendues sous les arbres. La faible productivité des amandiers (2 à 5 kg de fruits par arbre) est généralement compensée par l'importance des surfaces plantées ; cependant celle-ci a considérablement diminué, les vieux arbres ayant rarement été remplacés. La production d'amandes de ces îles, qui jadis constituait l'essentiel de la production espagnole, n'en représente plus guère que 3 % aujourd'hui, avec une récolte de 7 000 tonnes par an. L'Espagne est néanmoins le 2e producteur d'amandes au monde, avec une production annuelle d'environ 227 000 tonnes consommées à près de 80 % par l'ensemble des pays européens.

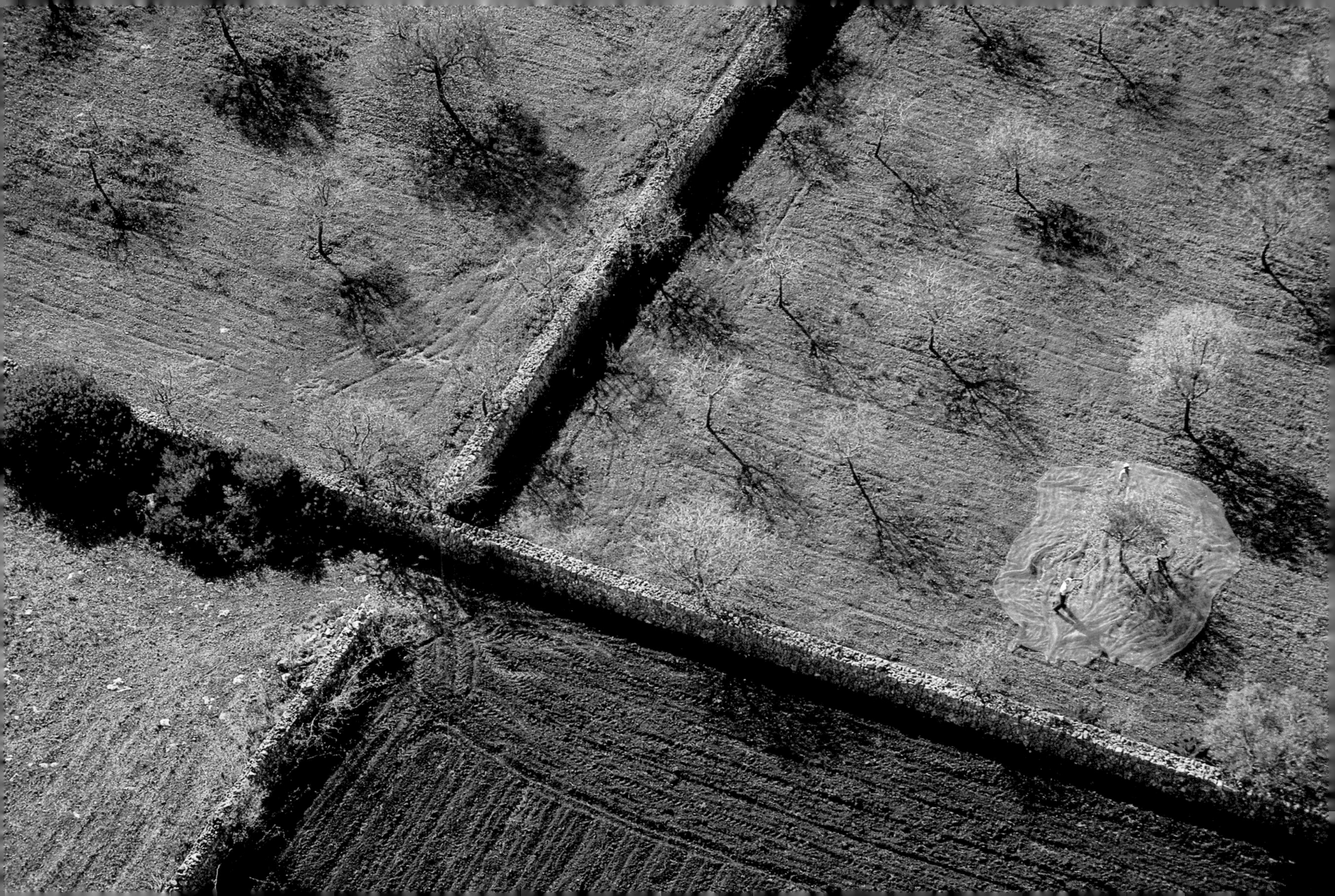

8 juillet

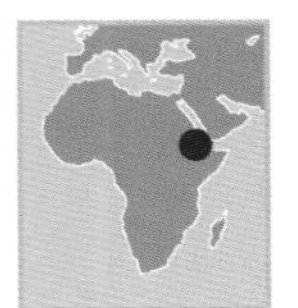

Djibouti. Lac Assal.

La république de Djibouti est installée dans l'une des zones tectoniques les plus instables du monde, à la jonction de deux grandes fractures de l'écorce terrestre, la Rift Valley de l'Afrique orientale et le rebord le long duquel glissent les plaques arabiques et soudanaises. Les accidents telluriques y sont particulièrement intenses car les plaques ne se trouvent pas au même niveau mais se chevauchent, les unes dépassant 2 000 m d'altitude alors que les autres, où se trouve le lac salé Assal, atteignent le point le plus bas de l'Afrique à 155 m au-dessous du niveau de la mer. Les bas-fonds du lac Assal ressemblent à une fournaise qui accélère l'évaporation et augmente la concentration de sel au point où il ne peut plus se dissoudre dans l'eau mais surnage sous forme de croûtes. Le même phénomène s'observe au sud de la mer Morte ou sur les anciens lacs du nord du Kenya. Il résume à l'aulne des temps géologiques la salinisation que l'on observe en de nombreux endroits du monde à cause de mauvais drainages des canaux d'irrigation, que ce soit à l'est de l'Inde (Bihar) ou au nord-est du Mexique (Jalapa) et il en indique l'issue fatale car aucune vie ne résiste au sel.

9 juillet

Namibie. Région du Kaokoland. Couple d'Himbas.

La région du Kaokoland, au nord de la Namibie, abrite 3 000 à 5 000 Himbas, éleveurs nomades de vaches et de chèvres répartis le long du fleuve Cunene. Ce peuple, qui a conservé ses traditions et vit en marge du modernisme, a subi durant les années 1980 à la fois une longue sécheresse qui a fait périr les trois quarts de son bétail et les effets de la guerre entre l'armée sud-africaine et la SWAPO (South West Africa People's Organization). Aujourd'hui, les Himbas doivent affronter une menace tout aussi importante : le projet de construction d'un barrage hydroélectrique sur les chutes d'Epupa. Cette réalisation, qui permettrait d'alimenter en énergie une usine de dessalement d'eau dans un pays qui importe près de 50 % de son électricité et manque cruellement de ressources hydriques, aurait également pour conséquence d'inonder des centaines de kilomètres carrés de pâturages, contraignant les pasteurs Himbas à migrer.

10 juillet

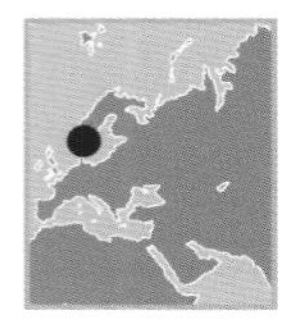

Norvège. Les hauts plateaux du Hardangervidda. Région des lacs.

Avec une superficie de près de 8000 km² et une altitude comprise entre 1100 et 1400 m, le Hardangervidda est le plus vaste haut plateau d'Europe. La végétation y est rare en raison des dures conditions climatiques (vents violents, fréquentes tempêtes et un hiver aussi glacial que celui que connaît le nord du pays). Le Hardangervidda se trouve, en effet, au-dessus de la zone boisée et marque la limite sud de l'implantation de nombreuses plantes arctiques. La moitié de ce haut plateau désertique forme le plus grand parc national de la Norvège. On y dénombre 21 espèces de mammifères – dont le renne sauvage – et une centaine d'espèces d'oiseaux. Cet immense espace protégé est bien aménagé, avec ses sentiers balisés, ses pistes de ski et ses chalets de montagne destinés à accueillir les randonneurs, les sportifs et les pêcheurs attirés par les eaux poissonneuses de ses lacs.

11 juillet

Jordanie. Région de Maan. Pétra (al-Batra). Temple de Ed-Deir.

Pays presque totalement enclavé, la Jordanie occupe cependant une position stratégique entre Méditerranée et mer Rouge. Au VIe siècle avant notre ère, les Nabatéens, peuple de marchands nomades, entreprirent de tailler dans le grès rose et jaune des falaises du sud du pays une ville troglodytique qui allait devenir leur capitale : Pétra, « la pierre », en grec. Vivant du commerce de produits rares (encens, épices, pierres et métaux précieux, ivoire…) et de la taxation des routes caravanières, la civilisation nabatéenne étendit son influence bien au-delà de la région transjordanienne, avant de tomber sous le joug de Rome en 106 apr. J.-C. Situé sur les hauteurs de la ville, le temple de Ed-Deir, construit entre le Ier et le IIe siècle, domine de sa stature imposante (47 m de haut et 40 m de large) les quelque 800 monuments de Pétra. Lieu de culte dès son origine, il fut, après le déclin de la civilisation nabatéenne, occupé par des religieux chrétiens byzantins, d'où son nom de Ed-Deir : « le monastère ». Pétra, ville inscrite sur la Liste du patrimoine mondial de l'Unesco en 1985, est confrontée depuis quelques années à une menace inquiétante : le sel de la mer Morte, transporté par le vent, vient en effet s'incruster dans la roche et fragilise peu à peu les monuments.

12 juillet

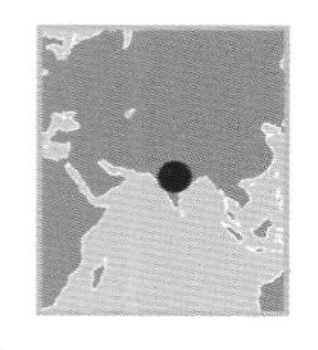

Inde. Vieille ville de Jodhpur, au Rajasthan.

Aux portes de l'ancien royaume du Marwar, le « pays de la mort », Jodhpur défie de sa couleur bleutée le grand désert de Thar. Les brahmanes auraient peint les maisons en bleu pour rafraîchir les intérieurs. L'ancienne Jodhagarh a ainsi adopté la couleur de l'eau, ressource des plus précieuses dans cette région aride. Fondée en 1459 par le clan rajpoute des Rathor, contraint de se replier en bordure du désert après avoir été chassé de l'Uttar Pradesh par les Afghans, la cité fut jadis une oasis très prospère sur la route caravanière reliant Delhi au Gujerat et l'Asie centrale à la Chine. La vieille ville, densément bâtie et ceinte d'épaisses murailles, s'étage au pied de la forteresse de grès. Un lacis de ruelles, à l'abri du soleil, accueille les activités artisanales, les marchés spécialisés et les visiteurs, nombreux : le Rajasthan demeure l'État le plus visité de l'Inde. Les touristes auraient cependant tort de se croire hors du temps. Avec un taux de croissance économique de 7 % par an depuis quinze ans, l'Inde est devenue un pays moderne dont les classes moyennes éduquées sont courtisées : l'Allemagne vient de se déclarer prête à accueillir 25 000 informaticiens indiens.

13 juillet

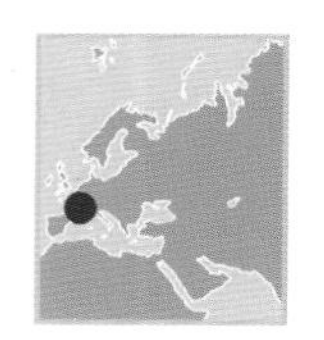

France. Bouches-du-Rhône. Vase craquelée en Camargue.

Les marécages et les étangs camarguais retiennent des eaux plus au moins saumâtres contenant jusqu'à 12 g de sel par litre. Asséchés en été, ils laissent apparaître un sol vaseux qui se craquelle et se couvre de dépôts salins sous l'effet du soleil. La Camargue, cette vaste zone humide de 750 km^2, est formée par le delta du Rhône dont une partie est classée réserve naturelle depuis 1927. Refuge de nombreux oiseaux migrateurs (échassiers, anatidés, limicoles…) pour lesquels elle constitue une importante zone de reproduction, la région est menacée par l'urbanisation croissante et la dégradation de la qualité des eaux due à l'augmentation de la pollution (nutriments, pesticides, matières en suspension…). D'autre part, les aménagements du Rhône réalisés en amont ont eu pour conséquence une diminution significative des apports de sédiments dans le delta et une augmentation de l'érosion littorale au cours de la dernière décennie. Aujourd'hui, la préservation de la Camargue passe par la gestion des conflits d'intérêts entre les différents utilisateurs, afin de trouver un équilibre entre l'environnement et les activités humaines dans une perspective de développement durable de cette région unique en France.

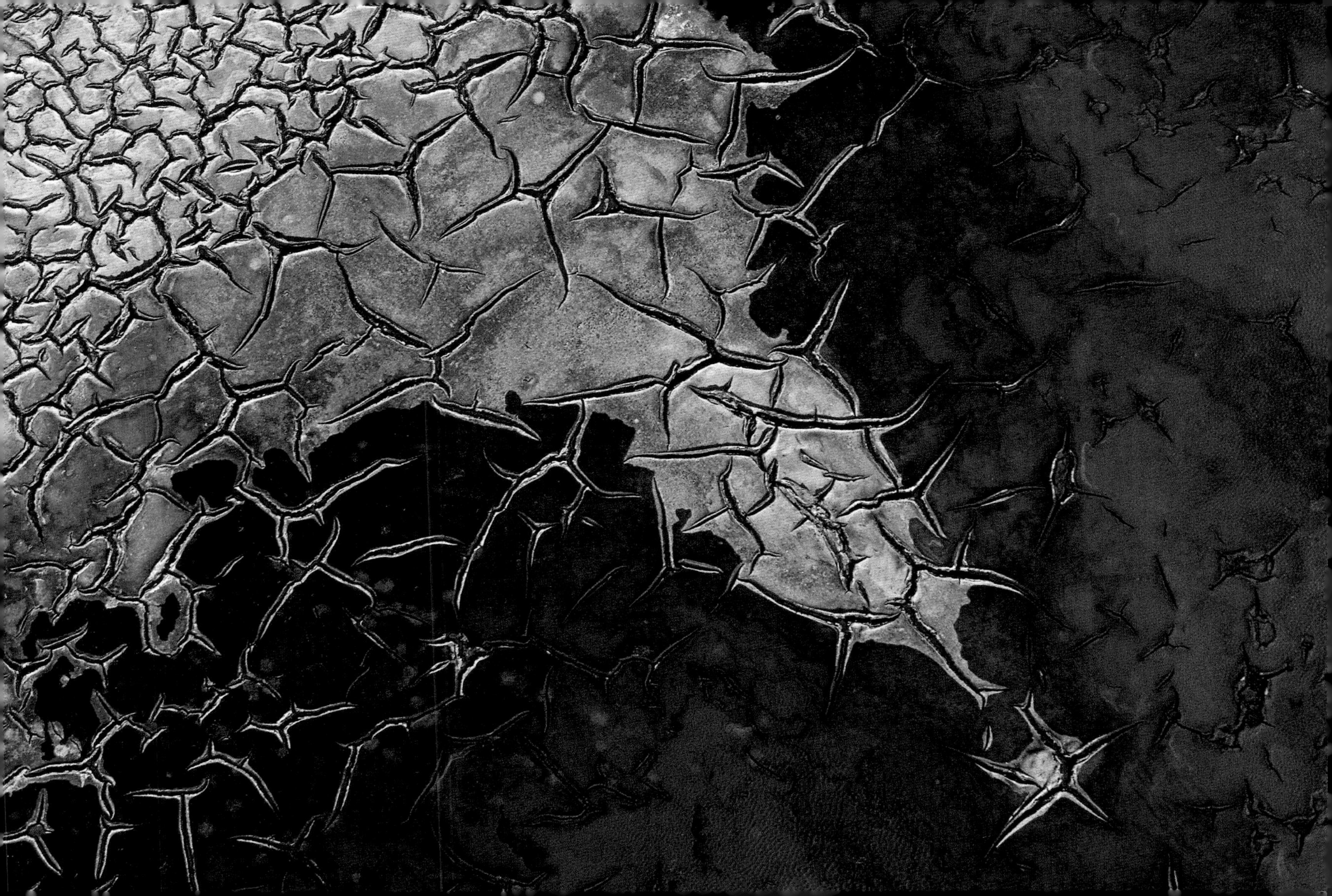

14 juillet

Australie. Queensland. Parc national de Bowling Green Bay, au sud de Townsville.

Les marais de la baie de Bowling, sur la côte est-australienne, couvrent une superficie de plus de 35 000 ha. La zone la plus basse du marais, alternativement découverte et recouverte par la mer, se compose de bancs de boues salées, qui n'acceptent aucune végétation. Les zones légèrement surélevées sont, en revanche, colonisées par la mangrove. Ce marais maritime a des fonctions écologiques importantes. Il accueille la moitié des populations d'oiseaux migrateurs du Japon et de la Chine, soit 244 espèces, dont 13 espèces rares ou menacées. La partie immergée du marais, la vasière, est un lieu de reproduction pour les poissons, une frayère. Le marais absorbe aussi le trop-plein des eaux pluviales et régule les inondations. La mangrove qui s'y développe retient les sédiments et endigue l'érosion littorale. La baie de Bowling fait partie des sites internationaux classés par la convention Ramsar, adoptée en 1971 pour la préservation des zones humides et de leur rôle écologique. Les marais sont en effet diversement menacés par les usages urbains, agricoles et industriels, par la pollution des eaux de surface et par un relèvement éventuel du niveau marin. En Australie, environ la moitié des zones humides ont été asséchées depuis l'arrivée des Européens.

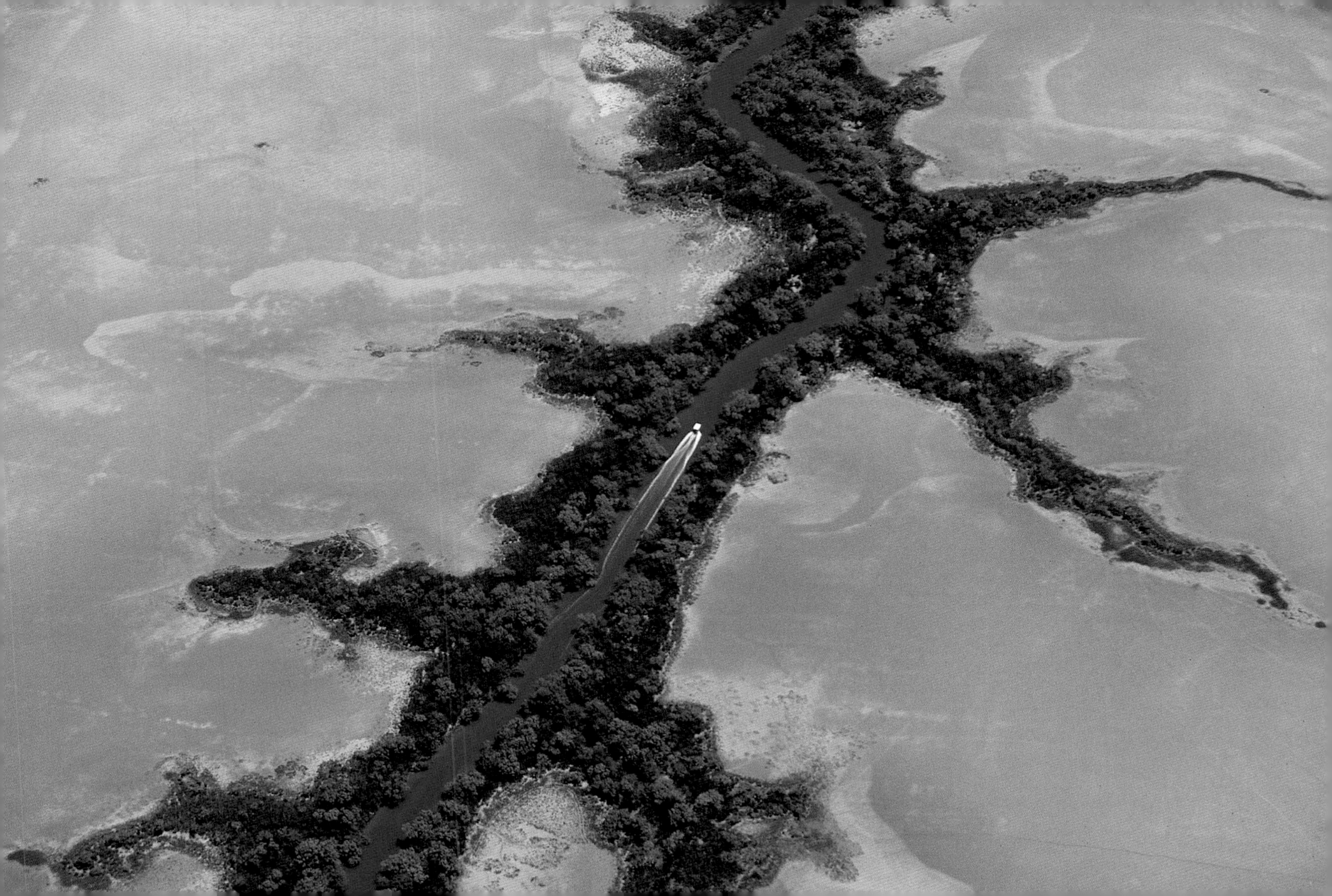

15 juillet

Mali. Pirogue sur le fleuve Niger dans la région de Gao.

Le fleuve Niger, qui prend sa source dans le massif du Fouta Djalon, en Guinée, est, avec 4 184 km, le troisième plus long cours d'eau du continent africain. Traversant le Mali sur une distance de 1 700 km, il forme une large boucle qui atteint la limite sud du Sahara, alimentant en eau des agglomérations importantes comme Tombouctou et Gao. La courte saison des pluies stimule la régénération des végétaux aquatiques parmi lesquels circulent des pirogues, moyens usuels de déplacement, de transport et d'échange entre les populations riveraines du fleuve. Soumis à un mouvement de crues saisonnières, le Niger permet par ailleurs d'irriguer près de 5 000 km² de terres, sur lesquelles sont pratiqués la riziculture et le maraîchage. Il constitue la principale ressource hydrique pour près de 80 % de la population malienne, qui vit d'agriculture et d'élevage.

16 juillet

Maroc. Filets de pêcheurs sur le sable à Moulay Bousselham.

Ressource limitée, la pêche mondiale plafonne à 92 millions de tonnes. L'Europe, les États-Unis et le Japon qui absorbent environ 80 % des importations mondiales de poissons se disputent donc cette ressource. Comme la pêche est de plus en plus réglementée dans leurs propres domaines maritimes, ils cherchent à s'approvisionner de plus en plus loin. L'Union européenne a ainsi conclu une trentaine d'accords de pêche avec des pays tiers, afin de pouvoir accéder à leurs zones de pêche. En dépit des compensations, des apports en devises et des redevances versées, ce transfert prive les habitants des pays pauvres de la ressource en protéines que représentent les poissons. On peut parler à ce sujet de véritable « colonialisme halieutique ». Les ressources de la mer échappent en effet de plus en plus aux pays riverains, incapables d'aligner des flottes modernes. Mais dans la lagune de Merdja Zerga près de Moulay Bousselham, les chalutiers modernes ne peuvent pas opérer. Subsistent alors des formes traditionnelles et modestes de pêche qui font le ravissement des touristes mais qui témoignent au second degré de la domination que subissent les pays du Sud.

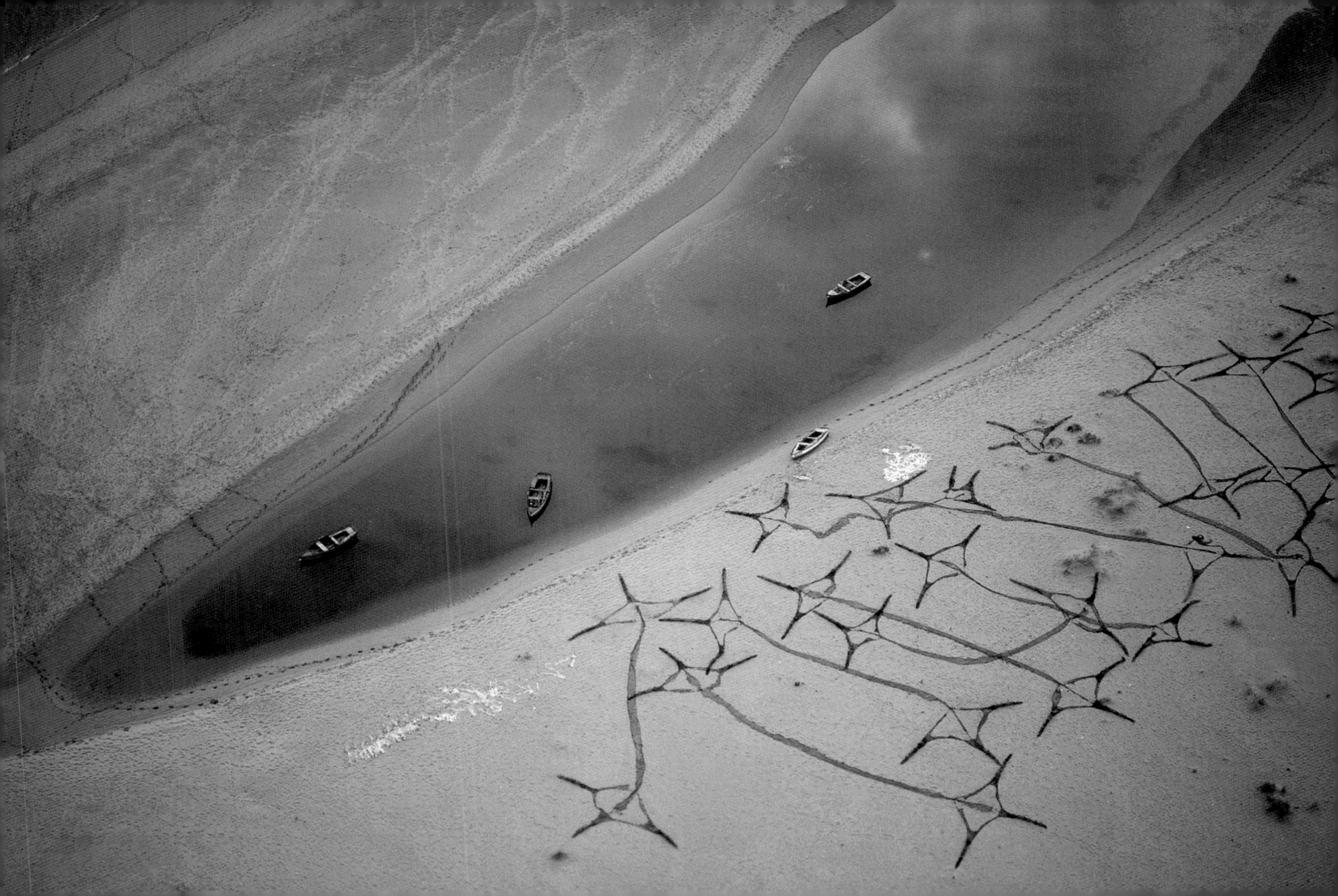

17 juillet

Philippines. Île de Luçon. Pinatubo, crevasse de cendres.

En 1991, l'éruption du volcan Pinatubo expédia plusieurs milliards de mètres cubes de cendre dans l'atmosphère. Une petite partie d'entre elles, les plus fines, voyagea durant trois ans dans la haute atmosphère et causa un léger refroidissement du climat en interceptant des rayons solaires. Mais la plus grande partie retomba à proximité, ensevelissant la campagne sous une sorte de neige artificielle. Lorsque les pluies qui sont très abondantes à Luçon tombèrent sur ces cendres, elles reconstituèrent en quelques semaines la topographie du ruissellement qui met d'habitude des millénaires à s'installer sur un terrain plus dur. On voit que le réseau hydrographique prend une forme « fractale », c'est-à-dire que chaque portion du réseau est semblable à l'ensemble. Depuis leur découverte par Benoît Mandelbrot en 1975, on sait que les formes fractales sont très fréquentes dans la nature : découpage des côtes, flocons de neige, réseau des bronches dans le poumon, et même répartition des étoiles et des galaxies dans l'univers. Elles structurent presque toujours le contact entre deux mondes différents, l'air et la glace, l'eau et la terre, le vide intergalactique et la matière et ici la poussière de cendre et la terre.

18 juillet

Bahamas. Exuma Cays. Îlots et fonds marins.

L'archipel des Bahamas, qui s'étend en arc de cercle sur près de 14 000 km^2 de terres émergées dans l'océan Atlantique, est constitué de plus de 700 îles, dont moins de 50 habitées, et de quelques milliers de récifs coralliens, appelés *cayes*. C'est dans ces îles, plus précisément à Samana Cay, que Christophe Colomb accosta le 12 octobre 1492 lors de son premier voyage vers le Nouveau Monde. Centre de piraterie important du XVIe au XVIIe siècle, les Bahamas devinrent possession anglaise en 1718 jusqu'à leur indépendance en 1973. Devenu un « paradis fiscal », l'archipel tire l'essentiel de ses ressources des activités bancaires (20 % du PNB), mais surtout du tourisme (60 % du PNB), qui emploie deux insulaires sur trois. En outre, plus d'un millier de navires, soit près de 3 % de la flotte de commerce internationale, sont enregistrés sous pavillon de complaisance bahaméen. Les Bahamas sont également devenues l'une des plaques tournantes pour le transit de la drogue (cannabis, cocaïne) à destination des États-Unis.

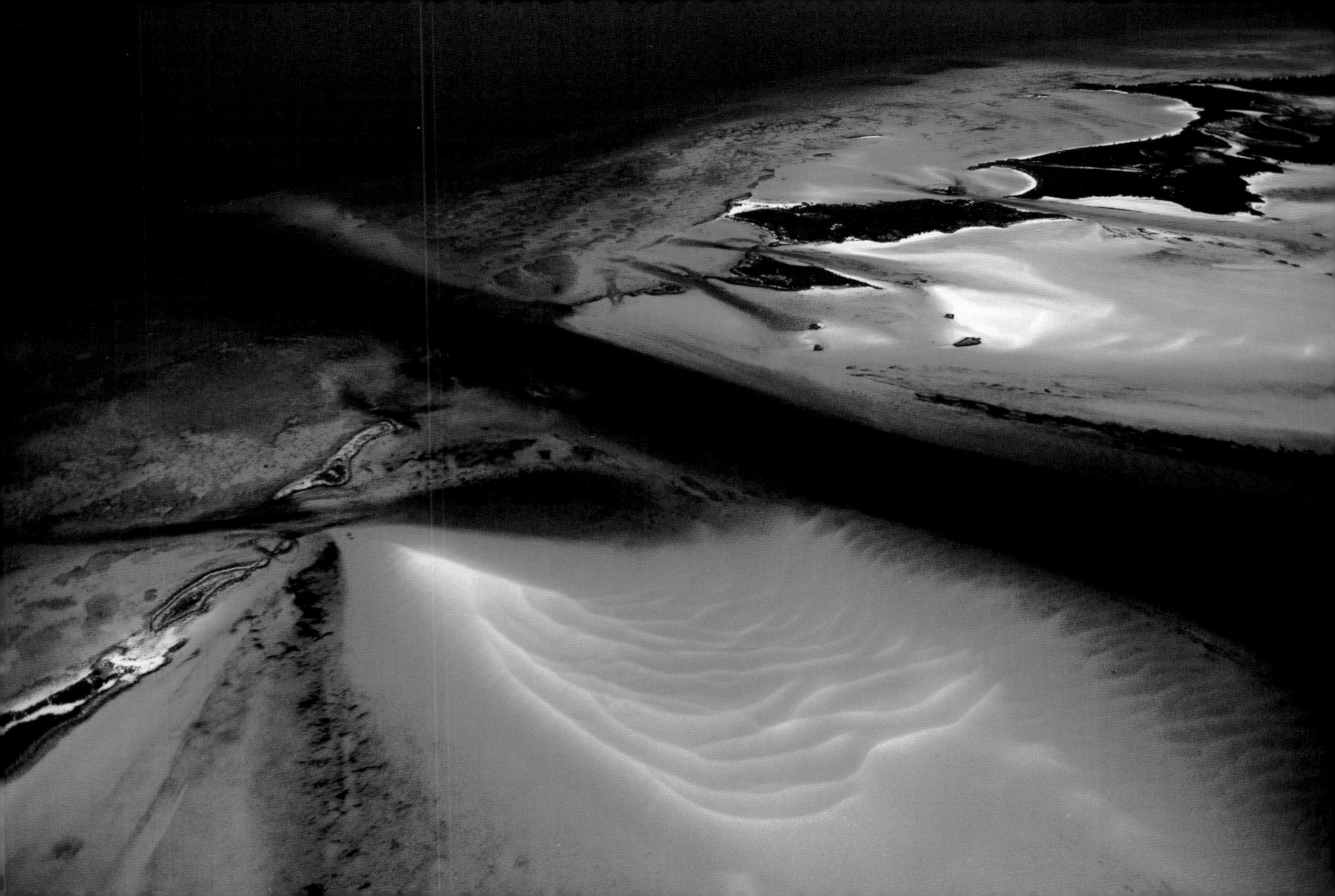

19 juillet

Turquie. Anatolie. Paysage agricole entre Ankara et Hattousa.

La région qui s'étend entre la capitale turque actuelle, Ankara, et Hattousa, capitale de l'ancien Empire hittite qui domina la région, il y a 3 000 ans, résume l'évolution de l'agriculture turque au cours des dernières décennies du XXe siècle et celle du Proche-Orient au cours des derniers millénaires. L'extension et la diversification des cultures (horticole, fruitière et céréalière) ont restreint l'élevage qui, sous la pression de l'État et du marché, s'est orienté vers les cheptels bovins, entraînant la diminution rapide du nombre des ovins et des caprins. C'est le dernier acte de la transhumance et du nomadisme. Actuellement, moins de 100 000 personnes en Turquie demeurent nomades, qui appartiennent toutes à des tribus de l'Anatolie orientale ou du Taurus. C'est aussi le dernier acte d'une histoire vieille de 10 000 ans qui a vu l'agriculture et l'élevage apparaître dans cette région (on vient d'en trouver la plus ancienne trace à Chypre), puis lutter l'une contre l'autre. Caïn, paysan, contre Abel, pasteur de petit bétail.

20 juillet

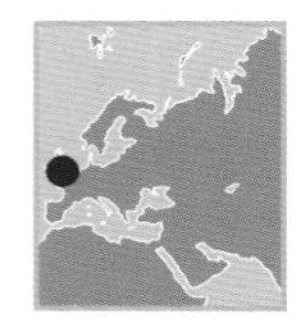

Angleterre. Oxfordshire. Cheval blanc d'Uffington.

Gravée dans le calcaire d'une colline de la province de l'Oxfordshire, en contrebas des ruines du château d'Uffington, la silhouette d'un cheval d'une longueur de 111 m a probablement été réalisée par les Celtes de l'âge du fer, aux environs de l'an 100 av. J.-C. La tradition locale voit dans cette représentation stylisée l'image d'un dragon, dessiné en hommage à saint Georges qui, selon la légende, aurait terrassé le monstre sur une colline toute proche. Mais l'hypothèse la plus vraisemblable est celle d'une gravure dédiée au culte de la déesse celte Epona, qui était généralement représentée sous les traits d'un cheval. Il existe un certain nombre de dessins de craie similaires, représentations d'hommes ou d'animaux, encore visibles en Angleterre et en Scandinavie, mais la plupart ont été définitivement effacés par la végétation.

21 juillet

Espagne. Îles Canaries. Île de Hierro. Paysage agricole près de Frontera.

Les Canaries forment un archipel de sept îles volcaniques au large des côtes marocaines. Redécouvertes au XIVe siècle puis bientôt conquises par les Espagnols (1477), leur population berbère, les Guanches, fut complètement exterminée, laissant place à une colonisation et une appropriation définitives. Hierro (« l'île de fer »), à l'extrême sud-est de l'archipel, est la plus petite des Canaries (278 km²) et la plus récemment née de convulsions volcaniques. La hardiesse du relief s'exprime par une succession rapide de versants abrupts et de pentes douces, qui interdisent toute culture en terrasses. Les traditionnelles cultures irriguées (*huertas*) sont délaissées au profit d'exploitations éparpillées entre des cônes cendreux, alimentées en eau soit par des réservoirs (*aljibes*), soit par des puits car les précipitations sont rares. Il est difficile de reconnaître ici l'une des Hespérides où Hercule chercha les pommes d'or de l'immortalité, l'une de ces îles fortunées en qui l'on voyait un reste de la fabuleuse Atlantide – mais les îles extrêmes font toujours rêver.

22 juillet

Égypte. Mise en gerbes du blé par un fellah de la vallée du Nil.

Depuis des siècles, les paysans égyptiens de la vallée du Nil, les fellahs, utilisent les mêmes techniques agricoles ancestrales, labourant les champs à la houe, moissonnant le blé à la faucille et transportant les gerbes à dos d'âne ou de chameau. La vallée du Nil dessine un ruban très fertile qui traverse le pays du sud au nord. Là se concentre la population agricole qui est la plus dense du monde : les terres cultivables ne représentent en effet que 3 % du territoire. La production de blé, bien qu'en progression (+ 37 % entre 1990 et 1997) grâce notamment à l'emploi d'engrais, couvre moins de la moitié des besoins d'une population en rapide augmentation. L'Égypte se situe parmi les plus grands importateurs de céréales au monde (7,8 millions de tonnes en 1997).

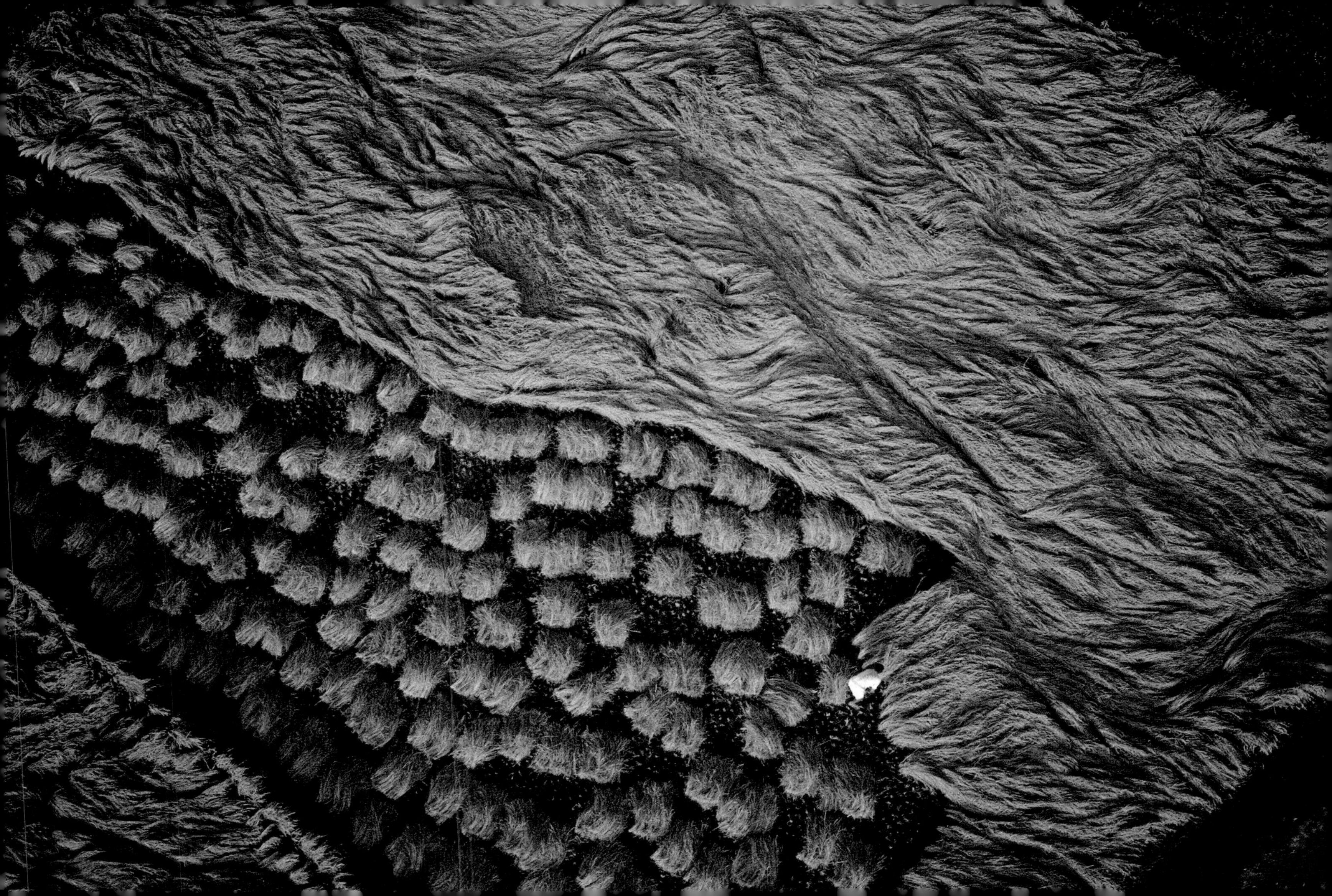

23 juillet

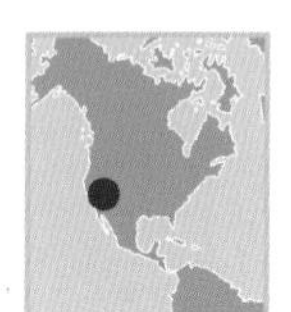

États-Unis. Californie.

Carrizo Plain, faille de San Andreas.

D'une longueur totale estimée à plus de 1 000 km et d'une largeur variant entre 1 et 100 km, cette faille témoigne du déplacement vers le nord de la plaque pacifique le long de la plaque américaine, sous la pression de l'East Pacific Rise, chaîne de volcans située au centre de l'océan Pacifique. Les agglomérations de Los Angeles et de San Francisco sont directement menacées par les séismes qui accompagnent ce mouvement tectonique. Ponts suspendus et gratte-ciel fournissent la preuve qu'il est possible de vivre dans l'insouciance, alors qu'à quelques kilomètres les bourrelets alignés des collines et la trace du sol fendu montrent qu'un sursaut brutal peut, en quelques secondes, annuler un siècle de constructions.

24 juillet

Argentine. Baleine au large de la péninsule de Valdés.

Estivant dans l'Arctique, les baleines rejoignent les mers du Sud en hiver pour s'y reproduire. De juillet à novembre, les côtes de la péninsule de Valdés, en Argentine, deviennent le lieu d'accouplement et de mise bas des baleines franches. Mammifère marin migrateur, la baleine (11 espèces au total) a été victime, depuis des décennies, d'une exploitation intensive qui l'a menée au bord de l'extinction. Des mesures internationales de protection ont été prises dès 1931 et, à partir de 1986, se sont succédé plusieurs moratoires interdisant sa chasse à des fins commerciales. Les effectifs sont désormais stabilisés, mais les populations restent encore en nombre insuffisant pour écarter tout risque de disparition. En effet, chaque espèce ne compte aujourd'hui que quelques milliers d'individus, soit des chiffres de dix à soixante fois inférieurs aux estimations du début du XXe siècle.

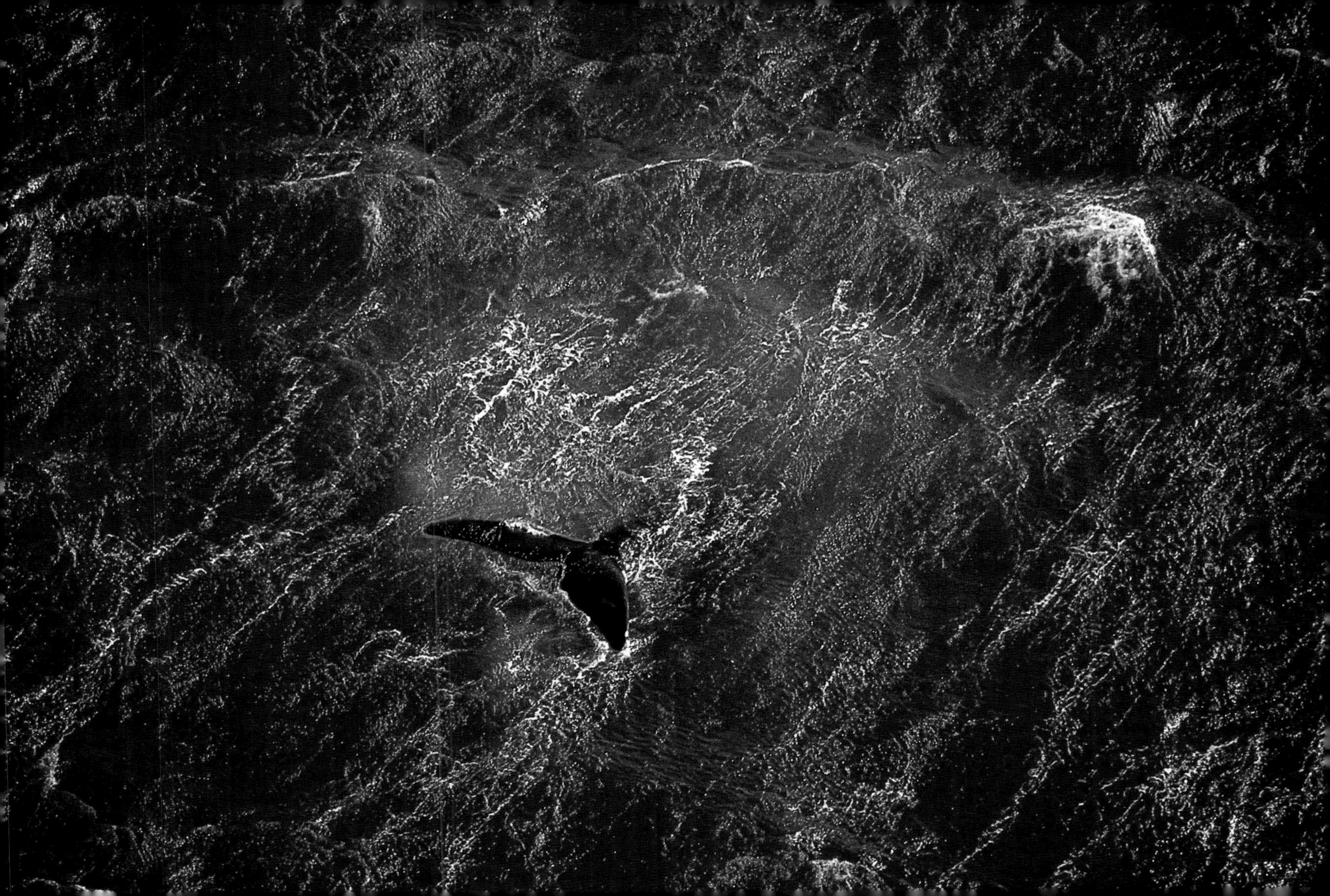

25 juillet

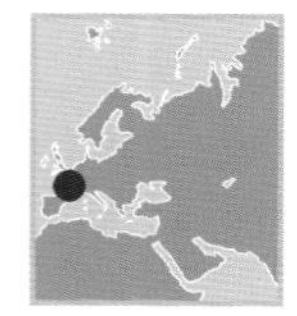

France. Arbres abattus par la tempête dans la forêt des Vosges.

Le 26 décembre 1999, le département des Vosges s'est réveillé avec 348 de ses 515 communes privées d'électricité, 10 % de ses forêts à terre, tous les trains bloqués et 60 000 lignes téléphoniques coupées. La tempête qui par deux fois allait traverser la France et causer 79 morts, avait prélevé l'un de ses plus lourds tributs dans ce département où les vents avaient dépassé 148 km/h. La cause de ce désastre était insignifiante. Deux petits tourbillons nés dans l'ondulation du front arctique, l'un à 10 000 m d'altitude, l'autre au ras du sol, se sont trouvés à l'aplomb. Cette coïncidence très rare a accéléré leur mouvement de manière explosive. Il est à craindre que de telles « loteries atmosphériques » soient liées au changement global du climat. Quelques degrés de plus ou de moins sur l'ensemble du globe peuvent se traduire localement par des changements dramatiques. On en connaît un exemple avec le Groenland qui fut colonisé et cultivé à l'époque de Charlemagne. On a retrouvé récemment dans les ruines de leurs maisons, les corps rabougris de ses descendants qui moururent de faim et de froid deux siècles plus tard par suite d'un changement climatique mineur à l'échelle planétaire, mais fatal en ce lieu.

26 juillet

Niger. Village près de Tahoua.

Au sud du Niger, le Sahel cède insensiblement la place à des arbustes et à des cultures vivrières rendues possibles par une courte mais abondante saison des pluies. Les agriculteurs Aderawa qui vivent aux environs de Tahoua parlent le haoussa et se rattachent ainsi à ce très large groupe qui domine du nord du Cameroun au nord du Nigeria. Leurs principales cultures, le mil et sorgho, ne produisent pas plus de 5 quintaux à l'hectare, ce qui est dérisoire en regard des rendements asiatiques et européens (de 40 à 80 quintaux/ha). Ce n'est pas l'indice d'une négligence mais d'une agriculture traditionnelle : les champs sont consacrés simultanément à plusieurs cultures et à des arbustes. Ils nourrissent des concessions familiales ou *gida* regroupant souvent plusieurs couples apparentés qui ne cherchent pas à augmenter le rendement commercial, mais à dégager le plus de temps libre pour leur vie familiale et sociale. L'économiste danoise Ester Boserup a montré que les populations anciennes privilégiaient le temps sur le rendement. Nous les jugeons sur des quintaux à l'hectare, ils nous jugent sur notre temps disponible.

27 juillet

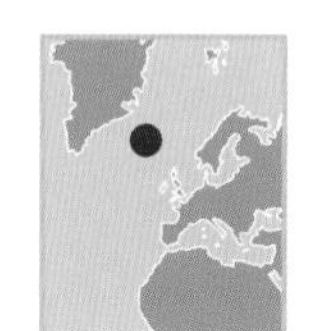

Islande. Faille de Pingvellir à l'est de Reykjavik.

La roche brisée par d'énormes tensions tectoniques devrait apprendre aux riverains que l'écartement va se poursuivre bien plus longtemps que la durée de vie de dix générations. Notre Terre est ainsi faite que l'échelle de ses mouvements est fondamentalement différente de celle des actions humaines. La petite route qui frôle les craquelures, tout comme les maisons au bord de l'eau, révèle une hardiesse dont les sociétés humaines sont coutumières et, paradoxalement, leur confiance dans la nature. Chaque nuit de sommeil tranquille est le résultat d'un pari gagné contre les craquements sinistres, jusqu'au jour où...

28 juillet

Namibie. Région de Swakopmund. Oryx dans la région des dunes de Sossusvlei.

Le Namib est considéré comme le désert le plus ancien et le plus aride du monde. Il s'étend sur 1 200 km le long des côtes de l'Atlantique, depuis la frontière angolaise, au nord, jusqu'à l'embouchure de l'Orange, au sud. À proximité des deux villes balnéaires de Swakopmund et Walvis Bay, Sossusvlei, vaste cuvette argileuse environnée de dunes rouges, est la région la plus accessible pour les touristes ; elle marque aussi la limite à ne plus dépasser car depuis 1994, le désert au sud de Sossusvlei est fermé au public. Cette mesure a été prise pour assurer la protection des dunes ainsi que des espèces végétales et animales qui vivent dans cette zone désertique, comme les vipères des sables, certains coléoptères ou encore les oryx, une variété d'antilopes qui résiste très bien aux fortes chaleurs et à la soif. La protection de la nature sert également de prétexte aux grandes sociétés diamantifères pour empêcher les chercheurs de diamants de prospecter dans leur richissime territoire. Intérêts financiers et naturels se retrouvent souvent liés, la plupart du temps l'un contre l'autre, mais ici l'un avec l'autre.

29 juillet

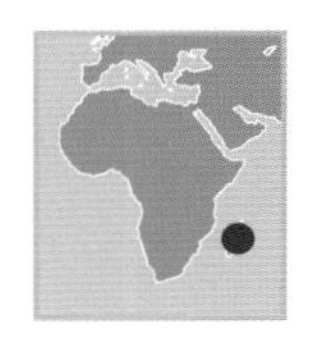

Madagascar. Village traditionnel au nord d'Antananarivo.

Les modèles réussis ont ceci d'extraordinaire qu'ils permettent de faire la jonction entre une représentation tangible de la réalité et l'image que nous en avons dans nos esprits. Ce village est à la fois une proto-ville et un paléo-bourg. Proto-ville parce que s'y trouvent réunis, dans la forme, les ingrédients les plus fréquents qui vont évoluer vers la ville : « muraille », porte et jardins, bâtiments orientés, ébauche de place centrale, et même faubourg accolé à la « muraille ». Paléo-bourg parce que dans de très nombreuses civilisations la forme circulaire et les chemins rayonnants ont défini l'espace dans lequel se sont constitués les premiers ensembles qui ont évolué vers la ville. Il reste qu'une ville, c'est d'abord un ensemble de fonctions et surtout de relations.

30 juillet

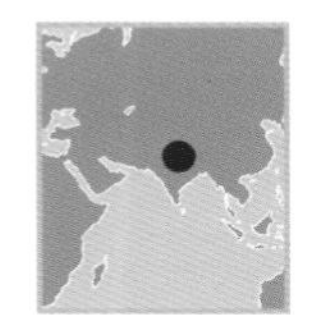

Népal. Rizière au nord de Pokhara.

À 200 km au nord-ouest de Katmandou et en contrebas du massif de l'Annapurna, la région de Pokhara est intensément mise en valeur par des cultures en terrasses, au prix d'un travail considérable pour de faibles rendements. Le climat subtropical, les fortes pluies de mousson (4 000 mm par an) et la fertilité des sols alluviaux sont favorables à la culture du riz, première production agricole du pays. Mais les investissements manquent, et le morcellement des terres impose une agriculture de subsistance, dans une économie qui reste fondée en majeure partie sur le troc. Longtemps aux mains des quatre cent cinquante grandes familles du royaume, les terres ont été cédées aux chefs des coopératives de village après l'échec de la réforme agraire, au milieu des années 1970. La taille moyenne d'une parcelle cultivée, qui assure la survie d'une famille entière, est d'environ un demi-hectare. Il faut faire appel aux importations de riz pour nourrir l'ensemble de la population. Pour assombrir encore le tableau, la croissance démographique au Népal reste l'une des plus importantes de la région, les femmes ayant encore 4,5 enfants en moyenne contre 3 dans l'Inde et moins de 2 en Chine, ses voisines.

31 juillet

Pérou. Dessin de colibri à Nazca.

Il y a deux mille ans, le peuple Nazca a creusé des sillons dans le sol désertique de la pampa péruvienne, dessinant d'impressionnantes figures géométriques et représentations stylisées de plantes ou d'animaux. Ce colibri de près de 98 m fait partie des 18 silhouettes d'oiseaux de ce site inscrit sur la Liste du patrimoine mondial de l'Unesco en 1994. C'est grâce au travail acharné de la mathématicienne allemande Maria Reiche, qui, de 1945 jusqu'à sa mort en 1998, s'est consacrée à la mise au jour, à l'entretien et à l'étude de ces tracés, que l'on peut encore admirer ce qui était probablement un calendrier astronomique. Le site de Nazca est aujourd'hui menacé par les *huaqueros*, pilleurs de tombes précolombiennes, ainsi que par l'afflux touristique, l'érosion et la pollution industrielle.

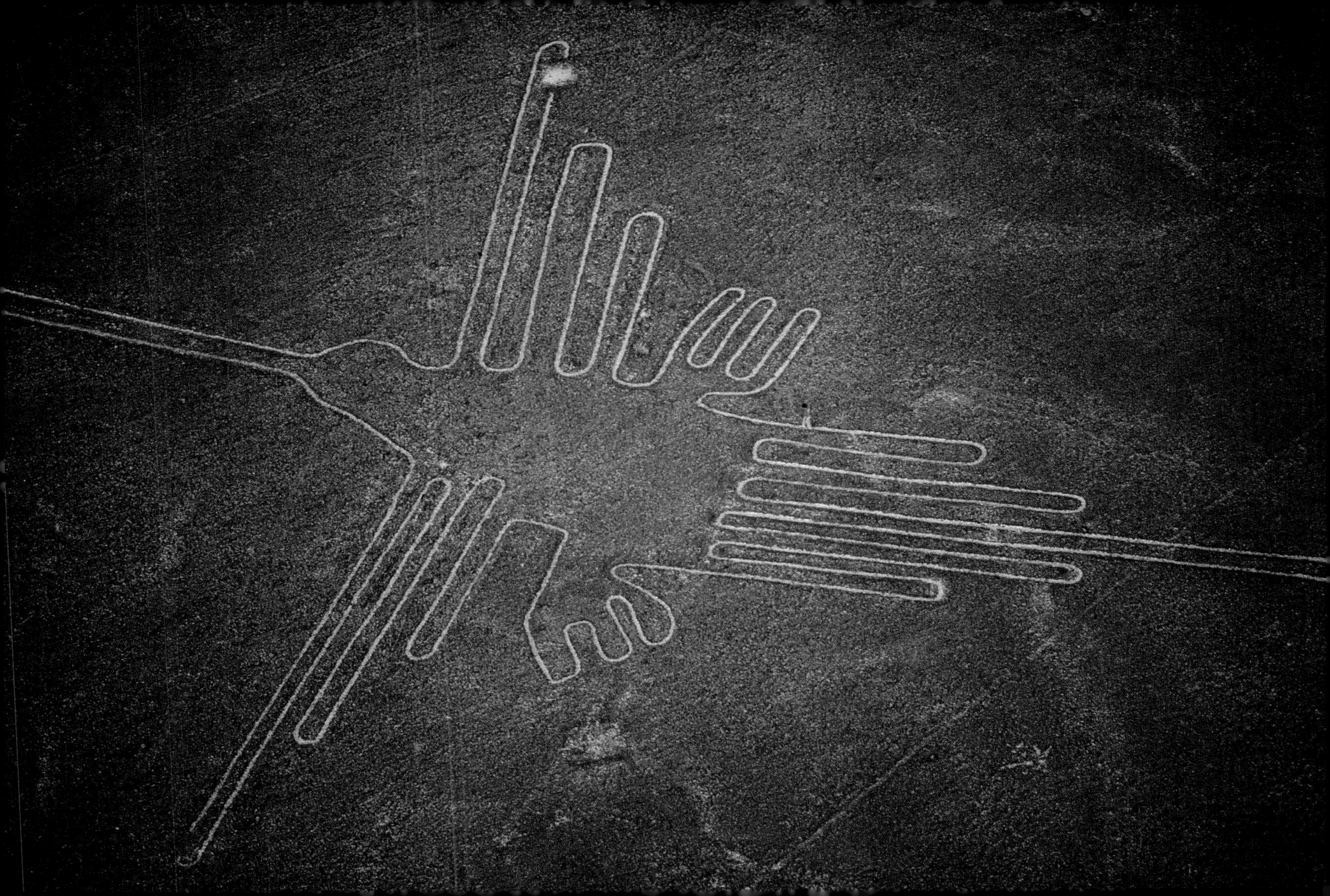

1er août

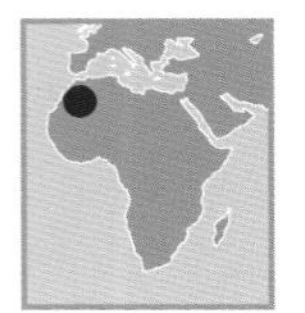

Maroc. Knifis (nord de Laayoune), les marais.

Au sud du Maroc, après s'être faufilé entre les montagnes de l'Atlas et de l'Anti-Atlas, le long du djebel Saghro, l'oued Draa aboutit dans une vaste cuvette sableuse. Au moment de la crue d'automne, il éclate en une multitude de canaux temporaires qui irriguent tout le Débaïa, nom de cette cuvette, et rendent possible une culture temporaire. Pompé de toute son eau après la traversée du Débaïa, l'oued Draa ne peut pas en général poursuivre sa descente vers la mer. Les 750 km de son cours sont donc presque toujours à sec. Le Draa était connu des Anciens. Pline le nomme Darat, Polybe et Ptolémée parlent du Darados. Ils écrivent qu'il était infesté par les crocodiles, ce qui n'est plus le cas de son lit actuel, sec et caillouteux. On mesure avec ces témoignages historiques l'ampleur du changement climatique dans cette région depuis deux mille ans. On peut aussi penser, que, effet de serre ou pas, de tels changements peuvent continuer à se produire dans le proche avenir. Il est donc sage de ne pas faire trop dépendre l'habitat et l'agriculture du climat présent, et garder des possibilités d'évolution en cas de changement.

2 août

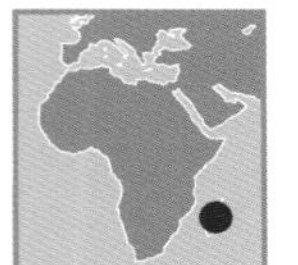

Madagascar. Région de Fianarantsoa. Invasion de criquets près de Ranohira.

Les invasions de criquets sont considérées depuis toujours comme un fléau et déjà la Bible y fait référence comme l'une des sept plaies infligées à l'Égypte. Depuis des siècles, les cultures céréalières et les pâturages de Madagascar sont ainsi dévastés de manière chronique. Les criquets migrateurs ou nomades (*Locusta migratoria* et *Nomadacris septemfasciata*) forment des nuages de plusieurs kilomètres de long contenant jusqu'à 50 milliards d'individus. Progressant de 40 km par jour, ils dévastent toute végétation sur leur passage. Un essaim moyen, soit environ 150 millions d'individus, dévore ainsi chaque soir 100 tonnes de végétation. Pour lutter contre ces invasions, on pratique l'épandage massif d'insecticides chimiques par avion ou hélicoptère. Mais cette méthode a ses limites : les populations de criquets qui développent des résistances ne sont pas réduites de façon significative et les produits perturbent gravement le milieu. La plupart de ces insecticides chimiques sont aussi toxiques pour l'homme. Un espoir : la découverte récente d'un pesticide naturel à base d'un champignon appelé « *Green Muscle* ». Contrairement aux insecticides chimiques, il est sans risques majeurs pour l'utilisateur, les animaux, les autres insectes et l'environnement.

3 août

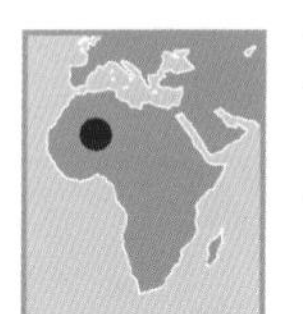

Mali. Habitations sur un îlot du fleuve Niger, entre Bourem et Gao.

Au Mali, le fleuve Niger, qui s'insinue parmi les sables en constante progression au sud du Sahara, décrit une large boucle appelée la « bosse du chameau » par les populations locales. Après la saison des pluies, en période de hautes eaux (d'août à janvier), il inonde de plus vastes étendues, ne laissant émerger que quelques petits îlots parfois habités, appelés *toguéré*, comme ici entre Bourem et Gao. Bien qu'occupant moins de 15 % du territoire malien, le bassin du Niger abrite près de 75 % de la population, ainsi que la majorité des grandes agglomérations du pays. Ce cours d'eau, qui arrose quatre pays d'Afrique de l'Ouest (Guinée, Mali, Niger et Nigeria), tirerait son nom de l'expression berbère *gher-n-igheren*, « le fleuve des fleuves ».

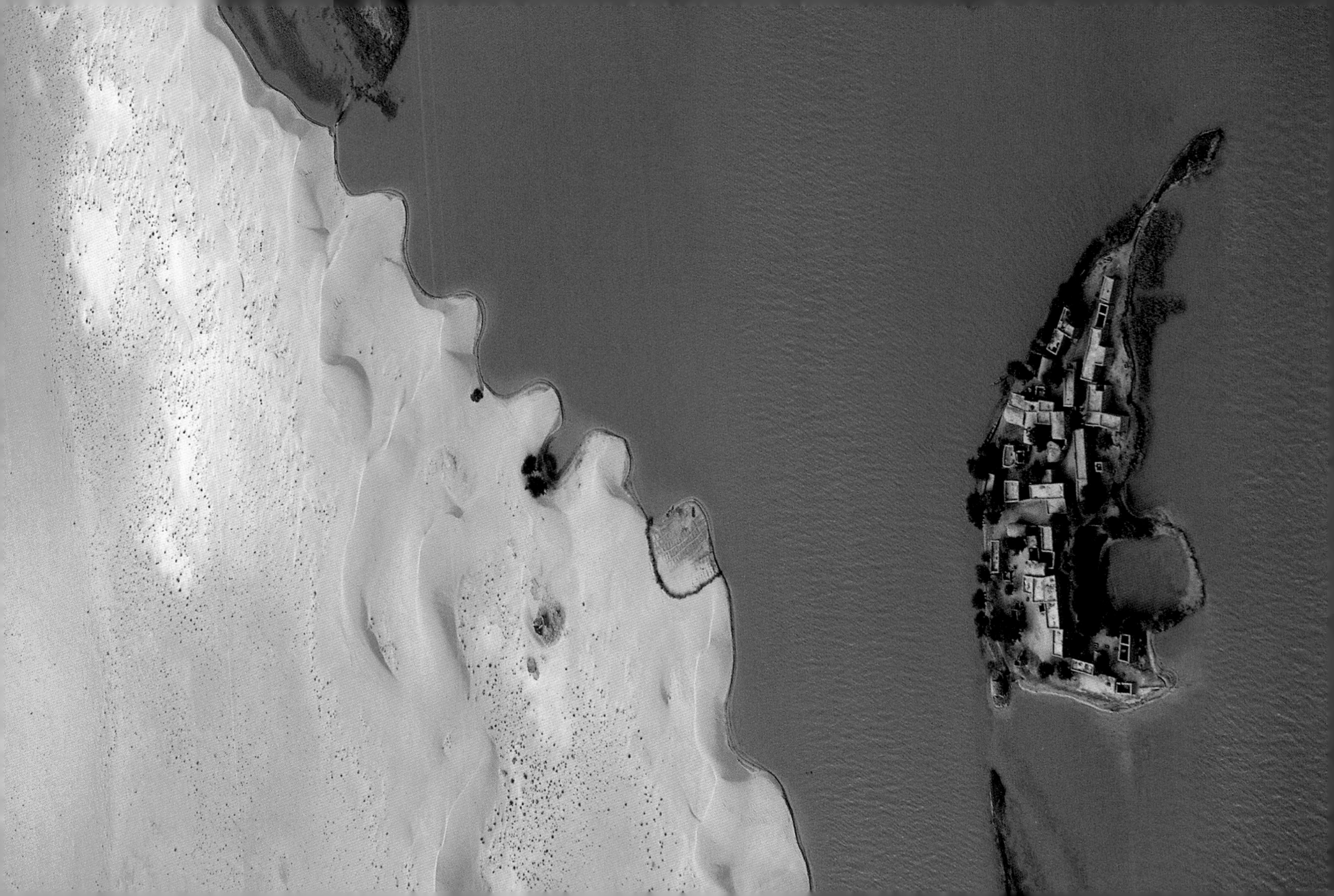

4 août

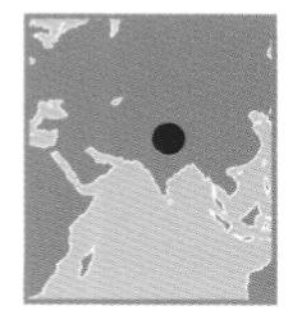

Népal. Himalaya. La chaîne de l'Everest.

Le plus haut sommet du monde, l'Everest, est difficile à apercevoir car il est entouré d'autres très hauts sommets qui le masquent, le Changtse, le Khumbutse, le Nuptse et le Lhotse. Il se trouve en effet dans une zone géologique tourmentée et unique au monde. Deux plaques continentales sont entrées en collision il y a 45 millions d'années, l'Inde, qui s'était séparée de l'Afrique, et l'Eurasie. La plaque indienne en s'enfonçant sous la plaque sibérienne créée des plissements. Comme les frontières des deux plaques n'ont pas le même dessin, la pointe nord de l'Inde agit à la manière d'un poinçon, engendrant une fronce dans les plis montagneux. C'est là que se situe l'Everest. À ces conditions uniques au monde, s'ajoute un environnement inhabituel. Le froid et le manque d'oxygène empêchent toute vie de se développer. On pense moins souvent à la violence du vent qui à cette altitude est entretenue par la résistance de l'air à la rotation terrestre. À cause du vent, la neige qui est assez rare (le climat est semi-aride) ne peut se maintenir que dans les anfractuosités des parois rocheuses, ce qui accentue le caractère étrange de ces lieux où les cosmogonies hindouistes et bouddhistes placent le centre du monde.

5 août

Pérou. Ica. Dunes à l'est de Nazca.

Entre l'océan Pacifique et les premiers versants de la cordillère des Andes s'étend une étroite bande de désert côtier, longue de 2 300 km, qui se prolonge au sud par le désert chilien d'Atacama. Le courant froid de Humboldt, en provenance du sud du Chili, rafraîchit et stabilise les masses d'air littorales qui ne peuvent s'élever sur les pentes de la Cordillère. Durant une bonne moitié de l'année, un brouillard intense se forme, la *garua*, entraînant une forte humidité atmosphérique mais rarement des pluies. Cette stabilité climatique est bouleversée tous les trois à quatre ans lors de l'arrivée du courant chaud El Niño, « l'enfant Jésus ». À la période de Noël, lorsque le réchauffement des eaux de surface crée une forte convection au-dessus du Pacifique équatorial, les alizés s'affaiblissent et laissent passer un courant chaud qui atteint la côte péruvienne, accompagné de pluies diluviennes suscitant de graves dégâts. L'inversion de la circulation océanique entraîne aussi la disparition des bancs d'anchois, ce qui ruine la pêche. Le phénomène d'El Niño paraît s'être amplifié au cours de cette dernière décennie, affectant les équilibres climatiques à l'échelle du globe.

6 août

Philippines. Rejets de mine d'or sur le littoral de l'île de Mindanao.

Ce petit bateau est en train de pêcher dans les rejets dus à l'exploitation des gisements aurifères de l'île de Mindanao, au sud des Philippines, qui produit en moyenne 8 tonnes d'or par an. Ces rejets, appelés *haldes*, contiennent pourtant des produits chimiques fortement toxiques pour la faune marine, comme le mercure et l'acide chlorhydrique utilisés pour le nettoyage et le raffinage des particules d'or. Le mercure, par exemple, s'accumule dans la chaîne alimentaire dont l'homme est le dernier maillon. Il provoque des lésions neurologiques graves et des malformations du fœtus chez les femmes enceintes. Par ailleurs, ces déchets, en opacifiant les eaux, mettent en péril les polypes coralliens dont la survie dépend en grande partie de la lumière. Le corail qui vit dans toutes les mers tropicales jusqu'à 80 m de profondeur est aujourd'hui menacé partout par les pollutions, les prélèvements et les méthodes agressives de pêche. Un nouveau danger pour sa survie est le réchauffement prévu des eaux marines qui changerait ses conditions de vie. Une augmentation d'un degré suffit ainsi à faire mourir un récif. Devant l'urgence de ces problèmes, une « Initiative pour les récifs coralliens » réunissant huit États, des organisations internationales et des ONG, a été prise en 1995.

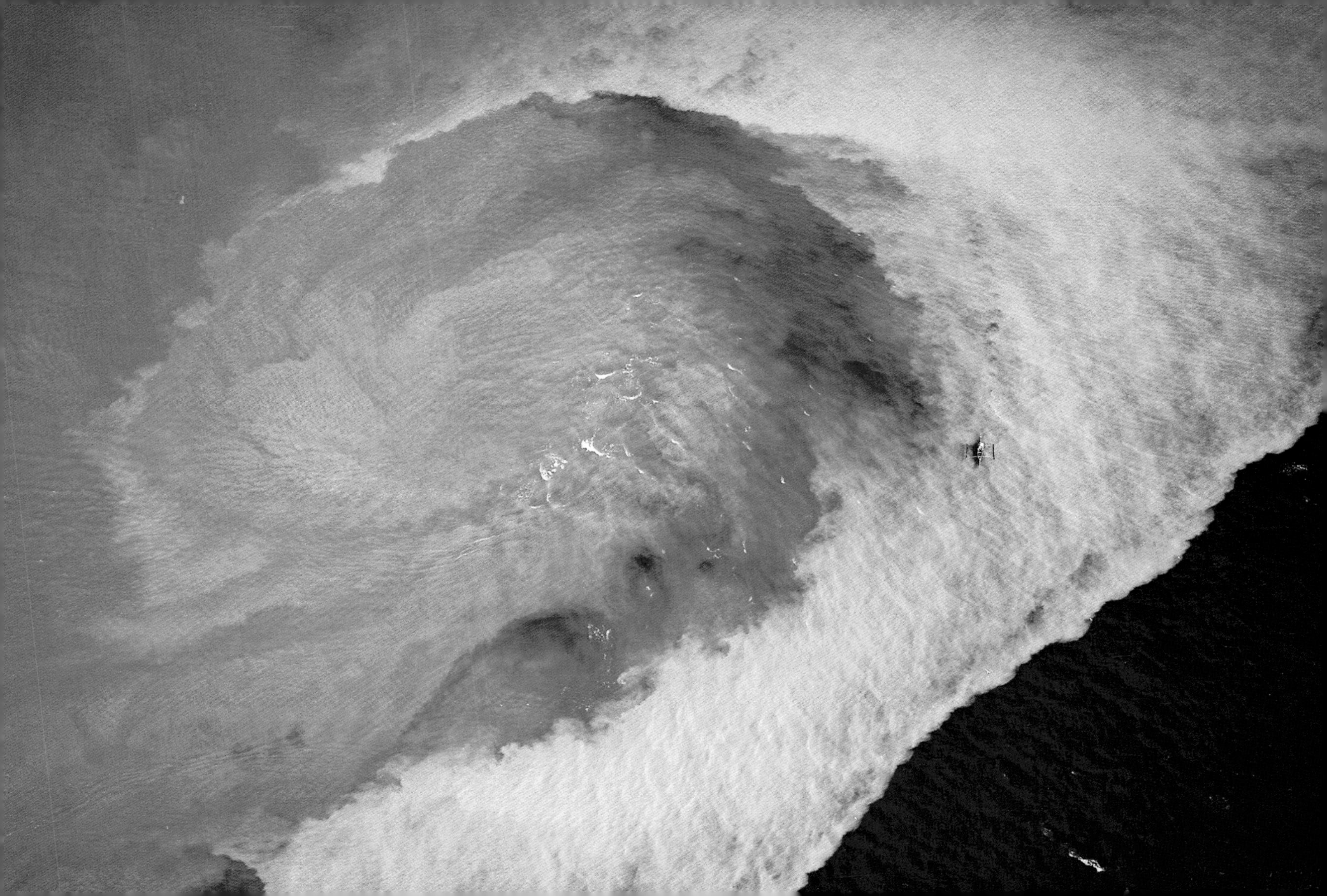

7 août

Namibie. Région de Windhoek. Début du Namib, à l'ouest du Gamsberg.

Sur la route qui relie Windhoek, modeste capitale de la Namibie, à la ville balnéaire de Walvis Bay, le col du Gamsberg (2 334 m) marque le début du Namib, qui s'étend à perte de vue, au pied de la chaîne du Gamsberg. Ce désert, le plus aride et le plus ancien du monde (puisque sa formation remonte à 100 millions d'années), constitue un écosystème unique : il abrite de nombreuses espèces animales et végétales qui sont parvenues à s'adapter pour survivre aux conditions extrêmes de ce territoire (l'aridité, les vents violents, les faibles ressources alimentaires et les températures élevées). Le brouillard épais, engendré par la rencontre des vents chauds d'Afrique centrale et du courant froid de Benguela issu de l'Antarctique, est propice à la vie car il condense l'air humide, permettant ainsi aux différentes espèces de récupérer l'eau sous forme de vapeur.

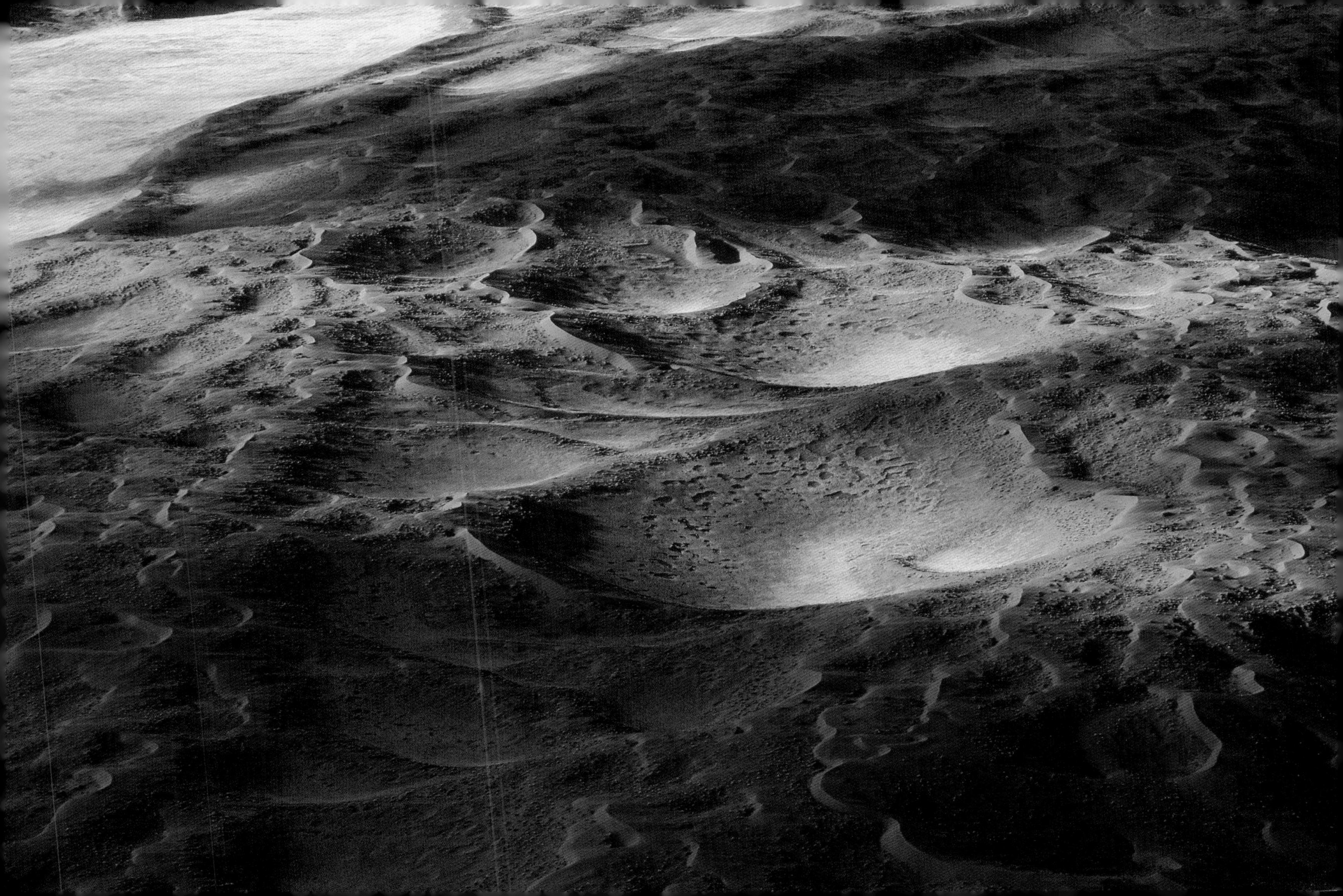

8 août

Maroc. Région de Rabat. Vaches dans une rivière marécageuse.

La région de Rabat, comme tout le Nord de la côte Atlantique marocaine, bénéficie de précipitations relativement abondantes (jusqu'à 800 mm par an). Dans cette partie du pays, considérée comme l'une des mieux drainées du Maroc, les pluies de novembre et de mars alimentent les cours d'eau et sont à l'origine de crues importantes. Cependant, à partir du mois de mai, un vent du sud-est chaud et sec, le *chergui*, assèche peu à peu leur lit. Celui-ci, devenu temporairement marécageux, se recouvre d'un tapis éphémère d'herbes et de fleurs que parcourent quelques vaches en quête de nourriture, échappées des troupeaux alentour. Le cheptel bovin du Maroc, dominé par des races locales élevées à la fois pour leur lait et leur viande, compte un peu plus de 2,5 millions de têtes. Les élevages caprin (4,4 millions de têtes) et, surtout, ovin (17,6 millions de têtes) ont des effectifs beaucoup plus importants.

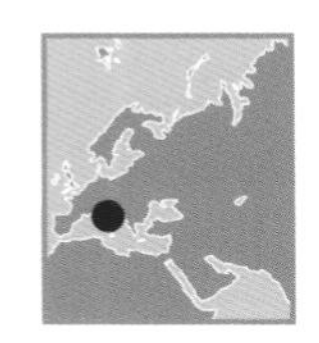

Italie. Venise. Maisons de pêcheurs.

En naviguant sur la lagune vénitienne, on rencontre encore fréquemment de modestes bâtisses en bois, construites sur pilotis ; elles abritent les logements ou les entrepôts des pêcheurs qui, sans cesse, sillonnent les eaux poissonneuses et peu profondes de la lagune avec leurs petites embarcations. Hors des frontières du temps, ces constructions évoquent inévitablement les huttes des pêcheurs qui se sont installés, aux VIIe et VIIIe siècles, dans cette zone de marécages. Elles parlent de l'histoire même de Venise, ville née du fragile équilibre entre la terre et l'eau. Un tel équilibre peut être remis en question à chaque instant car l'eau est toujours prête à l'emporter sur la terre, comme elle le fit lors de l'inondation du 4 novembre 1966 ou, de manière moins dramatique, à plusieurs autres reprises depuis six siècles ; outre ce phénomène des « hautes eaux », Venise doit lutter contre l'enfoncement progressif (de 2 à 2,7 mm par an) du sol de la lagune. Si le relèvement du niveau des mers causé par le réchauffement de la planète se produit, le niveau de l'eau montera d'environ 40 cm en cinquante ans.

10 août

Sultanat d'Oman. Région de Mascate. Archipel de Daymaniyat.

La région de la Batinah s'étend entre la chaîne de montagnes d'Al Hajar et le golfe d'Oman. Elle est constituée d'une étroite bande de terre de 25 km de largeur moyenne qui longe la côte nord du sultanat d'Oman depuis sa capitale Mascate jusqu'à la frontière avec les Émirats arabes unis, et de plusieurs îles disséminées non loin de la côte. Le nom de Batinah (qui en arabe signifie « être caché ») résume bien la spécificité de cette région qui, lorsqu'on se trouve en mer, est dissimulée aux regards tant elle semble écrasée par l'imposante chaîne montagneuse qui l'enserre. Région de culture intensive (dattes et citrons verts), la Batinah est aussi le grenier du pays. Ses 600 000 habitants (près du quart de la population du pays) cumulent les revenus de la terre et ceux de la mer grâce à la pêche à la sardine qu'ils pratiquent à grande échelle. Mais la densité très élevée de la Batinah et la surexploitation de la nappe aquifère compromettent un équilibre écologique fragile en accroissant la salinité de l'eau et donc en menaçant la production agricole. Les ressources pétrolières ont transformé cette région en eldorado. Leur inéluctable cessation risque de laisser un paysage désolé et plus désertique qu'auparavant.

11 août

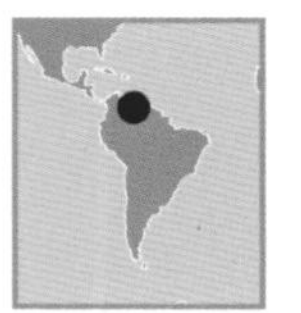

Venezuela. État de Bolivar. Banc de sable du río Caroní.

Long de 690 km, le río Caroní traverse du sud au nord l'État de Bolivar (la région est plus communément appelée Guayana) au Venezuela, et dévale à travers une succession de cascades, rencontrant sur son parcours de larges bancs de sable. Le Caroní, et tous les autres cours d'eau qui traversent le Guayana, sont riches en alcaloïdes et en tanins issus de la dégradation des végétaux de la forêt dense. Aussi sont-ils regroupés sous l'appellation de « rivières noires », en contraste avec les « rivières blanches » qui descendent des massifs andins en charriant de nombreux sédiments. Avant de finir sa course dans le fleuve Orénoque, le Caroní vient alimenter le barrage hydroélectrique de Guri (mis en service en 1986) qui figure parmi les plus grands du monde et fournit 75 % de l'électricité du Venezuela.

12 août

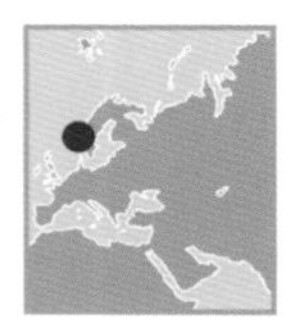

Norvège. Boknafjorden. Ferme piscicole.

Entre Stavanger et Bergen, au sud de la Norvège, Boknafjorden est le premier grand fjord. Ces profondes échancrures de la côte ont été creusées par des glaciers. Comme le socle rocheux de la Scandinavie s'affaissait lentement, la mer les a progressivement envahis, tout comme elle le fait dans les abers et les rias, ces estuaires de la Bretagne. Dans ces baies encaissées, la mer est beaucoup plus calme qu'au large. Le ruissellement des eaux de pluie fournit des sels minéraux qui permettent aux algues et au plancton de constituer l'un des écosystèmes les plus productifs de la planète. Le courant chaud du Gulf Stream est un facteur favorable supplémentaire pour l'aquaculture, c'est-à-dire l'élevage de poissons. La Norvège dispose en outre des capitaux nécessaires à ces installations car elle est l'un des grands producteurs mondiaux de pétrole avec 3 millions de barils extraits chaque jour de ses gisements en mer du Nord. L'élevage des poissons ne dispense cependant pas la Norvège de rester l'un des plus grands tueurs de cétacés de la planète avec des quotas annuels autorisés de 30 000 phoques et de 750 rorquals.

13 août

Jordanie. Mafraq. Vestiges d'un piège antique, entre As Safawi et Qasr Burqu.

Cette partie terminale d'un piège vieux de quelques milliers d'années date du temps où les groupes de chasseurs du néolithique s'unissaient pour contraindre les troupeaux d'animaux sauvages à fuir droit devant eux, entre deux murets de pierres construits en forme d'entonnoir. Ce dernier, dont on voit le bout à gauche de l'image, allait se rétrécissant jusqu'au lieu de la capture ou du massacre. Les animaux les moins puissants n'avaient guère de chance d'échapper à leurs vainqueurs. Affolés, ils se dispersaient dans l'espace circulaire tout autour duquel les attendaient, dans leurs abris, les différents groupes de chasseurs armés de lances, d'arcs ou de filets.

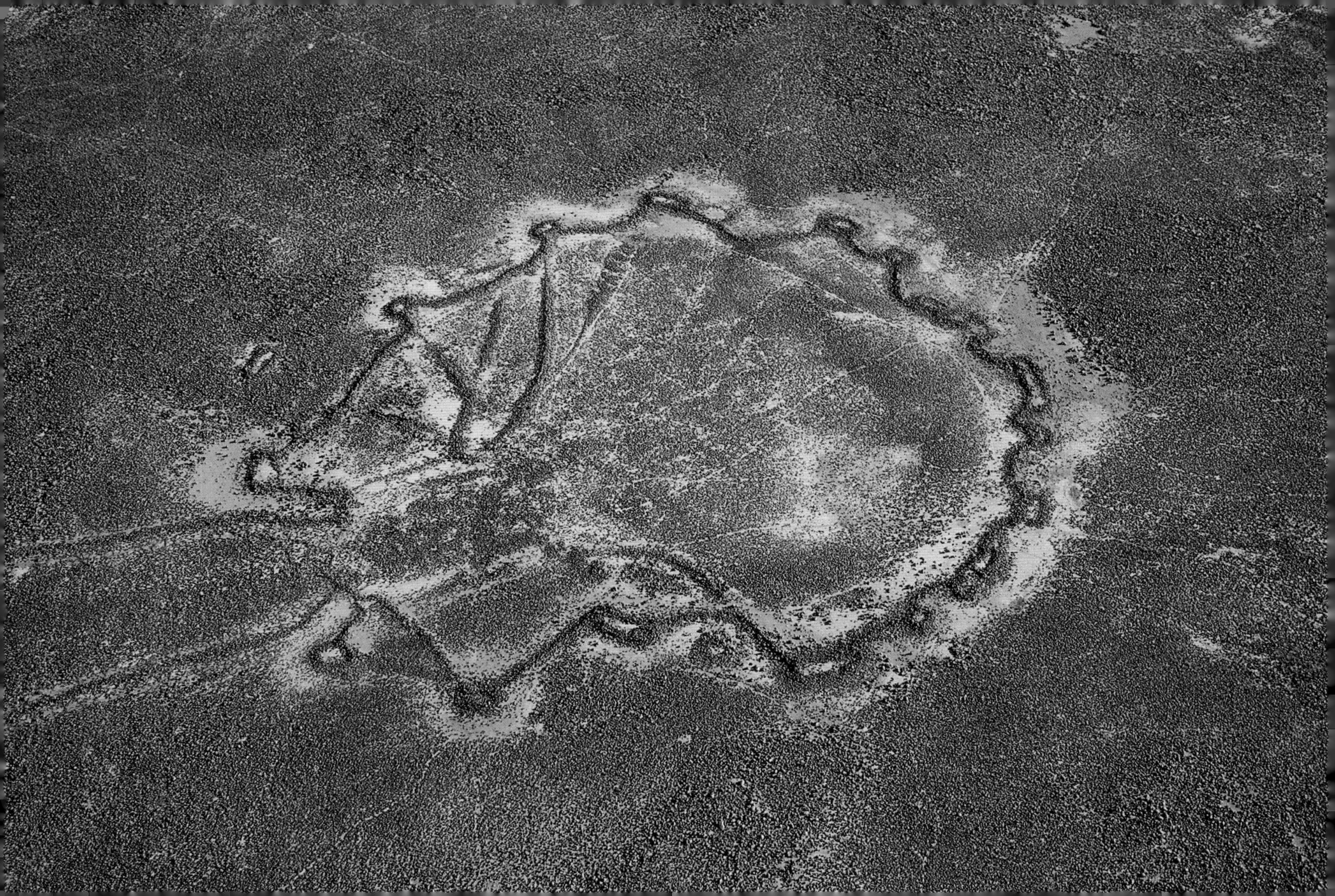

14 août

Pérou. Champs de choux-fleurs près de l'aéroport de Lima.

L'étroite côte pacifique du Pérou est désertique car les pluies y sont très rares. La vie économique se concentre dans une quarantaine d'oasis d'inégale importance égrenées au pied de la cordillère des Andes. Bien que le restant du territoire, couvert par de hautes montagnes et par la forêt amazonienne, soit propice à une agriculture de subsistance que faciliterait une faible densité (20 habitants au km^2), le Pérou est très intégré au marché mondial des vivres. Premier producteur mondial de farine de poisson, il la vend aux éleveurs américains de bovins et achète en échange des céréales qu'il ne produit pas en quantité suffisante. De même, il a emprunté aux maraîchers européens nombre de leurs plantes, dont ces choux-fleurs. C'est un prêté pour un rendu puisque l'Europe a découvert autrefois en l'Amérique latine le maïs, les haricots et les pommes de terre. Pendant longtemps, l'homme a été la seule espèce à peupler tous les continents. Maintenant, à sa suite, les fourmis argentines, les rats gris d'Asie, les microbes, mais aussi le blé et ici les choux-fleurs se mondialisent.

15 août

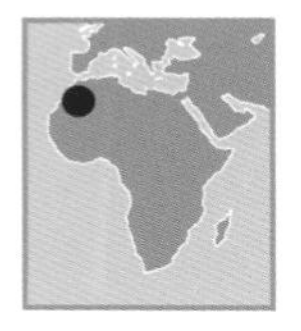

Maroc. Village dans la vallée de l'Ourika.

Au cœur de l'Atlas, à 75 km de Marrakech, la vallée de l'Ourika offre un singulier contraste avec les sommets alentours, attirant un tourisme hivernal (ski et autres sports d'hiver). Dans ces régions arides où l'on dispose de peu de matériaux, la terre est un précieux recours. Elle ne demande aucun outillage particulier, se modèle bien, isole parfaitement, se recycle d'elle-même et s'harmonise par ailleurs aux teintes du paysage. C'est pourquoi les maisons sont construites en pisé, mélange compacté de terre crue humide plus ou moins argileuse, de paille et de gravier. Ce matériau de construction traditionnel est répandu en milieu rural, en montagne et dans les régions sèches du Sud. Il se montre en effet très solide dans un air sans humidité. Dans ces paysages où l'eau et les plaines sont rares, des cultures en terrasse se sont développées au pied des versants montagneux.

16 août

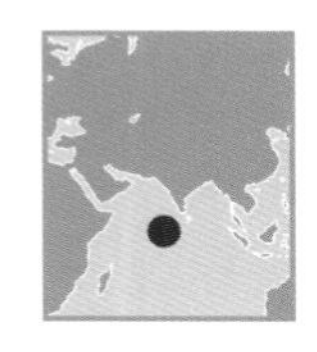

Maldives. Atoll de Male Nord. L'Œil des Maldives.

L'Œil des Maldives est un faro, formation corallienne développée sur un support rocheux qui s'est affaissé au cours du temps, ne laissant apparaître qu'un récif annulaire entourant une lagune peu profonde. La formation de coraux nécessitant une température des eaux relativement élevée, les atolls se développent principalement dans les régions intertropicales. L'archipel des Maldives, au cœur de l'océan Indien, est composé de 26 grands atolls regroupant plus de 1 200 îles ou îlots, dont près de 420 sont habités de façon permanente, ou saisonnière par des touristes. Pays le plus bas du monde avec un point culminant n'excédant pas 2,50 m, l'archipel des Maldives a subi les effets dévastateurs de plusieurs raz-de-marée ; il serait le premier territoire englouti si le niveau des océans venait à s'élever.

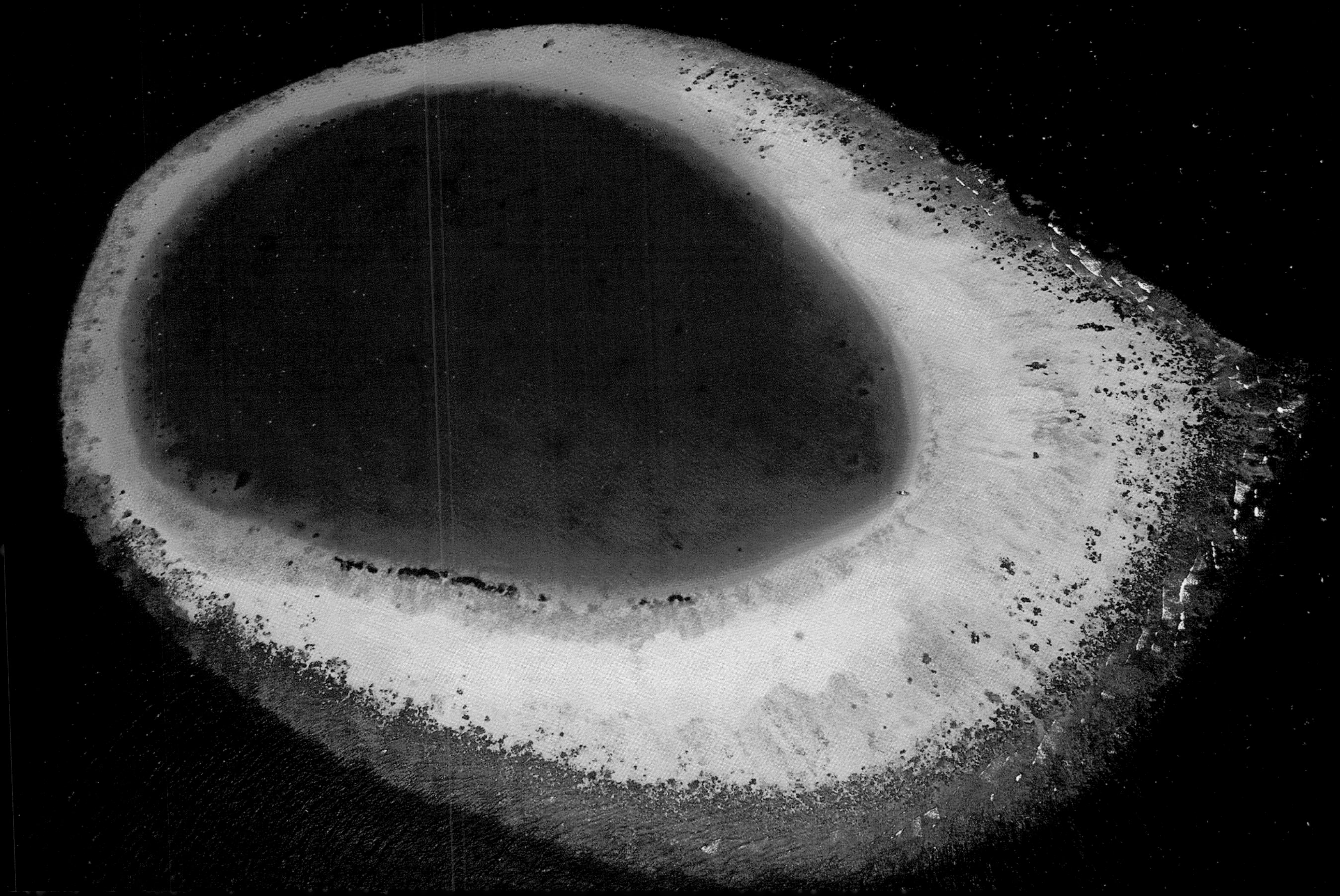

17 août

Namibie. Bateau échoué sur une plage dans la région de Lüderitz.

Alternant plages et récifs, la côte de Namibie, dont un épais brouillard dissimule souvent les contours, est en permanence soumise à une forte houle et à de violents courants marins. Elle constitue un passage redouté par les navigateurs qui croisent au large pour rejoindre le cap de Bonne-Espérance. Dès 1846, les marins portugais la qualifient de « sables de l'enfer » et, dans sa partie nord, elle porte depuis 1933 le nom de Skeleton Coast, la « côte des Squelettes ». Des dizaines d'épaves rouillées de cargos, paquebots, chalutiers ou bâtiments de guerre parsèment le littoral ; certaines sont parfois ensablées à plusieurs centaines de mètres du rivage, comme ici près de la ville de Lüderitz, témoignant de la violence des naufrages. Chaque année, dans le monde, près de 6 000 navires font naufrage (environ la moitié sont des bateaux de plaisance).

18 août

Japon. Honshu. Élevage de vaches près de Fukuyama (à l'est d'Hiroshima).

Honshu, la plus grande ville industrielle du département d'Hiroshima, dans l'île d'Honshu, est connue pour ses aciéries ultra-modernes. Son développement est la réplique en miniature de l'essor économique du Japon, notamment par le poids qu'y occupe l'industrie (qui emploie 41 % de la population active) et en particulier la sidérurgie pour laquelle le Japon est le second producteur du monde. C'est un exemple du « Japon de l'Endroit » situé sur les côtes du Pacifique et de la mer Intérieure qui contraste avec le « Japon de l'Envers » sur les côtes de la mer du Japon et dans les montagnes. Dans le Japon de l'Envers, l'agriculture reste traditionnelle et l'artisanat n'a pas été supplanté par l'industrie, tandis que dans le Japon de l'Endroit, l'industrialisation a dévoré autant l'artisanat que l'agriculture. Tous les produits y sont fabriqués sur le même mode industriel, qu'il s'agisse de voitures, de vêtements, de viande de bœuf ou de lait. Ce traitement uniforme répond à une philosophie japonaise de l'espace, l'éthique du Bashô, selon laquelle les hommes, les animaux et les choses se plient à l'esprit des lieux.

19 août

Côte-d'Ivoire. Bouna. Cendres d'un arbre près des monts Gorowi Kongoli.

Au nord-est de la Côte-d'Ivoire, dans une région couverte d'une végétation soudanienne de savanes arbustives et de forêts claires, cet arbre, abattu par le vent ou la foudre, s'est lentement consumé après le passage d'un feu de brousse. Ces feux, très fréquents en Afrique de l'Ouest, peuvent parcourir jusqu'à 25 % ou 30 % de l'ensemble de la brousse chaque année. Si une partie d'entre eux est d'origine naturelle, la plupart sont provoqués par les techniques traditionnelles agricoles, pastorales et cynégétiques des peuples de savane : le passage du feu fournit aux sols un engrais naturel d'origine organique (les cendres) et contribue à la régénération rapide de certains arbustes ou plantes fourragères ; ces feux permettent également d'éliminer les hautes herbes pour mieux approcher le gibier ou le rabattre lors de chasses collectives. La plupart des feux de brousse sont malheureusement déclenchés tardivement pendant la saison sèche et deviennent incontrôlables, détruisant peu à peu la strate arborée et accélérant le processus d'érosion. Cette menace est d'autant plus inquiétante en Côte-d'Ivoire que le pays présente, avec 6,5 % de forêt détruits chaque année, le plus fort taux de déforestation d'Afrique (0,6 % par an pour l'ensemble du continent).

20 août

Philippines. Village près de l'île de Panducan.

La région de Panducan, située dans le groupe d'îles de Pangutaran, fait partie de l'archipel de Sulu qui a longtemps été considéré comme un foyer de piraterie, de contrebande et de trafics en tous genres avec les pays voisins. Elle abrite une population à 95 % musulmane, minoritaire dans le pays, qui a longtemps été en conflit avec le pouvoir central. Dans ces îles vivent entre autres les Tausug, le « peuple des courants marins ». Répartis dans des petits hameaux de maisons en bambou sur pilotis, dispersés sur les côtes, les Tausug, naguère contrebandiers ou forgerons, se sont aujourd'hui reconvertis dans la culture sèche du riz mais vivent essentiellement de la pêche et du négoce. Malheureusement, la pratique de plus en plus généralisée de la pêche au cyanure ou à l'explosif a eu des effets dévastateurs sur la faune marine, notamment sur les récifs coralliens.

21 août

France. Finistère. Maison de Keremma, dans l'anse de Kernic à marée basse.

Sur le littoral de la Manche, en Bretagne, l'étroite langue de sédiments granitiques sur laquelle a été construite cette maison prolonge les dunes de Keremma et ferme presque entièrement l'anse de Kernic. Bordée de vastes étendues sableuses à marée basse, elle est presque totalement encerclée d'eau lorsque la mer remonte, ne laissant aux bateaux qu'une passe étroite pour pénétrer dans la baie. Les violents courants marins et le va-et-vient quotidien des marées (environ 8 m d'amplitude) érodent peu à peu le fragile support de cette habitation isolée, la menaçant. Les marées, variations journalières du niveau de la mer qui résultent des attractions lunaire et solaire, touchent l'ensemble des mers du globe avec des amplitudes variant de quelques centimètres, notamment pour la Méditerranée, à plus de 16 m (baie de Fundy, Canada) pour l'Atlantique.

22 août

Tunisie. Gouvernorat de Mahdia. El-Djem.

Quand on rallie El-Djem par la route, on voit surgir au loin une immense structure cylindrique tout à fait mystérieuse. Ce n'est qu'en arrivant à proximité que l'on découvre une bourgade somnolente à ses pieds. Le monde antique paraît écraser ici le monde moderne. L'amphithéâtre, qui date sans doute du début du IIIe siècle, est célèbre par ses dimensions (148 m de long, 124 m de large et 427 m de périmètre) et par son état de conservation. L'ancienne cité romaine de Thysdrus s'était auparavant contentée d'un amphithéâtre taillé à même le tuf dont on peut visiter les ruines. L'accroissement de sa population, qui atteignit probablement plusieurs dizaines de milliers d'habitants au IIe-IIIe siècle, et son enrichissement grâce à la culture de l'olivier, exigèrent la construction de cet édifice prestigieux dont l'architecture s'apparente à celle du Colisée romain. El-Djem rappelle ainsi que dans l'Antiquité, la population du sud de la Méditerranée était aussi importante et aussi prospère que celle du nord et suggère qu'une telle situation démographique peut revenir sans créer de catastrophes : alors l'amphithéâtre d'El-Djem paraîtra petit au regard des gratte-ciel qui l'entoureront.

23 août

États-Unis. Californie.

Jeune sportif de l'école élémentaire Torrance Cornestone à Los Angeles.

Ce petit Américain qui s'entraîne au basket dans la cour de son école sur une carte de son pays a de bonnes chances de continuer ses études car il est né dans un pays développé. Au début du IIIe millénaire, l'éducation est un des domaines qui a le plus progressé. Il existe pourtant encore bien des disparités dans l'accès à l'enseignement. Ils sont, d'après les estimations, 113 millions d'enfants dans le monde à ne pas être scolarisés en primaire. Et beaucoup d'autres terminent leur scolarité sans avoir appris à lire ni à écrire. Aujourd'hui, sur notre planète, près de 700 millions d'adultes sont analphabètes dont les deux tiers sont des femmes. Une forte différence d'éducation demeure en effet entre les sexes et le nombre de filles scolarisées reste inférieur à celui des garçons dans les pays en développement. Conscient de ces problèmes et considérant que l'éducation pour tous est la clef d'un développement durable, l'ONU a institué, en l'an 2000, une « Décennie pour l'Alphabétisation ». Dans ce cadre, des actions sont menées pour qu'avant 2015 tous les enfants du monde, en particulier les filles, aient la possibilité d'accéder à l'enseignement primaire.

24 août

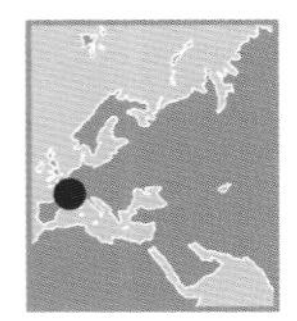

France. Haute-Savoie. L'aiguille du Midi dans le massif du Mont-Blanc.

Au cœur de la chaîne montagneuse des Alpes, frontière naturelle entre la France et l'Italie, l'aiguille du Midi, dont le piton central (surmonté d'un relais de télévision) s'élève à 3 842 m, est accessible par l'un des plus hauts téléphériques du monde qui effectue des rotations régulières depuis la ville de Chamonix, dans la vallée. Chaque année, plus de 300 000 visiteurs se rendent au sommet de l'aiguille, où ils bénéficient d'un point de vue incomparable sur le mont Blanc, point culminant de l'Europe (4 807 m) escaladé tous les ans par près de 3 000 alpinistes. Le tunnel routier franco-italien qui traverse ce massif montagneux sur 11,6 km était, jusqu'à un incendie meurtrier en mars 1999, emprunté annuellement par près de 2 millions de véhicules, parmi lesquels plus de 700 000 poids lourds, dont les gaz d'échappement sont responsables du fort taux de pollution des vallées environnantes.

25 août

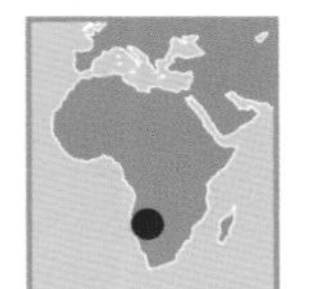

Namibie. Région du Damaraland. Massif du Spitzkoppe au coucher du soleil.

La partie nord-ouest de la Namibie, et plus particulièrement la région sauvage et désertique du Damaraland, résume bien l'histoire de ce pays : riche de plusieurs sites préhistoriques, elle serait la terre des premiers hommes modernes (des peintures et des gravures de plus de 27 000 ans ont été découvertes dans le massif du Spitzkoppe) ; elle porte le nom d'un des plus anciens groupes ethniques de Namibie, les Damaras (7 % de la population actuelle du pays et dont un quart d'entre eux vit toujours dans la région) ; elle constitue l'un des rares territoires d'Afrique où des antilopes, des girafes, des éléphants, des zèbres et même des rhinocéros noirs vivent librement, hors des parcs nationaux et des réserves protégées ; enfin, elle abrite deux importants sommets, le Gross Spitzkoppe (1 728 m) et le Klein Spitzkoppe (1 584 m), vestiges granitiques de volcans entrés en éruption il y a 120 millions d'années, à une époque où la côte du Brésil touchait celle de la Namibie pour ne former qu'un seul continent, le Gondwana. Tout sur terre change mais à un rythme différent : les hommes, les animaux, les montagnes et tout continuera à dériver à son rythme, les espèces comme les continents.

26 août

Côte-d'Ivoire. Région de Korhogo. Ballots de coton à Thonakaha.

La culture du coton en Afrique de l'Ouest a commencé au XIXe siècle avec l'introduction des premières semences de *Gossypium hirsutum*, la variété de cotonniers qui représente encore aujourd'hui 90 % des cultures dans le monde. Au siècle précédent, le coton provenait essentiellement du sud des États-Unis car récolte et traitement exigeaient à l'époque un travail manuel considérable, exécuté par des esclaves. Le coton est toujours récolté manuellement en Côte-d'Ivoire à raison de 15 à 40 kg par jour et par ouvrier, mais le reste du traitement est mécanisé. Il produit des fibres pour les textiles et des graines utilisées pour l'alimentation humaine (huile) ou animale (tourteaux). Aujourd'hui, le coton représente 47 % du marché mondial du textile et la Côte-d'Ivoire se place au 18e rang mondial des producteurs de fibres. Sa culture en Afrique est une culture de rente comme celle du cacao ou du café. Contrairement aux cultures vivrières qui nourrissent la population, les cultures de rente rapportent de l'argent frais qui permet de rembourser la dette extérieure et d'acheter à l'étranger. Pour la plupart des pays africains, le dilemme reste posé : faut-il produire pour assurer son autosuffisance alimentaire ou produire pour rembourser les pays occidentaux ?

27 août

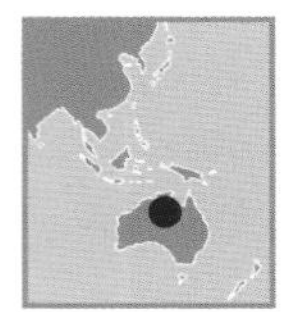

Australie. Territoire-du-Nord. Parc national de Kakadu.

Le parc national de Kakadu, dans le Territoire-du-Nord, est l'un des plus grands d'Australie, avec près de 20 000 km^2; il a été inscrit sur la Liste du patrimoine mondial de l'Unesco en 1981 pour son intérêt tant culturel (peintures rupestres aborigènes) que naturel. Au nord, ses plaines herbeuses drainées par plusieurs cours d'eau (rivières Alligator) sont inondées chaque année par les pluies d'octobre. Doté d'une flore et d'une faune riche, Kakadu réunit près de 1 000 espèces végétales, 77 de poissons, 120 de reptiles et amphibiens, 300 d'oiseaux, et de nombreux mammifères. En raison de son détachement précoce du reste du monde, il y a 150 millions d'années, l'Australie et certaines îles voisines ont vu se développer des espèces originales qui n'existent sur aucun autre continent; c'est notamment le cas des monotrèmes (ornithorynque, échidné) et de la plupart des marsupiaux (kangourou, koala...).

28 août

Turquie. Anatolie. Paysage agricole entre Ankara et Hattousa.

La régularité des paysages agricoles du plateau anatolien au nord d'une ligne Ankara-Sivas, région la plus favorisée par les conditions naturelles car la plus élevée et la plus arrosée, frappe d'emblée avec ses champs ordonnés et nettement découpés, ses sillons bien tracés et ses plantations diversifiées tant de céréales (blé et orge) que de betteraves à sucre. Elle illustre le formidable développement agricole de la Turquie au cours des dernières décennies du XXe siècle, grâce à l'extension des surfaces cultivées, à l'essor de la mécanisation et à l'apparition de régions de monoculture et de grandes exploitations agricoles, lui permettant de rompre avec le cercle vicieux de la dépendance alimentaire et de devenir progressivement un pays exportateur de produits agricoles. L'intervention croissante de l'homme et de la machine sur la nature ne doit pas faire oublier les zones qui ont résisté à la monoculture, où subsistent de nombreuses petites exploitations agricoles. Elles marquent le paysage par des arbres et des bosquets qui çà et là, viennent en rompre la symétrie.

29 août

Philippines. Île de Luçon. Le Pinatubo, volcan au nord de Manille.

En 1991, l'éruption du volcan Pinatubo, la plus importante du siècle, a injecté dans l'atmosphère environ 30 millions de tonnes de sulfates jusqu'à des altitudes voisines de 25 km, formant un voile d'aérosols qui a fait passer temporairement le rayonnement solaire disponible pour la planète de 200 à 196 watts par m^2 (ce qui correspond à une diminution de 2 %). Cet épisode géologique a entraîné en 1992-1993 un abaissement des températures globales terrestres de plusieurs dixièmes de degrés. Au XXe siècle, on avait déjà noté les conséquences de deux autres éruptions violentes, celles du mont Agung (Indonésie) en 1963 et d'El Chichón (Mexique) en 1982. Les effets atmosphériques et climatiques de tels événements sont toutefois limités dans le temps et ne doivent pas faire oublier les risques de réchauffement global des climats terrestres liés aux activités humaines, en particulier la déforestation et la consommation croissante de combustibles fossiles.

30 août

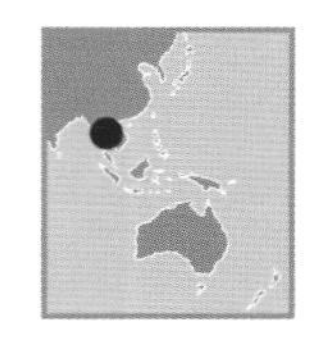

Thaïlande. Travaux des champs entre Phitsanulok et Sukhothai.

Le royaume de Sukhothai, dont le nom signifie « l'aube du bonheur », fut le premier grand royaume thaï à se développer au centre du Siam, au XIIe siècle. Entre les vallées de la Yom et de la Nan, les plaines sont vouées à la riziculture. De petites et moyennes exploitations peu mécanisées pratiquent une double récolte annuelle. Malgré un rendement assez faible (1,5 à 2 tonnes de riz par hectare), le riz occupe les trois quarts des terres arables du pays et représente la première exportation, fournissant à lui seul 40 % du marché mondial. Ce succès s'est fait au prix de l'expansion très rapide des surfaces agricoles au détriment de la forêt. Le mouvement s'est accéléré depuis 1960, avec les cultures sur brûlis pratiquées par des paysans sans terres. La forêt, qui occupait 57 % de la superficie du pays en 1961, n'en couvrait plus que 20 % en 1992. Depuis des inondations meurtrières en 1989, la Thaïlande a interdit le déboisement et importe du bois du Laos, qui entame à son tour son capital forestier. De proche en proche, l'Asie est ainsi privée des forêts qui assuraient une régulation hydrologique et climatique.

31 août

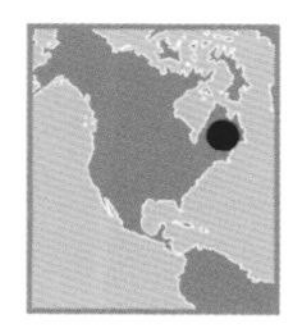

Canada. Québec. Forêt d'automne dans la région de Charlevoix.

Les collines de la région de Charlevoix, en bordure du fleuve Saint-Laurent, au Québec, sont dominées par une forêt mixte de feuillus et de conifères, dont 4 600 km² ont été classés comme Réserve de la biosphère par l'Unesco en 1988. Couvrant près des deux tiers de la province, la forêt québécoise, boréale au nord et tempérée au sud, est exploitée depuis la fin du XVIIe siècle. Aujourd'hui, elle contribue à la prospérité économique du Canada qui occupe les 1er, 2e et 3e rangs mondiaux pour les productions de papier journal, de pâte à papier et de bois d'œuvre. Longtemps surexploitée mais également rongée par des insectes parasites et par les pluies acides, la forêt canadienne a vu sa superficie diminuer de manière considérable. Cependant, elle couvre encore aujourd'hui 3,4 millions de km² et bénéficie de programmes de reboisement destinés à la préserver.

1er septembre

Kenya. Marché près de la réserve nationale de Massaï Mara.

Entre la réserve nationale de Massaï Mara et le lac Victoria, au Kenya, s'improvise régulièrement un petit marché rural à proximité du village de Lolgorien. Villageois sédentaires et nomades massaï de la région n'hésitent pas à parcourir plusieurs kilomètres pour s'y rendre. Présentées sur des nattes posées à même le sol, les marchandises proposées sur ce marché sont en majorité des vêtements d'occasion provenant d'associations caritatives. Certaines de ces fripes ont été récupérées en Europe puis triées et lavées avant d'être dispersées au Kenya comme dans d'autres pays pauvres. Une illustration du fossé Nord/Sud qui sépare la planète entre pays riches principalement situés dans l'hémisphère Nord et pays pauvres que l'on trouve pour la plupart de l'autre coté de l'équateur. Le Produit national brut (PNB) est un autre indicateur de ce fossé qui se creuse entre pays pauvres et pays riches. Calculé par habitant, il en donne le revenu moyen. Si en Europe, il est de l'ordre de 17 000 dollars, il n'est au Kenya, comme au Togo ou en Ouganda que de 340 dollars. Dans les pays à fort PNB par habitant, l'espérance de vie est plus longue et la mortalité infantile plus faible, l'accès à l'eau salubre est facile et l'analphabétisme est moindre.

2 septembre

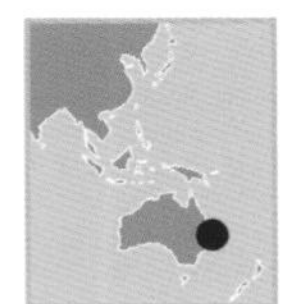

Australie. Queensland. Dune de sable au cœur de la végétation sur l'île Fraser.

Au large des côtes australiennes du Queensland, l'île Fraser porte le nom d'une femme qui y trouva refuge en 1836 après le naufrage du navire sur lequel elle se trouvait. Avec 120 km de long sur 15 km de large, elle est la plus grande île de sable du monde. Curieusement, sur ce substrat peu fertile s'est développée une forêt tropicale humide au milieu de laquelle s'insinuent de larges dunes progressant au gré du vent. L'île Fraser dispose d'importantes ressources hydriques, avec près de 200 lacs d'eau douce, et abrite une faune variée de marsupiaux, d'oiseaux et de reptiles. Exploitée dès 1860 pour son bois, notamment utilisé pour la construction du canal de Suez, l'île fut ensuite convoitée par des compagnies sablières dans les années 1970 ; c'est aujourd'hui une zone protégée, inscrite depuis 1992 sur la Liste du patrimoine mondial de l'Unesco.

3 septembre

Tunisie. Gouvernorat de Tataouine. Vallée des Ksour, entre Matmata et Tataouine.

Au sud de la Tunisie, la vallée des Ksour, pluriel du terme *ksar* qui désigne à la fois une forme d'habitat et un mode d'organisation économique, rassemble nombre de ces sites berbères en général abandonnés. Le *ksar* est d'habitude perché en hauteur pour se protéger des assaillants. C'est une sorte de grenier collectif qui servit plus tard d'habitation. L'unité de base est la *ghorfa* (pièce ou chambre) cellule de 4 à 5 m de profondeur et de 2 m de haut, elle-même divisée en niches où étaient ensilés les céréales, l'huile et le fromage. Les *ghorfas*, superposées sur plusieurs étages (jusqu'à six parfois), sont construites autour d'une cour intérieure sur laquelle elles s'ouvrent. Ces « greniers des crêtes » témoignent de la longue résistance des Berbères. Leur importance rappelle aussi qu'un climat plus humide permettait de nourrir une population importante dans ce qui est aujourd'hui aux franges du Sahara. Plus tôt encore et plus loin dans le désert, les fresques retrouvées par André Lhote dans le Tibesti confirment l'extension ancienne des oasis sahariennes.

4 septembre

Maroc. Ateliers et cuves des teinturiers à Fès.

Le quartier des teinturiers de Fès, au Maroc, a gardé son authenticité : depuis des siècles sont employées les mêmes techniques ancestrales de coloration, transmises de manière héréditaire. Les fibres textiles de laine ou de coton et les peaux tannées de mouton, de chèvre, de vache ou de dromadaire, sont immergées dans des cuves de teintures aux parois de céramique, les foulons, où elles sont piétinées par les artisans. Les colorants sont élaborés dans les moulins de l'oued Fès à partir de pigments naturels : coquelicot, indigo, safran, noyau de datte et antimoine sont respectivement utilisés pour obtenir les couleurs rouge, bleu, jaune, beige et noir. Les matières teintées serviront à confectionner les fameux tapis et objets de cuir, de renommée internationale, qui constituent les deux principaux produits artisanaux d'exportation du Maroc.

5 septembre

Islande. Archipel de Vestmannaeyjar. Île d'Eldey. Colonie de fous de Bassan.

Située au carrefour des aires géographiques arctique, américaine et européenne, l'Islande abrite une population d'oiseaux variée ; 70 espèces viennent y nicher régulièrement, et 300 autres y séjournent ponctuellement. À 14 km au sud des côtes islandaises, l'île d'Eldey, piton rocheux de 70 m de hauteur classé réserve naturelle, accueille chaque année l'une des plus importantes colonies de fous de Bassan *(Morus bassanus)* du monde, forte de près de 40 000 individus. Arrivés sur l'île en janvier-février pour la nidification, les oiseaux la quittent en septembre pour partir hiverner au large des côtes africaines, après avoir donné naissance à un seul petit par couple. Comme près d'un quart des espèces d'oiseaux de la région paléarctique, les fous de Bassan effectuent leur migration à destination de l'Afrique, parcourant plus de 300 km par jour et bravant les risques naturels (vents contraires, prédateurs...) ainsi que les périls résultant des activités humaines (assèchement des milieux, pesticides...). C'est sur l'île d'Eldey que furent exterminés en 1844 les deux derniers spécimens de grand pingouin *(Alca impennis)*, espèce naguère répandue et désormais disparue.

6 septembre

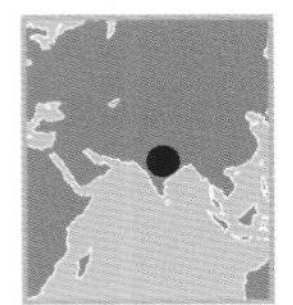

Inde. Rajasthan. Jamwa Ramghar Tal, nord-est de Jaipur.

Les deux tiers de l'État du Rajasthan sont occupés par le grand désert de Thar. Mais le troisième tiers, à l'est de la chaîne montagneuse des Aravalli qui arrête les pluies de mousson, offre un paysage verdoyant et fertile, façonné de main d'homme, au prix de grands travaux hydrauliques. Dès l'époque des maharadjahs, de nombreux lacs de barrage ont été construits pour stocker les pluies de mousson et irriguer les champs. La forte salinité de l'eau, qu'elle provienne des lacs ou de la profonde nappe phréatique, stérilise cependant les sols. Cela n'empêche pas les grands travaux d'irrigation de s'étendre au désert de Thar, par le canal du Gange et celui du Rajasthan, long de 650 km, en construction. Une course de vitesse est ainsi lancée avec le désert qui avance vers le nord à une vitesse moyenne de 13 000 ha par an. L'ambition de faire fleurir le Thar en utilisant le réservoir d'eau himalayen rappelle des projets similaires à l'orée d'autres déserts : le barrage d'Assouan, le canal entre le Tigre et l'Euphrate, ou l'exploitation des eaux fossiles du désert égyptien à Bahriya. Utilisée à 75 % dans le monde pour l'irrigation, l'eau devient le principal facteur limitant de la production agricole.

7 septembre

Kenya. Mida Creek au sud de Malindi.

Avec ses safaris et les nombreuses stations balnéaires de sa côte protégée par une barrière de corail, le Kenya a acquis le premier rang touristique en Afrique. Dans le paradis ornithologique de Mida Creek, entouré de mangroves et peuplé de marabouts, flamants, hérons et autres oiseaux, des activités diverses sont proposées aux touristes : plongée sous-marine (le site, classé réserve marine, abrite une espèce protégée de mérous géants), excursions en boutres (ou *dhow*)... Pendant plus de mille ans, les boutres ont été le moyen de communication privilégié de l'Afrique orientale. Ce sont les Perses et les Arabes qui, à l'occasion des premiers liens commerciaux réguliers avec la région, introduisirent cette embarcation à voile. Profitant des vents de la mousson d'hiver soufflant depuis le nord-est, les navigateurs venaient échanger textiles, blé, vin ou verroterie et repartaient les cales chargées de bois précieux, d'ivoire, de cornes de rhinocéros et surtout d'esclaves. De juin à octobre, au gré de la mousson humide, les boutres prenaient le chemin inverse. Aujourd'hui seule une navigation de cabotage entre la Somalie et la Tanzanie subsiste.

8 septembre

Égypte. Assouan. L'obélisque inachevé.

Cet obélisque, aiguille de pierre quadrangulaire caractéristique de l'époque pharaonique, a été abandonné à la suite d'un accident en cours d'extraction. La puissance immobile qu'exprime l'obélisque allongé sur son lit de taille, dont la base semble sortir des profondeurs terrestres, est celle d'un symbole en construction faisant toujours partie de la nature. Il ne lui échappera que lorsqu'il sera extrait de sa gangue, transporté à force d'homme jusqu'à son lieu d'exercice. Alors seulement l'obélisque atteindra sa pleine signification et, par son érection, prendra place dans le cortège des symboles grandioses des sociétés humaines. La France détient plusieurs obélisques, tel celui de la place de la Concorde, offert à la France par le vice-roi d'Égypte Mehemet-Ali et érigé en 1836. Il ornait autrefois l'entrée du palais de Ramsès II. Comme ce monument, des œuvres d'art présentes dans les grands musées du monde ont été prélevées dans le patrimoine artistique d'un autre pays. Quelques-unes ont été achetées ou offertes mais d'autres sont des prises de guerre ou le fruit d'un vol. Aujourd'hui, certains gouvernements réclament la restitution de ces œuvres dans leur pays d'origine. Une demande légitime mais difficile à mettre en place car elle soulève de nombreuses réticences.

9 septembre

Namibie. Rive d'un lac dans le parc national d'Etosha.

Vus du ciel, les dépôts de sel accumulés dans les anfractuosités des rives de ce lac dessinent des formes étonnantes de plantes ou d'animaux chimériques. Comptant parmi les plus grands espaces protégés d'Afrique avec 22 270 km², ce parc est établi autour d'une vaste cuvette de 6 000 km² couverte de sel *(Etosha pan)* qui se transforme en lac quelques semaines par an, lors de la saison des pluies. Son eau, trop saumâtre pour être consommée par les mammifères, permet en revanche le développement d'une algue bleu-vert, aliment favori des dizaines de milliers de flamants roses qui viennent nicher sur le site. Lorsque l'eau a disparu, la cuvette se recouvre de graminées dont se nourrissent les grands herbivores du parc. Aujourd'hui, il existe dans le monde 13 321 aires protégées (parcs nationaux ou réserves) comme Etosha, représentant une superficie totale de plus de 6,1 millions de km² (8,9 % des terres émergées du globe).

10 septembre

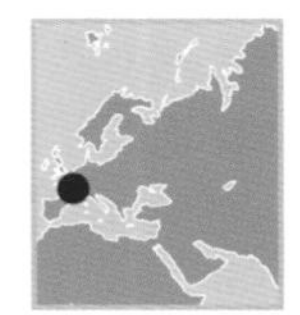

France. Paris. Palais-Royal. Colonnes de Buren.

En 1986, l'artiste français Daniel Buren réalisa une sculpture de 3 000 m² dans la cour d'honneur du Palais-Royal. Les « colonnes de Buren » firent naître une violente polémique sur l'intégration de l'art contemporain au patrimoine historique. Longtemps considéré comme le cœur de Paris, le Palais-Royal fut en effet bâti en 1635 par l'architecte Jacques Lemercier, à l'initiative du cardinal de Richelieu, pour exprimer la centralisation croissante du pouvoir royal. De l'édifice d'origine – appelé alors le Palais-Cardinal – seule subsiste la galerie des Proues. L'essentiel des bâtiments actuels remonte à la Restauration. L'architecture du Palais-Royal, maintes fois remaniée, résume plusieurs siècles d'histoire de l'art. Les nombreux dignitaires qui s'y sont succédé ont presque tous laissé une trace esthétique qui matérialisait leur puissance politique. Quand le ministère de la Culture confia à Daniel Buren le soin d'aménager la cour d'honneur du Palais-Royal, il s'inscrivit donc dans une tradition politique et architecturale ancienne. À quelques pas de là, avec la pyramide de Pei dans la cour du Louvre, François Mitterrand fit de même.

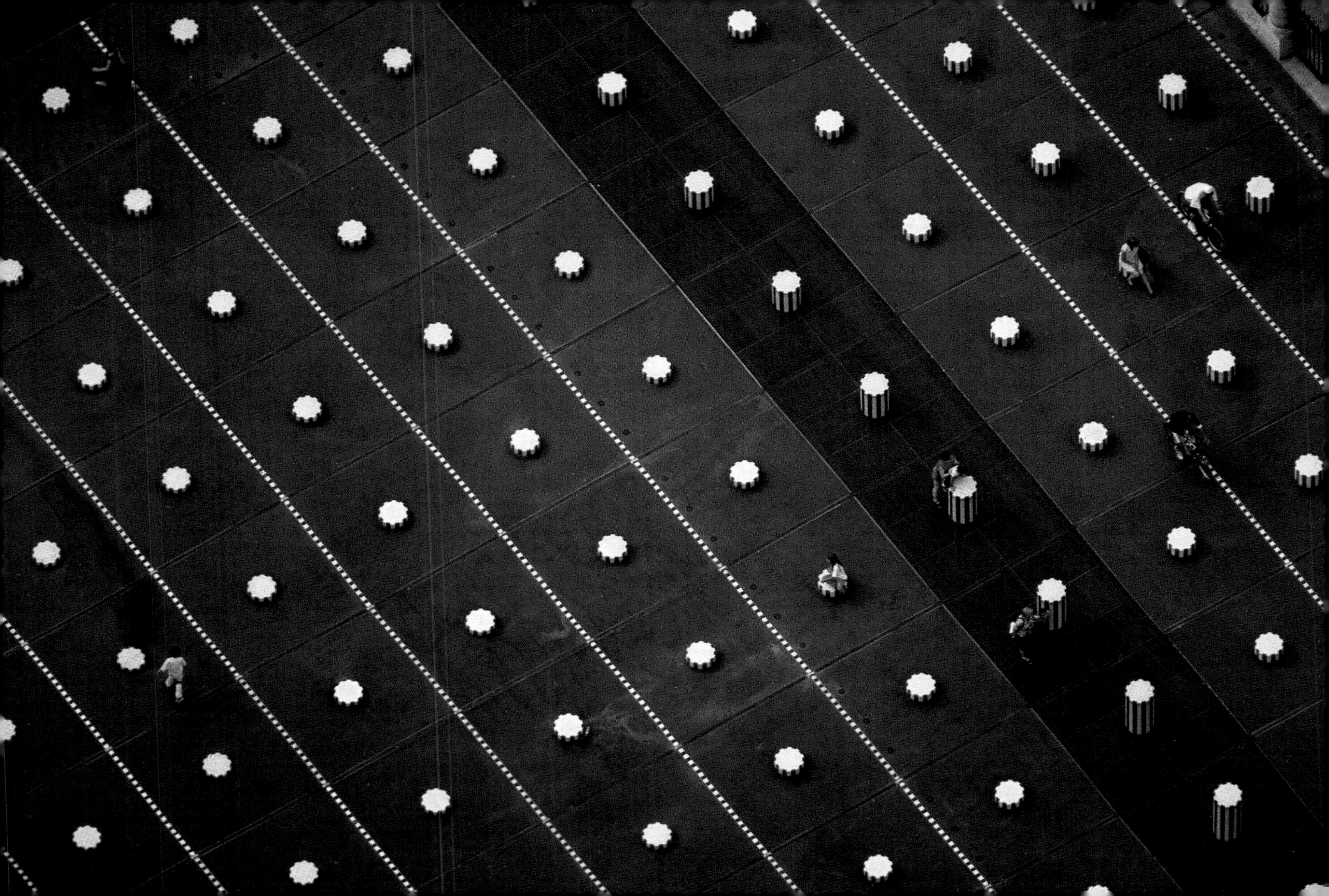

11 septembre

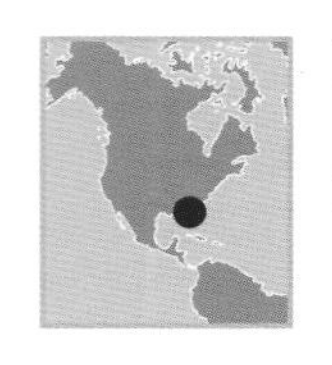

États-Unis. Floride. Dégâts d'une tornade dans le comté d'Osceola.

Le 22 février 1998, une tornade de force 4 (vents de 300 à 400 km/h) a terminé sa course dans le comté d'Osceola, après avoir dévasté trois autres comtés du centre de la Floride. Emportant dans son tourbillon plusieurs centaines d'habitations, elle a tué 38 personnes et en a blessé 250. Ce type de tornade violente, assez rare en Floride, est généralement lié au phénomène climatique El Niño qui, tous les cinq ans environ, provoque de fortes perturbations sur l'ensemble du globe. Ainsi, la période d'avril 1997 à juin 1998 a été marquée par nombre de catastrophes : tornades aux États-Unis, cyclones au Mexique et à Tahiti, sécheresse en Indonésie et en Amazonie, pluies diluviennes en Somalie et au Kenya. Durant ces deux dernières années, El Niño aurait été à l'origine de la disparition de plus de 20 000 personnes dans le monde.

12 septembre

Japon. Honshu. Cimetière à Kyoto.

Qu'il s'agisse de leurs cérémonies funéraires ou de leur conception du suicide, les Japonais ont fait de la mort un véritable rituel. À leurs yeux, la « mort décidée » s'inscrit dans le cadre du code de l'honneur et de la loyauté des guerriers samouraïs (dont les kamikazes ont constitué un exemple récent). Les cérémonies funéraires japonaises répondent à toute une série de règles concernant aussi bien l'orientation du caveau ou du défunt (vers le nord) que le déroulement proprement dit des funérailles et du repas d'adieu au mort, qui suit celles-ci ; la nécessaire purification par le sel des personnes qui ont assisté à la cérémonie ; ou encore la pratique de l'incinération, très répandue avec le bouddhisme, qu'accompagnent différents rites, tel celui de récupérer les os avec une paire de baguettes de longueur inégale et de les laisser plus d'un mois sur l'autel de la maison avant de les enterrer au cimetière. Cet intérêt pour la mort a son parallèle statistique pour la vie puisque les Japonais ont la plus longue espérance de vie au monde : 83 ans pour les femmes, 78 pour les hommes.

13 septembre

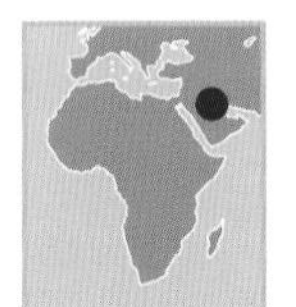

Koweït. Région de Jahra. Rejets d'une usine de dessalement d'eau de mer d'Al-Doha.

Les deux usines de dessalement d'eau de mer d'Al-Doha au Koweït produisent respectivement 1 200 et 6 000 m^3 par jour d'eau douce selon la technique de distillation thermique instantanée (système « flash »). Après traitement, l'eau impropre à la consommation est rejetée en mer où, dessinant l'image d'un monstre tentaculaire, elle se mêle à celle du golfe Persique. Longtemps tributaire de puits artisanaux et d'importations en provenance d'Irak pour s'approvisionner en eau potable, le Koweït dispose aujourd'hui de plusieurs usines qui produisent plus de 400 millions de litres d'eau dessalée par an, couvrant 75 % des besoins du pays. Grosses consommatrices d'énergie, les stations de dessalement ne sont accessibles qu'aux États disposant d'importantes ressources, notamment pétrolières, comme ceux de la péninsule Arabique qui, avec une quarantaine d'usines, produisent plus de la moitié de l'eau dessalée du monde.

14 septembre

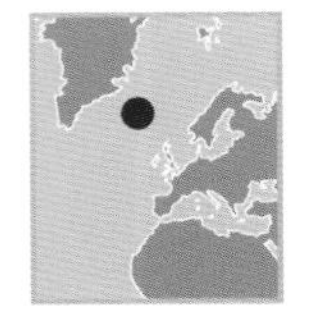

Islande. Presqu'île de Reykjanes. Blue Lagoon, près de Grindavik.

Région volcanique, la péninsule de Reykjanes, en Islande, compte de nombreuses sources chaudes naturelles. Le Blue Lagoon (ou Blaá Lónidh) est un lac artificiel alimenté par le surplus d'eau de la centrale géothermique de Svartsengi. Captée à 2 000 m sous terre, l'eau, portée à 240 °C par le magma en fusion, atteint la surface à 70 °C, où elle est utilisée pour chauffer les villes voisines. La couleur bleu laiteux du lagon résulte du mélange minéral de silice et de calcaire du bassin combiné avec la présence d'algues en décomposition. Riche en sels minéraux et matières organiques, le Blue Lagoon est notamment réputé pour ses propriétés curatives (maladies de peau). Source d'énergie renouvelable relativement récente, la géothermie est de plus en plus exploitée ; en Islande, 85 % de la population du pays bénéficie de cette source de chaleur.

15 septembre

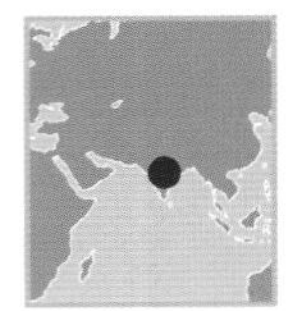

Inde. Uttar Pradesh. Puits à Fatehpur Sikri.

Le Grand Moghol Akbar, empereur de l'Inde, fit construire en 1573 la ville de Fatehpur Sikri pour célébrer sa victoire sur les Afghans. À 38 km de la cité impériale d'Agra, il logea magnifiquement sa cour dans des palais de grès rouge au sommet d'un plateau rocheux. On a souvent comparé Fatehpur Sikri à un Versailles dont Agra aurait été le Paris. La similitude des destins s'arrête là car Fatehpur Sikri fut abandonnée quinze ans après son achèvement. Cette ville fantôme forme un contraste frappant avec la plaine du Gange qu'elle surplombe et où vit l'une des plus grandes concentrations humaines au monde. On a justifié l'abandon de Fatehpur Sikri par le nomadisme des Mongols : le plan de la ville rappelle en effet celui des campements nomades que dressaient les envahisseurs venus des steppes. Mais il est plus vraisemblable que la nappe phréatique ait été rapidement épuisée par l'entretien des parcs et des pièces d'eau, comme en témoigne la profondeur des puits dont se servent actuellement les paysans des alentours. L'irrigation, qui a souvent permis la révolution verte, donc une production suffisante de nourriture, épuise les nappes phréatiques et certains pays très peuplés risquent à terme de manquer d'eau et donc peut-être de nourriture.

16 septembre

Maroc. Filets de pêche dans le port d'Agadir.

À Agadir, premier port de pêche du Maroc, des filets de plusieurs centaines de mètres sont tendus sur le sol pour y être réparés avant les prochaines sorties en mer. Avec 3 500 km de littoral, le pays dispose d'importantes ressources halieutiques ; ses eaux abritent près de 250 espèces de poissons, notamment des sardines, qui migrent le long des côtes, profitant des *upwellings*, remontées d'eaux riches en nutriments. La pêche marocaine, avec ses chalutiers et ses petites barques à moteur, reste à 75 % artisanale. Les sardines constituent plus de 80 % des prises, et Agadir est devenu le premier port sardinier du monde. Depuis 1970, le nombre mondial de navires de pêche a sextuplé et celui des poissons prélevés en mer a doublé. Au rythme de pêche actuel, les ressources halieutiques, dont 60 % sont déjà surexploitées, sont exposées au risque de l'épuisement.

17 septembre

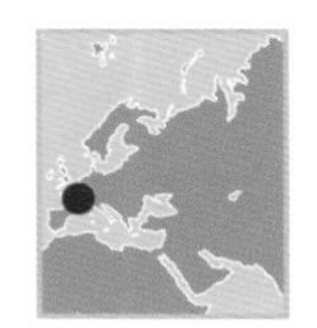

France. Charente-Maritime. Parc à huîtres, près de Marennes.

À Marennes, ce n'est pas le sable mais la vase que l'océan Atlantique couvre et découvre au rythme des marées. Au XIXe siècle, paysans, borduriers et marins ont ajouté à leur activité initiale l'élevage intensif de l'huître, tirant profit de la disparition des salines, ruinées par la concurrence du sel mexicain. Sous l'impulsion de Napoléon III, désireux de créer une production modèle dans le bassin désaffecté, l'estran se transforma rapidement en une mosaïque de *claires*, ou bassins alimentés par un mélange d'eau de mer et d'eau douce. Cette technique d'élevage entre terres et eaux, d'abord spécifique à la région de Marennes, s'est répandue par la suite. Elle consiste en un apport de vase nourricière charriée par l'alternance des marées ; c'est une algue bleue microscopique, *Navicula ostrearia*, qui, grâce à un pigment appelé marennine, procure à la chair de l'huître sa coloration particulière, le verdissement. L'homme et la nature entrent ici dans une collaboration si intime qu'ils finissent par vivre au même rythme. À Marennes, on suit le calendrier lunaire dicté par les marées, plutôt que le calendrier solaire adopté par les civilisations agricoles à l'aube des temps.

18 septembre

Thaïlande. Île de Phuket. Village de Koh Pannyyi, dans la baie de Phang Nga.

Très découpé, le littoral ouest de la Thaïlande présente une succession de baies bordées de nombreuses îles qui baignent dans la mer d'Andaman, notamment Phuket, au bord de la péninsule de Malacca. Autrefois terre aride, la baie de Phan Nga résulte de la montée des eaux à la fonte des glaces, il y a dix-huit mille ans, qui n'a laissé apparaître que le sommet des montagnes calcaires désormais couvertes de végétation tropicale ; elle a été classée parc marin en 1981. On retrouve un relief de karsts à piton similaire dans d'autres sites d'Asie du Sud-Est, les plus connus étant la baie d'Halong au Vietnam et la région de Guilin en Chine. Protégé des moussons par un des versants de la montagne, Koh Pannyyi est un village flottant sur bambous de 400 habitants, qui vivent essentiellement du produit de la pêche traditionnelle. On estime qu'environ 95 % des pêcheurs vivent dans les pays en développement, les pêcheurs asiatiques représentant 85 % du total mondial, fournissant un tiers des produits de pêche de la planète.

19 septembre

Brésil. Plan large sur la ville de São Paulo.

La petite mission fondée par les Jésuites en 1554 est devenue la première agglomération du continent avec 26 millions d'habitants pour autant qu'on puisse les compter. La ville qui occupe déjà 8 000 km², soit la taille d'un département français, progresse de 60 km² chaque année. Elle s'accroît aussi en hauteur, les maisons basses ayant été remplacées par les *predio alto* (immeubles à étages), puis par les *edificio* (tour) et maintenant par d'orgueilleux *arranha céu* (gratte-ciel). Immanquablement, la concentration de population s'est traduite par un afflux de voitures et par des embouteillages qui non moins immanquablement ont accentué la pollution de l'air. À cet égard, São Paulo est devenu aussi irrespirable que Mexico, plus exposé par son altitude, et qu'Athènes où l'inversion de la circulation atmosphérique laisse stagner le néphos toxique et verdâtre. À Londres, le smog qui entraînait bronchites, asthme et maladies pulmonaires mortelles a disparu par une loi des années 1960 qui imposait des filtres aux cheminées. Qui aura le courage de supprimer la pollution automobile, donc de réglementer l'usage de la déesse des temps modernes ?

20 septembre

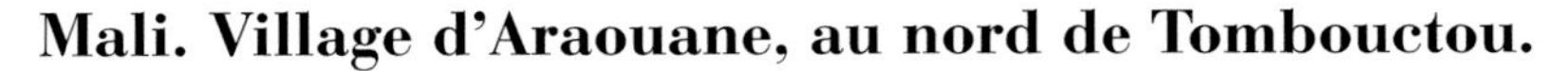

Mali. Village d'Araouane, au nord de Tombouctou.

Situé dans la partie saharienne du Mali, à 270 km au nord de Tombouctou, le village d'Araouane est installé sur le grand axe caravanier qui relie le Nord du pays à la Mauritanie. Il compte à sa périphérie de nombreux campements nomades installés autour des puits. Cependant, peu à peu, Araouane disparaît, envahi par les dunes de sable qui, poussées par les vents, engloutissent certaines maisons. Réparti sur dix pays d'Afrique, le Sahara est, avec une superficie de près de 8 millions de km^2, le plus grand désert chaud du monde. Il n'est pas exclusivement constitué de sables mais aussi de regs, surfaces d'érosion parsemées de cailloux, de grands plateaux pierreux (tassilis et hamadas), ainsi que de hauts massifs montagneux (Hoggar, Aïr, Tibesti). Ces derniers occupent 20 % de sa superficie. Le Sahara n'a pas non plus toujours été un désert : il y a moins de huit mille ans, la vaste zone aride que nous connaissons aujourd'hui était en effet couverte de végétation et peuplée d'une faune tropicale variée.

21 septembre

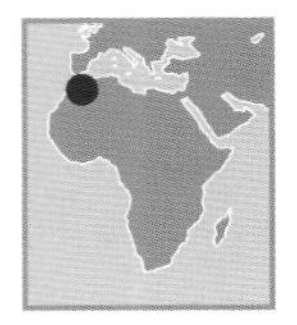

Maroc. Gorges du Dadès.

Située entre le Haut Atlas et l'Anti-Atlas, la vaste plaine fluviale du Dadès s'étend jusqu'aux falaises tabulaires qui en bouchent l'horizon. Dans les creux de verdure, entre les hautes parois et le chaos minéral, se blottissent des villages, constitués de *kasbas*. Ce sont des maisons fortifiées, construites en pisé (terre crue plus ou moins argileuse), caractéristiques des gorges du Dra et du Dadès. Elles se parent des mêmes teintes que les roches et les terres bariolées de cette région, entre le rouge, le mauve et l'ocre. Les nombreux jardins, cultivés pour la consommation locale, viennent verdir le paysage et adoucir l'univers rude des Berbères du Haut Atlas, où la moindre parcelle de terre arable est exploitée grâce aux oueds, ces cours d'eau intermittents des régions arides. Les arbres et les arbustes de cette vallée – amandiers, noyers et peupliers – plantés depuis des générations, se distinguent de ceux qu'on rencontre habituellement au Maroc. Cet art de vivre suppose une main-d'œuvre persévérante, peu attirée par le mode de vie moderne, donc de plus en plus rare. Les jeunes gagnent les villes du Nord. Dans un pays en forte croissance démographique, ces lieux sont menacés par l'abandon.

22 septembre

Jordanie. Maan, Wadi Rum. Irrigation en carrousel.

En 1952, l'Américain Frank Zybach inventa le carrousel d'arrosage autopropulsé pour entretenir les jardins d'agrément. Depuis lors, sa découverte s'est répandue dans le monde entier où elle permet d'installer des cultures dans le désert en pompant l'eau du sous-sol. C'est ici le cas dans le sud du désert de Néguev sur les bords secs d'un oued, le Wadi Arab, qui sert de frontière naturelle entre Israël et la Jordanie. Les deux pays se disputent d'ailleurs leurs rares ressources hydrauliques du nord au sud. Dès la frontière syrienne, ce sont les eaux du Jourdain qui sont dérivées des deux côtés et au sud de la mer Morte, ce sont les nappes phréatiques qui attisent les rivalités. Près des trois quarts de l'eau utilisée dans le monde sert à l'irrigation. Les nappes souterraines et les fleuves sont devenus des enjeux stratégiques aussi importants que les gisements d'hydrocarbures. Ils accentuent les antagonismes au Proche-Orient : barrages turcs et syriens sur le Haut Euphrate et le Tigre que guettent les Irakiens ou bien projets soudanais d'utilisation des eaux du Nil avant qu'elles ne parviennent en Égypte. On risque donc d'assister à des guerres de l'eau.

23 septembre

Niger. Massif de l'Aïr. Rejets de la mine d'uranium d'Arlit.

Au cœur du Niger, le massif de l'Aïr est aussi la terre ancienne des Kel Aïr, une tribu de Touaregs qui a dominé tout le Sahara occidental. Au début des années 1960, cette zone aride a attiré des populations venues de toute l'Afrique de l'Ouest en raison de la découverte des gisements d'uranium, minerai appelé à devenir rapidement la ressource essentielle du Niger (70 % des exportations). Dans les nouvelles villes d'Arlit et d'Ahokan, une partie des *Imageren* (« hommes libres » dans la langue touarègue, le tamacheq) s'est sédentarisée. Aujourd'hui l'effondrement de la demande et des cours de l'uranium les a pris au piège. Aussi tentent-ils de renouer avec leur mode de vie multiséculaire. Eux pour qui « la maison est le tombeau des vivants » et qui ne connaissent pas de mot pour désigner l'étranger (ils parlent des *imedochan*, « les entrants », c'est-à-dire ceux que l'on accueille sous la tente), s'organisent peu à peu (fondation de l'Union démocratique pour le progrès social à Agadez). Mais ils se heurtent à des logiques politiques qui les dépassent. Les anciens maîtres, habitants éphémères de villes modernes, deviennent un sous-prolétariat dominé par les populations du sud du Niger, autrefois leurs esclaves.

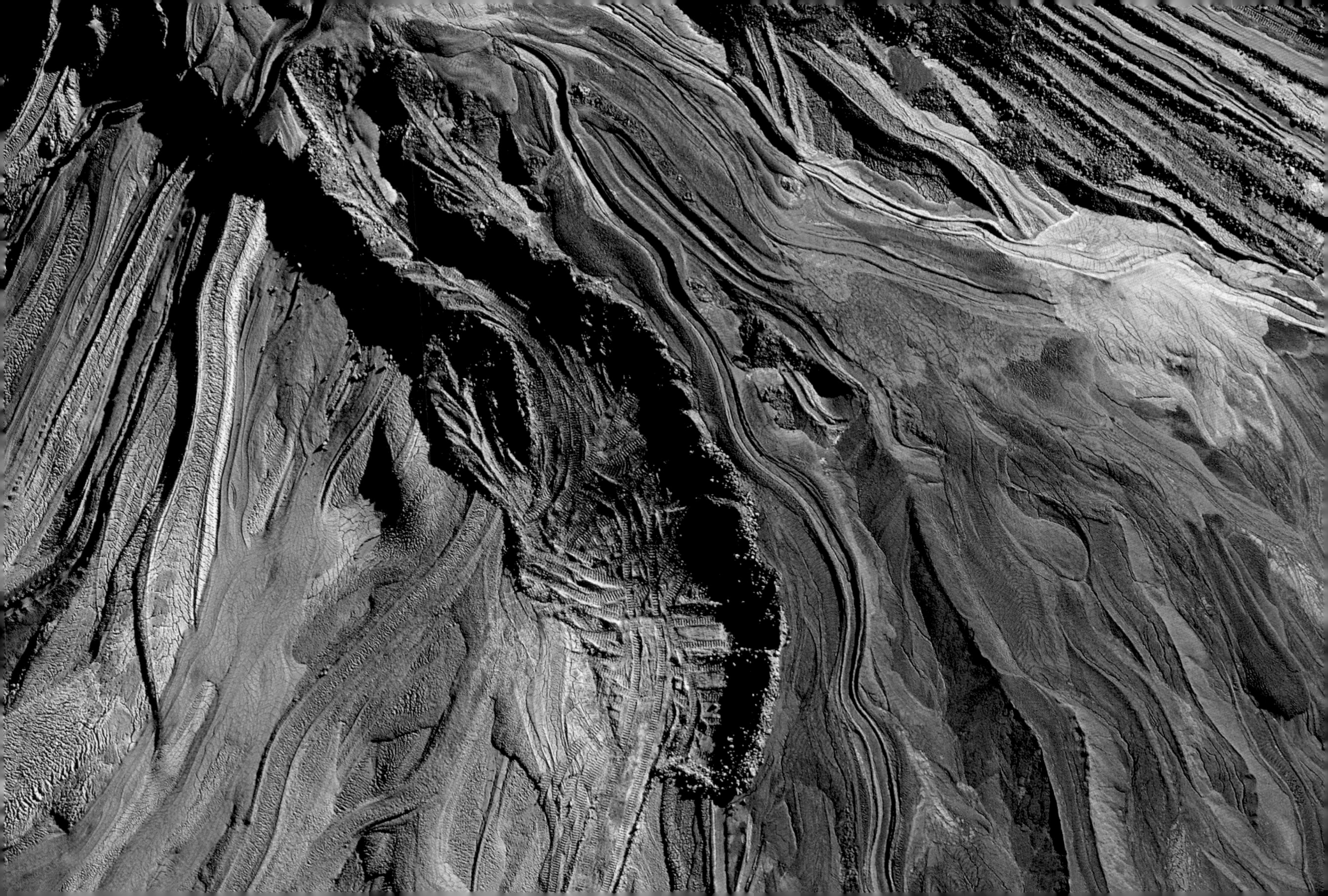

24 septembre

France. Nouvelle-Calédonie. La Mangrove, palétuviers du Cœur de Voh.

La mangrove est une formation arborée amphibie caractéristique des littoraux tropicaux et subtropicaux, qui se développe sur les sols salés et vaseux exposés aux alternances de marées. Constituée de diverses plantes halophytes (capables de vivre sur les sols salés), avec une prédominance de palétuviers, elle est présente sur quatre continents, couvrant une superficie totale de 170 000 km², soit près de 25 % des zones côtières du monde. La Nouvelle-Calédonie, ensemble d'îles du Pacifique qui couvre 18 575 km², compte 200 km² d'une mangrove assez basse (8 à 10 m) mais très dense, principalement sur la côte ouest de l'île la plus importante, Grande-Terre. À certains endroits, à l'intérieur des terres, là où l'eau marine ne pénètre qu'au moment des grandes marées, la végétation cède la place à des étendues nues et sursalées, qui sont appelées tannes ; c'est le cas à proximité de la ville de Voh, où la nature a dessiné cette clairière en forme de cœur. Riche en diversité biologique, la mangrove est un habitat fragile, qui subit la pression de diverses activités humaines : surexploitation des ressources naturelles, assèchement des milieux, expansion agricole, urbanisation du littoral, pollution…

25 septembre

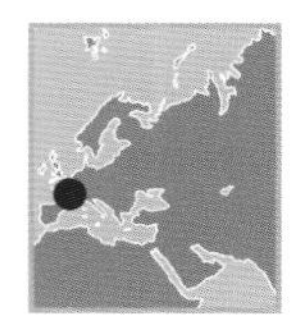

France. Charente. Paysage agricole près de Cognac.

Au XIXe siècle, les vignes de Charente, grande région viticole, furent ravagées, comme près de la moitié du vignoble français, par le phylloxera, maladie causée par un puceron parasite. Une partie importante des cépages de cette région fut remplacée par des cultures céréalières qui dominent encore le paysage actuel. Le vignoble s'est néanmoins peu à peu reconstitué autour de la ville de Cognac, où la production d'alcool du même nom n'a cessé d'augmenter. Poussant sur un sol crayeux, le cépage ugni blanc, appelé localement saint-émilion, fournit un vin qui, après distillation et vieillissement en fûts de chêne, donne naissance au cognac, appellation limitée à ce seul terroir. Avec plus de 10 000 exploitations sur 900 km^{2}, la région de Cognac produit plus de 190 millions de bouteilles par an de ce prestigieux alcool ; plus de 90 % sont exportés, principalement vers les États-Unis et le Japon, mais aussi vers les autres pays d'Europe.

26 septembre

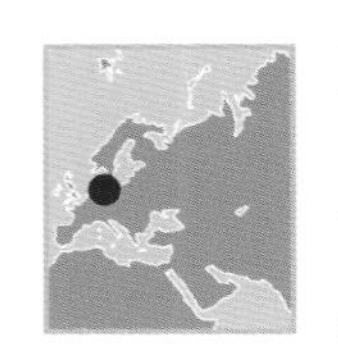

Danemark. Seeland. Lotissements à Brøndby, banlieue de Copenhague.

Afin de concilier aménagement de l'espace, sécurité et confort, les lotissements de Brøndby, dans la banlieue sud-ouest de Copenhague, sont disposés en cercles parfaits où chaque propriétaire dispose d'une parcelle de 400 m² dotée d'un jardin qu'il doit traverser pour rejoindre sa demeure. Ce type de quartier résidentiel, à la fois agréable et fonctionnel pour répondre aux attentes des populations, se développe de plus en plus en périphérie des grands centres urbains pourvoyeurs d'emplois. En raison de l'expansion industrielle et de la croissance démographique de la plupart des pays, le nombre de citadins dans le monde a augmenté de plus de 13 % durant les cinquante dernières années. Près de la moitié de la population de la planète (45 %) vit aujourd'hui en ville, principalement dans les pays développés (75 % de citadins).

27 septembre

Madagascar. Région de Toamasina. Récif corallien près de Nosy Sainte-Marie.

Sainte-Marie, au nord de la province de Tamatave (Toamasina en malgache), désigne une longue langue de terre parallèle à la côte malgache, dont elle est distante d'une quarantaine de kilomètres. C'est, avec ses plages, ses coraux et sa végétation luxuriante, l'un des sites les plus attirants de Madagascar. La côte orientale de Madagascar, rectiligne et sableuse sur plus de 1 000 km, laisse affleurer par endroits des récifs particuliers nommés « frangeant à canal actuel » qui facilitent l'accès à la terre, notamment au port de Tamatave, le plus important de l'île. Les Portugais, premiers Européens à y aborder, lui laissèrent sans doute son nom, l'appellation de Toamasina se référant à saint Thomas. La légende malgache est plus prosaïque : Radama Ier, descendant pour la première fois des hauts plateaux, aurait dit en goûtant l'eau à cet endroit : « *Toa masina !* » (c'est salé !). L'opposition aux Européens des peuples malgaches venus du Mozambique et de l'Asie du Sud ne s'arrête pas à l'étymologie. Elle s'est manifestée au nord de l'île par une terrible révolte anticoloniale en 1947, matée dans un bain de sang.

28 septembre

Équateur. Archipel des Galápagos. Groupes d'îles du Chapeau chinois.

Volcan sur la côte ouest de l'île de San Salvador.

Pour ceux que leur bateau conduit dans les parages, l'émergence d'un volcan dans une région de laves prend toujours un aspect lunaire. Tant de terres brutes et stériles entourées de tant d'eau impossible à maîtriser ramènent chaque fois au premier plan la question de la naissance de la vie. De quels éléments ici présents est-elle issue, de quelle combinaison de molécules, de quelles conditions de pression et de chaleur ? Comment une semblable « bouche à feu » à laquelle ses épandages anciens donnent une allure conique aussitôt rongée par les vagues a-t-elle pu participer à une genèse autre que celle de formes nées du refroidissement d'une fusion ? Malgré la loi de mars 1998 réglementant de façon stricte le tourisme aux Galápagos – certains sites ne sont accessibles qu'à des groupes de douze personnes accompagnées d'un guide sous licence –, le nombre de visiteurs ne cesse d'augmenter. En 1998, plus de 62 000 personnes ont visité l'archipel.

29 septembre

Pérou. Ica. Les trapèzes de Nazca.

Le désert côtier du Pérou a l'apparence d'un champ infini de cailloux semblable aux ergs sahariens. Mais si l'on creuse un peu, on trouve des aqueducs souterrains aux nombreuses ramifications, les *puquios*, construits par les énigmatiques Nazcas qui vivaient ici il y a 2300 ans. En surface, les Nazcas ont dessiné d'immenses figures avec des lignes profondes de 10 à 30 cm et larges parfois de plusieurs mètres. D'avion, ou d'une hauteur, on s'aperçoit que certaines représentent des animaux, un colibri qui mesure 60 m ou une araignée de 46 m. D'autres sont purement géométriques comme ce long trapèze. S'agit-il d'une carte géante du ciel dont les figures représenteraient les constellations comme le pense l'astronome Maria Reiche ? Ne seraient-ce pas plutôt les images de dieux nazcas ? Ne disposant ni de pierres à sculpter comme les Incas, ni de torchis à modeler comme les Indiens Chan Chan, les Nazcas auraient tiré parti du seul matériau à leur portée, le cailloutis sans fin de leur désert. Les deux explications ne sont pas incompatibles puisque dans de nombreuses mythologies les dieux sont associés aux étoiles et aux planètes.

30 septembre

Kenya. Éléphants dans le parc de Meru.

Le parc de Meru, à l'est du mont Kenya, est avec ses 870 km² l'un des plus grands parcs du pays. Il se distingue par une végétation particulièrement luxuriante qui se développe à la faveur des dix-neuf cours d'eau qui le traversent. Le parc est aussi connu pour avoir subi un braconnage intensif, alimentant notamment le trafic de l'ivoire. Dans les années 1960, une politique de protection et de réintroduction des espèces décimées, comme les léopards par exemple, a été engagée. Mais durant les deux décennies suivantes, le nombre d'éléphants a considérablement diminué et les rhinocéros blancs ont disparu. Le parc de Meru reste pourtant une zone privilégiée pour les éléphants (*tembo* ou *Ndovu*). En effet, tandis que les mâles trouvent des conditions parfaites dans la zone humide des marais (ils consomment de 150 à 200 kg de fourrage pour 100 à 300 litres d'eau quotidiens), les femelles et les éléphanteaux se regroupent dans la zone sèche de la savane, au sud de la réserve. Dans un pays qui a connu durant les années 1970 et 1980 la plus forte croissance démographique au monde (4 % par an ; 8 enfants en moyenne par femme) et dont les meilleures terres ont été accaparées par les colons ou des sociétés privées, protéger la vie sauvage relève de la gageure.

1er octobre

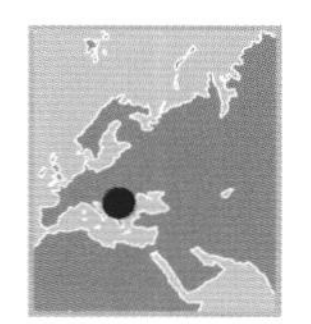

Albanie. Camp de réfugiés au nord-ouest de Kukës.

Fin mars 1999, au Kosovo, province de Serbie peuplée à 90 % d'Albanais, la politique discriminatoire des autorités de Belgrade a engendré de très fortes tensions. Les puissances occidentales ont aussitôt engagé une opération militaire contre la Serbie, la soumettant à des bombardements intensifs. La police et l'armée serbes ont provoqué et organisé l'exode de centaines de milliers de Kosovars. Accueillis dans l'urgence par les pays riverains, dans des conditions précaires, près d'un million de réfugiés sont installés dans des campements de toile, essentiellement en Albanie (440 000), comme ici au nord-ouest de Kukës, et en Macédoine (250 000). Hormis les réfugiés du Kosovo, environ 50 millions de personnes dans le monde sont en ce tournant de siècle victimes de déplacements forcés.

2 octobre

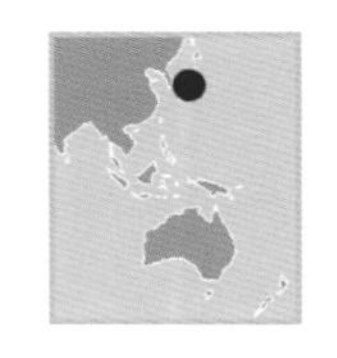

Japon. Honshu. Échangeur autoroutier près du port de Yokohama.

Yokohama est la deuxième ville du Japon après Tokyo et le principal port international du pays par lequel transite un cinquième des exportations et des importations japonaises. C'est aussi la plus importante place maritime asiatique et l'incontournable voie d'accès des étrangers à l'empire du Soleil-Levant. Les autoroutes qui l'encerclent sont le symbole d'un développement économique en grande partie appuyé sur le transport routier, comme dans la plupart des pays industrialisés. Suivant ce modèle dominant, les surfaces autoroutières ont augmenté partout dans le monde. Le nombre de véhicules s'élève à presque 700 millions, principalement concentrés dans les pays développés : 30 % pour les seuls États-Unis et 2,5 % en Afrique. La densité automobile est aussi mal répartie : 760 voitures pour 1 000 habitants aux États-Unis et seulement 6 en Inde. Cet écart est un sujet de discorde entre les pays du Sud et ceux du Nord. Au vu des énormes problèmes de pollution que génère la circulation automobile, il semble improbable que les pays pauvres disposent un jour d'autant de véhicules que les pays riches. L'avenir appartient sans doute à une autre organisation des transports car la mobilité reste une condition de la réussite d'un développement durable de la planète.

3 octobre

Antarctique (pôle Sud). Icebergs au large de la terre Adélie.

Ces icebergs qui dérivent au gré des courants marins se sont récemment détachés des plates-formes glaciaires de l'Antarctique, comme en témoignent leur forme tabulaire et les strates de glace encore visibles sur leurs flancs anguleux. Seule émerge une faible partie du volume de chacun, plus de 80 % restant sous le niveau de l'eau. Comme les 2 000 km^3 de glace détachés chaque année de l'Antarctique, ces icebergs subiront lentement l'érosion des vents et des vagues avant de basculer puis de fondre complètement. Continent des extrêmes avec une superficie de 14 millions de km^2, des températures descendant jusqu'à -70 °C et des vents atteignant 300 km/h, l'Antarctique recèle 90 % des glaces et 70 % des réserves d'eau douce de la planète. Enjeu de revendications territoriales dès le XIXe siècle, il est régi depuis 1959 par le traité de Washington qui limite son utilisation aux seules activités pacifiques et scientifiques.

4 octobre

Venezuela. Delta de l'Orénoque. Maisons sur pilotis à la pointe du Pêcheur.

Les voyageurs européens qui débarquèrent dans la lagune de Maracaibo à la fin du XVe siècle baptisèrent ce territoire du nom de Venezuela, littéralement « petite Venise ». Quelques années auparavant, les membres d'équipages des caravelles de Christophe Colomb – qui avaient, pour leur part, jeté l'ancre non loin du delta de l'Orénoque – s'étaient montrés sensibles au paysage qui s'offrait à leurs yeux, avec ses innombrables estuaires, ses forêts immergées, ses canaux et ses mangroves ; la description qu'ils en ont laissée pourrait, en partie, être celle de Venise. C'est encore à Venise et aux modestes bâtisses en bois des pêcheurs de la lagune que l'on songe en découvrant, dans le sud du delta de l'Orénoque, les *palafitos*, ces maisons sur pilotis qu'habitent 15 000 Indiens Waraos. Grands fleuves, deltas et rivages maritimes n'abritent pas seulement des peuplades traditionnelles mais concentrent une proportion croissante de l'humanité qui menace leurs écosystèmes fragiles.

5 octobre

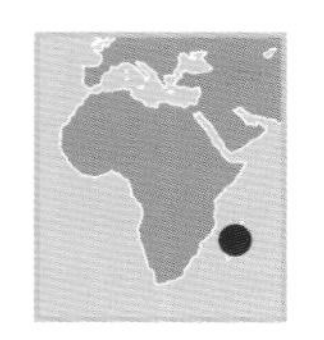

Madagascar. Région de Majunga. Tsingy de Bemahara.

Avec une superficie de 597 000 km^2, Madagascar est la quatrième plus importante île du monde. À l'ouest, dans la partie la plus aride, se trouve l'étrange forêt minérale du Tsingy de Bemahara. Cette formation géologique, appelée karst, est le résultat de l'érosion, l'acidité des pluies ayant peu à peu dissous la pierre du plateau calcaire et ciselé ces arêtes tranchantes de 20 à 30 m de haut. La pénétration de l'homme dans ce milieu fermé se révèle peu aisée, d'où son nom, *tsingy* signifiant en langue malgache « marcher sur la pointe des pieds ». Le site, classé réserve naturelle dès 1927 et inscrit sur la Liste du patrimoine mondial de l'Unesco en 1990, abrite une végétation et une faune caractéristiques, à l'image de la diversité des espèces présentes sur l'ensemble de l'île. En effet, détachée du continent africain il y a plus de 100 millions d'années, Madagascar a vu sa végétation et sa faune évoluer de manière totalement autonome ; elle est ainsi l'un des plus formidables exemples d'endémisme (caractère d'une espèce vivante confinée dans une aire particulière) des milieux insulaires : plus de 80 % des quelque 10 000 espèces végétales et presque 1 200 espèces animales répertoriées dans l'île ne se sont développées nulle part ailleurs. Près de 200 espèces de Madagascar seraient cependant menacées d'extinction.

6 octobre

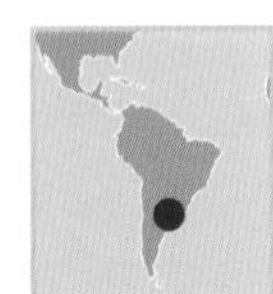

Argentine. Province de Buenos Aires.

Environs de Mar del Plata.

La Pampa humide étend son immense plaine sur une surface aussi grande que la France. Les paysans émigrés d'Italie, d'Espagne et de France, habitués à cultiver de petits lopins, deviennent ici des gauchos ou des tenanciers d'estancias qui couvrent souvent plusieurs dizaines de milliers d'hectares. Leurs graffitis, eux-mêmes contaminés par le gigantisme, expriment l'amour d'une terre qu'ils ont occupée ou plutôt gagnée. On ne peut pas oublier en effet que ces espaces ont d'abord appartenu aux Indiens, à ces Fuégiens et Arapèches qui furent chassés et exterminés comme du gibier, à ces fiers Guaranis qui furent organisés par les Jésuites en société parfaitement égalitaire avant d'être déportés vers le Paraguay. Ils subsistent aujourd'hui misérablement dans la province de Misiones à l'extrême nord du pays. Par un retour du refoulé, le mot *amo* rappelle aussi ce passé cruel car il signifie dans l'espagnol parlé en Argentine à la fois « amour » et « maître ». L'amour de la terre et la domination sans partage de ses nouveaux possesseurs.

7 octobre

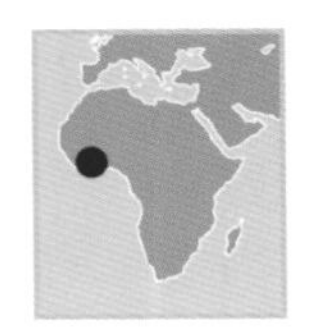

Côte-d'Ivoire. Pêcheur sur le lac de Kossou près de Bouaflé.

Le lac de Kossou, qui couvre 1 500 km^2 au centre de la Côte-d'Ivoire, est une retenue d'eau artificielle conçue pour réguler le débit du fleuve Bandama et permettre la construction, en aval, d'un barrage hydroélectrique. La mise en eau de cette zone, réalisée entre 1969 et 1971, s'est faite au prix de l'engloutissement de 200 villages et du déplacement de 75 000 personnes. Parallèlement, un vaste programme de réhabilitation et de développement a été mis en place en périphérie de ce lac : construction de 63 villages pour reloger les populations évacuées, introduction de nouveaux types de cultures, aménagement de centres piscicoles et formation de 3 000 paysans de la région aux techniques de pêche. En l'an 2000, on comptait plus de 36 000 barrages dans le monde, dont plus de la moitié en Chine, et c'est au Ghana, pays voisin de la Côte-d'Ivoire, que se trouve le plus grand lac artificiel de retenue de la planète : le lac Volta (8 482 km^2), en amont du barrage d'Akosombo.

8 octobre

Madagascar. Région d'Antananarivo. Cultures sur les flancs de volcan près d'Ankisabe.
Entre 1 000 et 1 600 m d'altitude, à l'ouest d'Antananarivo (Tananarive) et de la chaîne des monts Ankaratra, s'étendent les hauts plateaux malgaches. La mise en culture intensive des terres, à partir du XVIIIe siècle, a fait reculer la forêt au bénéfice des pâturages, pour les bovidés, et de la riziculture en terrasse dans les vallées. Les villages se sont établis entre la rizière et les prairies, afin de préserver les terres les plus fertiles. Le développement de la rizière irriguée a permis au roi Andrianampoinimerina, à la fin du XVIIIe siècle, d'asseoir et d'étendre son empire, politique poursuivie par son fils, Radama Ier, qui prit le contrôle des deux tiers de Madagascar. Les populations conquises et réduites en esclavage venaient défricher les hautes terres et l'exportation de riz permettait en retour d'acheter des armes. Les rendements de cette agriculture contrainte sont si faibles maintenant que Madagascar doit importer des vivres pour sa population, dont les deux tiers atteignent à peine le seuil de subsistance. Au rythme actuel de déforestation (1 500 km^2 brûlés chaque année par des paysans sans terre, qui cultivent le riz et le manioc), l'île pourrait être totalement privée de couvert forestier en 2020.

9 octobre

Canada. Territoire Nunavut. Paysage de glace.

Le Nunavut, à l'extrême nord du Canada, couvre une superficie de 1,9 million de km^2 d'archipels, d'eau et de glace. En hiver, alors que les températures peuvent atteindre des minima de -37 °C, la banquise permanente du centre de l'Arctique et la banquise côtière formée par le gel des eaux des estuaires et des baies se rejoignent, offrant un paysage continu de glace praticable par les attelages de chiens et les scooters des neiges. En été, la glace fond et se fracture sous l'action des courants marins et des vents, créant des plates-formes dérivantes appelées *pack*. Cette libération saisonnière des eaux permet la réouverture des routes de migration des baleines et autres mammifères marins. Occupé par plus de 20 000 Inuit, qui représentent 85 % de la population locale, le Nunavut (dont le nom signifie « notre terre » dans la langue des Inuit, l'inuktitut) a accédé au statut de territoire en 1999. Le peuple inuit est présent sur trois continents dans l'ensemble de la zone située au-delà du cercle polaire arctique, à raison de 55 000 individus en Amérique du Nord (Alaska et Canada), plus de 42 000 au Groenland, et 2 000 en Sibérie.

10 octobre

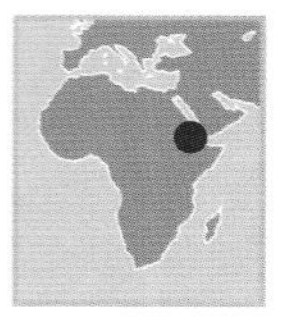

Djibouti. Volcan Guinni Kôma dans la baie de Goubbet.

La baie de Goubbet, cernée de montagnes abruptes, forme sur 20 km de long et 10 km de large l'extrême pointe du golfe de Tadjoura. Elle s'inscrit dans une région de la république de Djibouti délimitée par le lac Assal, siège d'importants bouleversements géologiques : c'est en effet le point de rencontre de trois plaques continentales qui se heurtent. La naissance en 1978 du volcan Ardoukoba est l'une des nombreuses manifestations de ce choc titanesque. À cette occasion, l'Afrique et la péninsule arabique se sont écartées de 1,20 m et une faille de 12 km de long s'est ouverte entre le lac Assal et la baie de Goubbet. L'intensité de l'activité volcanique et sismique de cette région est sans doute à l'origine de la légende selon laquelle la baie de Goubbet, connue à Djibouti sous le nom de « gouffre des démons », abriterait des esprits maléfiques prêts à s'en prendre à la vie de ceux qui s'aventureraient sur ses eaux en les tirant vers les profondeurs. Le nom du petit îlot (sur lequel se trouve un ancien volcan) Guinni Kôma ou l'île au Diable, qui est situé dans cette baie, renvoie lui aussi aux légendes et aux craintes ancestrales. À côté ou en dessous du paysage que l'on voit, celui que l'on imagine prend parfois une importance démesurée.

11 octobre

Équateur. Région de la Sierra. Champs près de Quito.

Entre les cordillères Occidentale et Royale, les plateaux de la région de Quito bénéficient du climat humide et doux de la sierra qui permet la culture de céréales (maïs, blé, orge) et de pommes de terre. Majoritairement vivrière et destinée au marché intérieur, l'agriculture domine en grande partie l'économie, employant près d'un million de personnes (30 % du PNB). Elle modèle également le paysage : un tiers de la superficie de l'Équateur est couvert de terres arables, de terrains cultivés et de pâturages. L'expansion de la surface agricole qui, dans certaines régions, a plus que doublé au cours des années 1990, se fait au détriment du couvert forestier qui représente actuellement près de la moitié du territoire national. Les trois cinquièmes des forêts tropicales humides du monde sont d'ailleurs localisés en Amérique latine. Menacées par le développement agricole et la surexploitation, les forêts tropicales disparaissent partout dans le monde au rythme de 1 % par an.

12 octobre

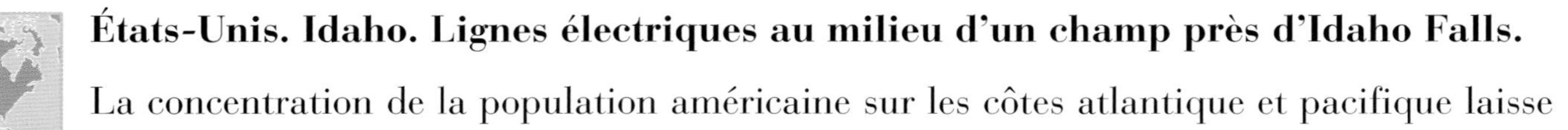

États-Unis. Idaho. Lignes électriques au milieu d'un champ près d'Idaho Falls.

La concentration de la population américaine sur les côtes atlantique et pacifique laisse presque vide l'immense territoire s'étendant entre les deux. Les grandes plaines et les montagnes Rocheuses sont alors exploitées rationnellement pour produire énergie et subsistance à destination des populations côtières. Ainsi dans l'Idaho, au nord des montagnes Rocheuses, le cours de la Snake River (« rivière du serpent ») a été régularisé par des barrages qui fournissent de l'énergie électrique et créent des retenues d'eau qui irriguent de riches terres agricoles. La construction des barrages et la culture des terres s'effectuent à grande échelle de manière hautement mécanisée par de grandes entreprises ou des coopératives. Aussi paradoxal que cela puisse paraître, ces exploitations évoquent les kolkhozes soviétiques de triste mémoire. Les hauts rendements et la faible utilisation de main-d'œuvre permettent à l'Amérique de demeurer compétitive et d'être encore maintenant le plus grand exportateur de céréales dont elle domine le marché mondial, n'hésitant pas à l'utiliser comme arme politique.

13 octobre

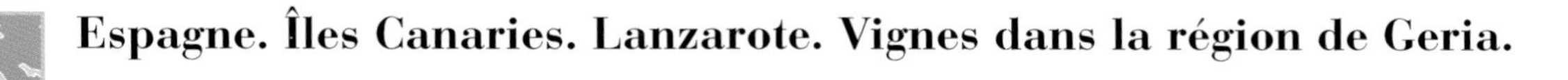

Espagne. Îles Canaries. Lanzarote. Vignes dans la région de Geria.

Des sept îles de l'archipel espagnol des Canaries, Lanzarote est la plus proche du continent africain. Son climat désertique et l'absence totale de source et de rivière sur ce territoire de 973 km^2 rendent toute pratique agricole difficile. Cependant, en raison de son origine volcanique, l'île bénéficie d'un sol noir fertile constitué de cendres et de lapilli (graviers volcaniques), sur un sous-sol argileux peu perméable. S'adaptant parfaitement à ces conditions naturelles originales, une technique viticole singulière a été adoptée : les ceps de vigne sont plantés individuellement au milieu d'entonnoirs creusés dans les lapilli, afin d'y puiser l'humidité recueillie, et sont protégés des vents secs du nord-est et du Sahara par des murets de pierre édifiés en demi-cercle. Le vignoble de Geria produit un vin rouge doux de Malvoisie. L'ensemble de la production vinicole espagnole représente environ 13 % des quelque 275 millions d'hectolitres de vin produits annuellement dans le monde, et se situe ainsi au troisième rang des pays producteurs – mais également des pays exportateurs –, derrière la France et l'Italie.

14 octobre

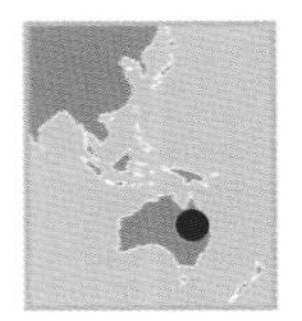

Australie. Queensland. Banc de sable sur le littoral de l'île de Whitsunday.

Au large de la côte ouest de l'Australie, Whitsunday est, avec 109 km^2, la plus grande des 74 îles qui constituent l'archipel du même nom. Comme sur cette plage de White Haven, le littoral des îles se caractérise par l'exceptionnelle blancheur du sable, essentiellement composé de sédiments coralliens provenant notamment de la Grande Barrière, à quelques kilomètres à l'est. Dans les méandres de la côte, le sable s'est amoncelé pour former des dunes qui se déplacent au gré des courants et entre lesquelles l'eau du Pacifique s'insinue à marée montante. Découvertes en 1770 par le navigateur britannique James Cook, les îles de l'archipel sont en majorité restées inhabitées et inexploitées. Cependant, à partir de 1930, quelques-unes ont progressivement été aménagées en stations balnéaires.

15 octobre

Argentine. Province du Neuquén. Passage à gué de la rivière Chimehuin.

Traversant la rivière Chimehuin, ce troupeau de vaches de race Hereford, encadré par des *gauchos*, rejoint son domaine *(campo)* d'origine après une transhumance saisonnière vers les pâturages d'altitude de la cordillère des Andes. En partie couvert de steppe épineuse, le Neuquén a privilégié, comme l'ensemble de la Patagonie, l'élevage des ovins par rapport à celui des bovins qui demeurent minoritaires dans cette région. C'est plus au nord, dans les vastes plaines herbeuses de la Pampa, que vit l'essentiel du cheptel bovin du pays, constitué en majorité de vaches de races originaires de Grande-Bretagne ou de France et riche de près de 50 millions de têtes. Se situant au 5e rang mondial des producteurs de viande bovine, l'Argentine figure également parmi les plus gros consommateurs du monde, avec près de 70 kg par habitant et par an.

16 octobre

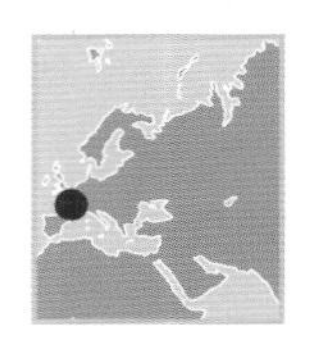

France. Yvelines. Détails des ruines gallo-romaines de Pontchartrain.

Pontchartrain constitue l'un des sites gallo-romains les plus importants de l'ancienne Gaule. Le lieu signifie étymologiquement « pont des Carnutes » et désigne le point d'entrée de la voie romaine qui traversait le territoire du peuple des Carnutes. Découvertes lors du tracé d'une déviation de la route nationale 12, pour éviter la ville de Pontchartrain, les ruines ont été protégées dans le cadre d'une opération d'archéologie préventive. L'idée selon laquelle de tels sites appartiennent au patrimoine national est récente. Les ruines romaines et même gothiques furent souvent utilisées comme carrières et les vestiges non monumentaux étaient retournés par les chasseurs de trésor. À partir des années 1960, l'intérêt nouveau pour le passé combiné à la croissance économique qui bouleversait le paysage a favorisé les découvertes et donné de l'importance à l'archéologie du territoire national. Ces découvertes devraient se poursuivre, car, si l'on en croit l'historien Pierre Chaunu, plus d'un milliard d'hommes ont vécu sur le sol français depuis l'homme de Cro-Magnon et y ont laissé des traces.

17 octobre

Kenya. Sud du lac Logipi. Turkana. Vallée de Suguta.

Au nord-ouest du Kenya, les abords du sud du lac Turkana, comme la Suguta Valley ou la Gregorian Rift, offrent des paysages lunaires dont le trait caractéristique tient à la présence de volcans qui, selon les géologues, restent menaçants. Dans la Gregorian Rift, les volcans parsemés sur toute la longueur sont de taille et d'âge variable. De certains, comme le Shomboli, il ne reste que le culot, les cratères étant érodés depuis longtemps. D'autres, comme le mont Longonot, ont gardé la forme classique des jeunes volcans ; la coulée de lave noire irrégulière n'a pas eu le temps de donner une terre fertile. Le plus jeune, Teleki, a tout juste un siècle et n'est qu'un trou dans le sol. La lave était brûlante lorsque le comte Teleki von Szek arriva au lac Turkana en 1887. Témoigne aussi du phénomène volcanique de cette zone, la présence, comme dans le lac asséché de Logipi, de *necks*, morceaux d'un cratère émergé à l'emplacement d'une cheminée volcanique.

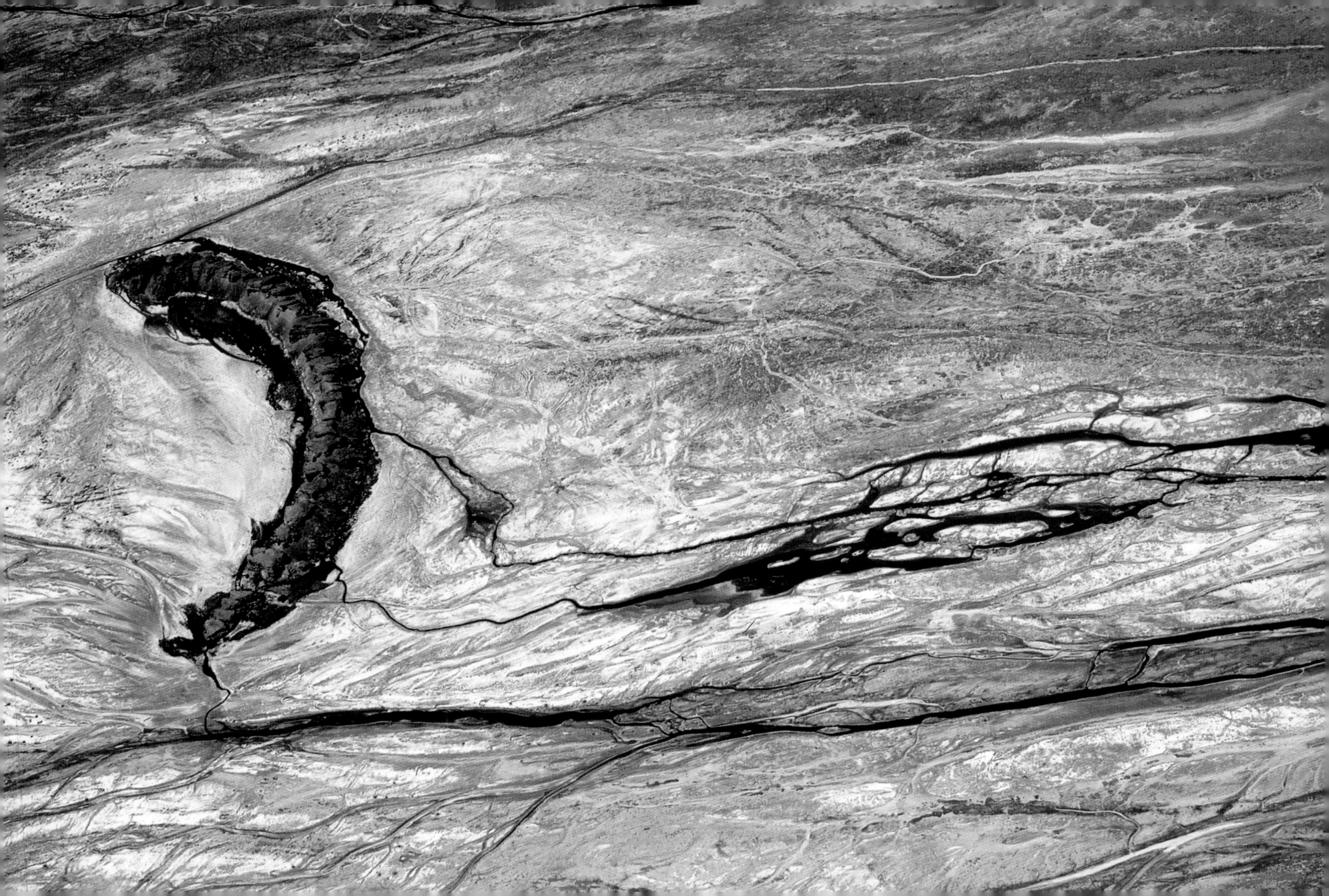

18 octobre

États-Unis. Massachusetts. Récolte des airelles à Cap Cod.

De Providence à Provincetown, le Cap Cod déroule 500 km de plages et de marais salants. Les Portugais s'y installèrent d'abord pour chasser la baleine. Ils furent suivis par des artistes au début de ce siècle dont le grand dramaturge Eugene O'Neill, beau-père de Charlie Chaplin. Derrière les plages et leurs dunes, la terre pauvre et acide, battue par les vents, convient parfaitement aux diverses espèces de myrtilles dont les airelles sont les plus appréciées outre-atlantique. Les arbustes frêles qui dépassent rarement un mètre de hauteur supportent des températures d'hiver qui descendent à -30 °C. Ils peuvent produire 8 tonnes par hectare et occupent près de 15 000 ha dans le nord-est de l'Amérique. Les petits fruits rouges sont cueillis mécaniquement par des secoueurs de rameaux et entassés sur des aires où ils achèvent de mûrir. Ils serviront pour l'essentiel à la fabrication de confitures utilisées pour garnir les plats de viande. Comme souvent aux États-Unis, la mécanisation et le gigantisme n'hésitent pas à se mettre au service d'une tradition modeste.

19 octobre

Japon. Honshu. Dôme de Genbaku (épicentre de la bombe A en 1945) à Hiroshima.

Le Dôme de Genbaku, squelette de l'ancien Office de promotion industrielle, est le seul édifice du centre ville à avoir partiellement résisté à l'explosion de la première bombe atomique larguée par l'aviation américaine le 6 août 1945 sur Hiroshima. Il a été conservé en l'état pour témoigner de la brutalité de cet acte de guerre. Le jour même de l'explosion, 200 000 personnes ont péri et 40 % des bâtiments de la ville ont été entièrement détruits. Le Dôme est situé dans un quartier d'Hiroshima dédié à la mémoire de cette tragédie. On y trouve notamment la cathédrale de la Paix, le parc mémorial de la Paix et le musée du Souvenir et de la Paix qui conserve, parmi d'autres témoignages de l'horreur, des tuiles vitrifiées et des montres arrêtées sur 8 h 16, l'instant de l'explosion. Trois jours après Hiroshima, le 9 août, les Américains lâchèrent une seconde bombe A qui détruisit totalement la ville de Nagasaki et entraîna la capitulation du Japon. L'arme nucléaire a transformé les relations internationales : l'utiliser en 1945 a été un acte de barbarie, mais la crainte qu'elle a ensuite inspirée a permis de contenir l'affrontement idéologique entre l'URSS et les États-Unis en guerre froide, de 1945 à la perestroïka de 1989.

20 octobre

Mali. Village près de Nara.

Dans presque toute l'Afrique, les villages sont constitués d'enclos privés, les concessions, à l'intérieur desquels hommes et animaux occupent différents types de cases. Les plus grandes abritent des couples ou une épouse et ses jeunes enfants. D'autres servent de cuisine pour chaque femme, d'autres encore d'étable, parfois partagée entre les jeunes hommes célibataires et les animaux. Souvent on trouve dans la cour des claies surélevées où l'on aime se tenir pour bavarder et où l'on fait sécher les viandes. Il y a aussi des greniers dont les formes varient beaucoup selon le groupe considéré. Construites en *banco*, une brique crue d'argile mélangée à de la paille et à du sable, et couvertes de roseaux, de chaume ou de palmes séchées, les cases ne résistent pas longtemps aux intempéries. En moins d'une dizaine d'années, elles tombent en ruine et sont abandonnées. La famille construit alors une nouvelle concession après avoir consulté les notables locaux, notamment les « chefs de terre » car la propriété rurale est traditionnellement collective. Bien que l'Afrique soit le continent le plus pauvre, cette organisation simple garantit une relative égalité d'accès à l'habitat et à la culture, donc à la survie.

21 octobre

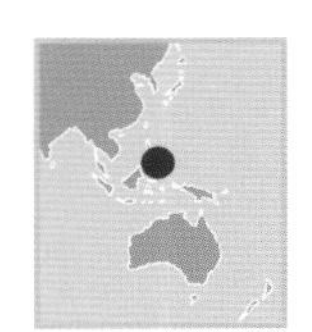

Philippines. Îlot dans l'archipel de Sulu.

Plus de 6 000 des 7 100 îles que comptent les Philippines sont inhabitées et plus de la moitié ne portent aucun nom. C'est le cas de cet îlot de l'archipel de Sulu, ensemble de 500 îles qui forme au sud du pays une frontière naturelle entre la mer des Célèbes et la mer de Sulu. Selon la légende, ces terres disséminées seraient des perles éparpillées par un couple de géants après une querelle. Plus prosaïquement, les îles sont d'origine volcanique et corallienne, et leur peuplement en flore et faune s'est effectué progressivement, comme dans la plupart des systèmes insulaires, grâce aux apports des courants marins, des vents, des oiseaux migrateurs et, parfois, de l'homme. Perdu dans l'immensité bleue, cet îlot nous rappelle en outre que près de 70 % de la surface de notre planète sont recouverts d'eau.

22 octobre

Éthiopie. Lalibela, province de Welo. Église monolithique de Bet Giorgis.

Nous sommes en plein pays Amhara, au cœur des hauts plateaux éthiopiens. À 20 km de Lalibela, le mont Abune Yosef s'élève à 4 190 m. Ces reliefs volcaniques ont servi depuis plus de quinze siècles de refuge à la dernière grande hérésie chrétienne, le monophysisme, professé au concile d'Éphèse en 449, puis condamné au concile de Chalcédoine en 451 par les 520 évêques que convoqua l'empereur Marcien. Le monophysisme proclame que le Christ est de nature humaine et divine à la fois avant son incarnation, mais qu'après, sa nature divine n'habite plus son corps et ne le rejoint qu'à la résurrection. Ces querelles doctrinaires pour lesquelles des empires se scindèrent et des armées s'affrontèrent sont devenues incompréhensibles de nos jours. Le monophysisme se répandit rapidement en Asie Mineure, puis gagna l'Afrique. L'Église jacobite en Syrie, l'Église arménienne, les Églises coptes d'Égypte et d'Éthiopie sont les vestiges de l'hérésie. Elles regroupent encore 25 millions de fidèles qui ont résisté d'abord à Rome puis à l'islam depuis douze siècles.

23 octobre

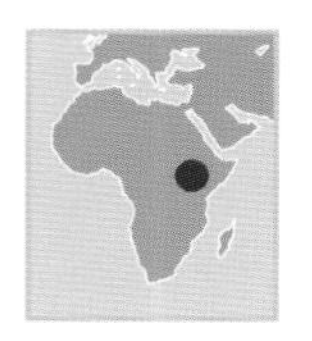

Kenya. Orage sur les collines de Loita.

Le Kenya connaît un régime de pluies très irrégulières, alternant entre *long rains* de mars à mai et *short rains* d'octobre à décembre. Souvent violentes, elles s'accompagnent d'orages impressionnants, comme ici sur les collines de Loita. Ce phénomène local est l'aboutissement d'une longue chaîne d'événements météorologiques qui peut avoir pris naissance à des milliers de kilomètres du Kenya. On raconte que le battement d'une aile de papillon à Honolulu suffit à causer un typhon en Californie, une manière imagée de décrire la complexité des phénomènes climatiques qu'il faut analyser pour prévoir l'évolution du temps. À l'échelle de la planète, le climat est un ensemble d'échanges, d'interactions et de rétroactions dans le système que forment les continents, les océans et l'atmosphère. Les événements locaux sont à la fois causes et conséquences d'autres phénomènes lointains. La climatologie illustre ainsi la maxime sans laquelle il ne saurait y avoir de développement durable : « agir local, penser global ». Chacune de nos actions quotidiennes dans notre environnement proche participe, en effet, à l'équilibre et à l'évolution de notre planète.

24 octobre

Thaïlande. Travaux des champs dans la région de Phitsanulok.

Fertile et bénéficiant d'un climat tropical humide, la plaine centrale de Thaïlande, où se trouve Phitsanulok, est le grenier à riz du pays. Comme partout ailleurs sur le territoire, cette céréale est surtout moissonnée et récoltée à la main. Depuis cinquante ans, dans un souci d'accroissement de ses exportations, la Thaïlande a triplé la superficie de ses terres arables, gagnant des espaces cultivables sur les zones boisées. Alors qu'elles représentaient la moitié du territoire dans les années 1960, les forêts ne couvrent plus aujourd'hui que 28 % du pays. Le déboisement accéléré conduit à une dégradation inquiétante des sols mis à nu, vite lessivés par l'érosion. Si le phénomène de déforestation lié à l'agriculture touche l'ensemble des pays d'Asie, c'est cependant en Thaïlande qu'il est le plus manifeste.

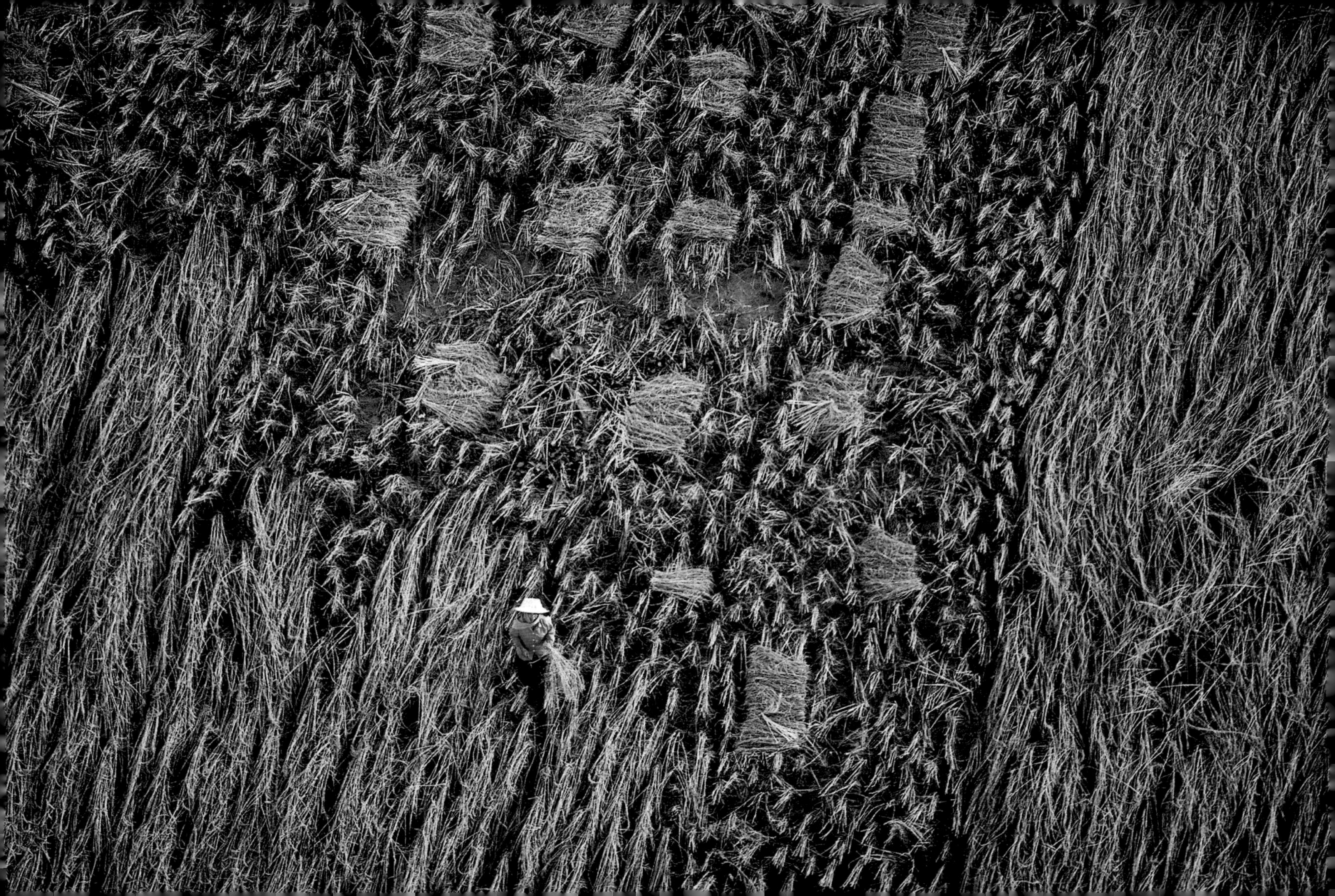

25 octobre

Japon. Honshu. Usine sur une île à l'est d'Hiroshima.

L'industrie japonaise, qui occupe le 3e rang mondial, est avant tout une « industrie sur l'eau ». Ses principaux centres, qu'il s'agisse de ses aciéries, de son secteur pétrochimique, de ses usines de construction automobile ou de matériel informatique, se trouvent au bord de la mer : dans les principaux ports japonais (qui deviennent alors de complexes organismes aux fonctions variées) sur la côte Pacifique ou dans ceux moins importants de la mer Intérieure, comme Hiroshima ou Mizushima ; dans des îles aménagées en gigantesques usines (essentiellement dans la mer Intérieure) ; ou enfin dans des « polders industriels », c'est-à-dire des terrains gagnés sur la mer par pompage, qui deviennent de véritables ports artificiels. Une telle localisation s'explique par la nécessité d'importer énergie et matières premières et elle facilite, par là même, l'exportation des produits japonais vers l'étranger.

26 octobre

Mali. Cultures maraîchères sur le fleuve Sénégal aux environs de Kayes.

À l'ouest du Mali, près des frontières sénégalaise et mauritanienne, la ville de Kayes est un important carrefour ethnique et commercial ; toute la région est traversée par le fleuve Sénégal, sur les berges duquel les cultures maraîchères sont nombreuses. Ressource providentielle dans cette zone sahélienne, l'eau du fleuve, collectée et transportée dans divers récipients par les femmes, permet l'arrosage manuel des petites parcelles (ou casiers) où sont plantés les fruits et légumes destinés au marché local. Le fleuve Sénégal, qui ne porte ce nom qu'à partir du confluent du Bafing (« rivière noire ») et du Bakoy (« rivière blanche »), un peu en amont de Kayes, parcourt 1 600 km à travers quatre pays. Les aménagements hydrauliques installés sur son cours ne permettent d'irriguer que 600 km² de cultures, mais son bassin de 350 000 km² alimente en eau près de 10 millions de personnes.

27 octobre

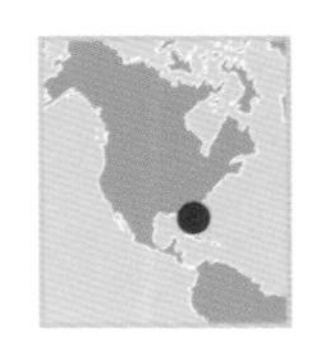

États-Unis. Floride. Mangroves dans le parc national des Everglades.

Lieu de rencontre des eaux douces provenant du lac Okechobee et des eaux salées du golfe du Mexique, le parc national des Everglades, à l'extrême sud de la Floride, est principalement constitué de marécages occupés par des mangroves. D'une superficie de 6 066 km², il constitue le dernier fragment de la zone humide d'origine qui, avant les travaux d'assèchement réalisés à partir de 1880 pour l'urbanisation, était cinq fois plus vaste, couvrant le tiers de la Floride. Le parc national est le refuge de 40 espèces de mammifères, 347 d'oiseaux, 65 de reptiles et amphibiens et 600 de poissons. Inscrit sur la Liste du patrimoine mondial de l'Unesco, et zone humide d'importance internationale en 1976, ce fragile écosystème est menacé par les pollutions d'origine agricole et par divers aménagements hydrauliques, mais fait l'objet, depuis 1994, d'un programme visant à restaurer la qualité de ses eaux et à en réguler le flux.

28 octobre

Argentine. Province de Misiones. Cultures sur les bords du río Uruguay.

Au nord-est de l'Argentine, cette province, qui doit son nom aux missions jésuites installées dans la région du XVIe au XVIIIe siècle, était à l'origine majoritairement couverte de forêt tropicale. Le paysage a cependant été modelé depuis près d'un siècle par les colons d'origine européenne qui ont déboisé une partie importante du territoire afin d'exploiter la terre rouge, riche en oxyde de fer et très fertile. Labourant le long des courbes de niveau en laissant des bandes herbeuses entre les sillons pour atténuer l'érosion, ils ont développé diverses cultures comme le coton, le tabac, le thé, le maté, le tournesol, le riz et les agrumes. Les agriculteurs ont su tirer profit du vaste réseau hydrographique qui arrose cette région enclavée entre les fleuves Paraná et Uruguay, judicieusement appelée Mésopotamie, terme signifiant « entre les fleuves » en grec.

29 octobre

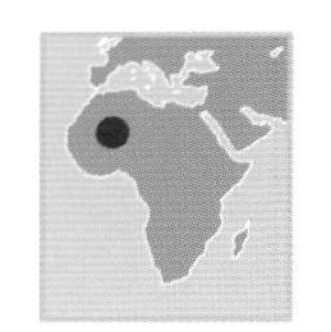

Mali. Dromadaires buvant au puits entre Kidal et Tombouctou.

Les points d'eau constituent l'armature du territoire de chaque groupe d'éleveurs touaregs et le puits représente un véritable « centre » de rencontres entre plusieurs tribus ou fractions de tribu qui l'utilisent collectivement. Il est creusé à la frontière commune de leurs territoires dont il exprime la stabilité. Pour décrire son territoire, un nomade dessinera sur le sable les vallées et les puits qui s'y trouvent et qui le délimitent. Les mythes confirment cette géographie, par exemple l'histoire du grand python sacré, Ninki Nanka, dont le trajet passe en fait par tous les villages situés sur l'ancien cours du Niger. Un proverbe dit : « Même si les vallées regorgent d'eau, la stabilité c'est le puits ». D'*aman*, l'eau en langue touarègue et donc des puits, dépend la qualité du troupeau et donc la richesse de l'homme ainsi que l'importance des dots qu'il pourra amasser pour se marier. Chez les Peuls, l'animal « élu » est la vache tandis que chez les Touaregs c'est le dromadaire. Les contraintes de cette vie si différente de celle de l'homme des villes découragent les jeunes. Le nomadisme traditionnel est condamné à disparaître.

30 octobre

Brésil. État d'Amazonas. Orage sur la forêt amazonienne près de Téfé.

La forêt amazonienne couvre 42 % de la superficie du Brésil ; elle occupe la majeure partie de l'Amazonas, le plus grand État brésilien avec toutefois une des plus faibles densités humaines du pays (1,5 habitant au km^2). L'Amazonie est le plus vaste écosystème forestier tropical du monde avec 3,3 millions de km^2. Parmi les innombrables formes de vies végétales et animales qu'elle abrite, les dizaines de milliers d'espèces répertoriées à ce jour représentent 10 % de toutes celles de la planète. Malgré une déforestation inquiétante, l'Amazonie constitue encore à elle seule près de 30 % de l'ensemble des forêts tropicales du monde ; ces dernières abritent 90 % du patrimoine biologique de la planète.

31 octobre

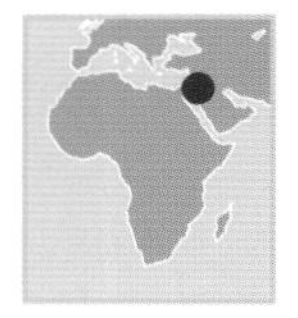

Jordanie. Région de Karak. Bateau sur la mer Morte près de l'usine de potasse.

Sur 920 km^2, la mer Morte est une mer fermée longue de 75 km et large de 15 km, à 400 m au-dessous du niveau de la mer. Sa couleur verdâtre est ponctuée de traînées blanches, signe d'une très forte salinité (370 g/l alors que la moyenne des océans est de 40 g/l). Outre le chlorure de sodium, ses eaux contiennent de nombreux sels minéraux (chlorures de potassium, de magnésium, de calcium…). Sur ses rives on trouve aussi de la potasse (dont la production est évaluée à près de 2 millions de tonnes par an). À la frontière entre Israël et la Jordanie, ses eaux, alimentées par le Jourdain, sont partagées, mais aussi convoitées par ces deux pays, laissant craindre une « guerre de l'eau » dans cette région du monde. Les premières conséquences en sont la perte de 20 % de surface de la mer Morte, depuis 1972, après les opérations de pompage pour irriguer le désert du Néguev et après la diminution du débit du Jourdain par suite du détournement de ses eaux pour l'irrigation et la consommation domestique.

1er novembre

France. Polynésie française. Bora Bora.

Cette île de 38 km² dont le nom signifie la « première née » est constituée de la partie émergée du cratère d'un ancien volcan, vieux de 7 millions d'années, et entourée d'un récif-barrière de corail. Sur ce dernier se sont développés des motus, îlots coralliens couverts d'une végétation constituée presque exclusivement de cocotiers. La seule ouverture du lagon sur l'océan est la passe de Teavanui, suffisamment profonde pour permettre l'entrée des cargos et navires de guerre. L'île a d'ailleurs été utilisée comme base militaire par les Américains de 1942 à 1946 et fut, jusqu'à la construction de l'aéroport de Tahiti, l'une des seules de la région à disposer d'une piste d'aviation. Comme dans la plupart des régions coralliennes, qui représentent près de 18 millions de km² dans le monde, les eaux de Bora Bora comportent une grande diversité biologique ; on y dénombre plus de 300 espèces différentes de poissons. Les activités principales de l'île sont la pêche et le tourisme.

2 novembre

Kenya. Rift Valley. Village-enclos Massaï au sud de Narok.

Selon la croyance des Massaï, Dieu (*Enkaï*) les a faits propriétaires de tout le bétail du monde… D'origine nilo-hamitique, ces pasteurs semi-nomades vivent entièrement de leur cheptel et la richesse d'une famille Massaï se mesure au nombre de têtes de bétail, tandis que la propriété de la terre n'a aucune importance. Ils résident dans des villages (*enkang*) désertés à l'aube par les hommes et le bétail mais animés par les femmes, véritables gardiennes de l'ordre social, y régissant la vie quotidienne – entretien des huttes, du feu, approvisionnement en eau, traite des vaches. Aujourd'hui, la population Massaï est cantonnée dans la région la plus méridionale de la Rift Valley qu'ils occupaient autrefois jusqu'au mont Kenya. À la fin du XIXe et au début du XXe siècle, en butte à des crises successives, les Massaï ont été les premiers à accepter le protectorat britannique au prix d'un renoncement à la liberté de nomadiser sur leurs anciens territoires, ce dont ils souffrent encore aujourd'hui. Mais un certain nombre de leurs traditions demeurent, dont le « moranisme » (de *emurata* qui signifie circoncision) et la division de la société en classes d'âge spécialisées : guerriers de 15 à 30 ans, chefs de famille de 30 à 45 ans, prêtres au-delà.

3 novembre

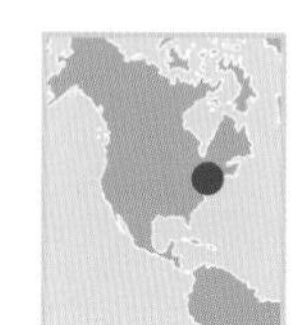

États-Unis. New York.

Flèche du Chrysler Building.

Au cœur du quartier de Manhattan, à New York, se dresse le Chrysler Building dont la flèche, formée de six arches d'acier superposées, est illuminée la nuit et reflète les rayons du soleil le jour. Œuvre de l'architecte William Van Allen, ce bâtiment de style Art déco, qui compte 77 étages et mesure 319 m de haut, a été édifié en 1930 à la demande du magnat de l'automobile Walter P. Chrysler. Immeuble le plus haut de New York lors de son inauguration, le Chrysler Building fut détrôné par l'Empire State Building (381 m) en 1931 ; il fait pourtant encore partie aujourd'hui des 40 gratte-ciel les plus élevés de la ville, qui dépassent tous 200 m. La croissance démographique et économique des mégalopoles du monde, conjuguée à une surface au sol restreinte, incite à des constructions toujours plus hautes, le record étant en l'an 2000 détenu par la tour Nina à Hong Kong (520 m).

Pepsi-Cola

4 novembre

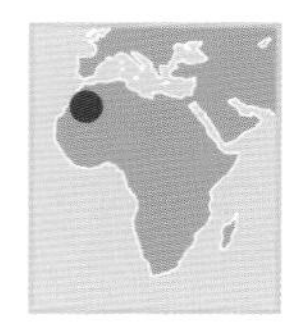

Maroc. Travaux des champs près de Marrakech.

Le monde entier est en voie de « céréalisation », c'est-à-dire qu'une part croissante de la nourriture est assurée par les céréales et même par quelques-unes d'entre elles seulement : blé et riz pour les hommes, maïs, sorgho et soja pour les animaux domestiques qui consomment 40 % des céréales produites. La culture de ces céréales n'est pas toujours adaptée au climat, aux sols, aux façons culturales et au système foncier. C'est particulièrement vrai dans le Sud marocain avec ses sols légers remués en surface par l'antique araire, avec ses droits de propriété superposés pour l'agriculteur, pour le village et pour les éleveurs transhumants et surtout avec sa pluviosité très variable. Malgré les efforts gouvernementaux pour accroître les rendements, les paysans des environs de Marrakech adoptent alors des comportements « anti-risques » tels que la minimisation des coûts de production pour limiter les pertes économiques éventuelles ou le maintien du système traditionnel extensif (céréales, jachère, ovins) dont la souplesse est mieux adaptée au milieu. Ils répercutent ainsi dans leurs gestes quotidiens l'irrédentisme du Maroc des montagnes contre l'obéissance du Maroc « makhzen » des plaines.

5 novembre

Brésil. Brasilia. Vue générale du centre d'affaires. Architecte Oscar Niemeyer.

Brasilia, comme certaines capitales – Chandigarh au Pendjab (Inde), il y a plusieurs décennies, mais aussi Berlin il y a trois siècles et quelques villes chinoises il y a plus longtemps –, est née d'une idée correspondant à une époque et non pas d'une ville ou d'un bourg qui auraient lentement mûri au cours de l'évolution de vieilles sociétés. Il s'agissait de donner un équilibre à un pays, au besoin en partant d'un site choisi dans une nature presque vierge. Une ville créée du seul fait du prince met du temps à devenir une « vraie » ville et reste longtemps une administration dans ses murs, entourée des services qui assurent son entretien. Il peut s'y construire d'admirables ensembles architecturaux, mais cela ne remplace jamais ce qui définit les villes bâties sur des lieux choisis un peu au hasard et relevant d'autres nécessités : l'atmosphère.

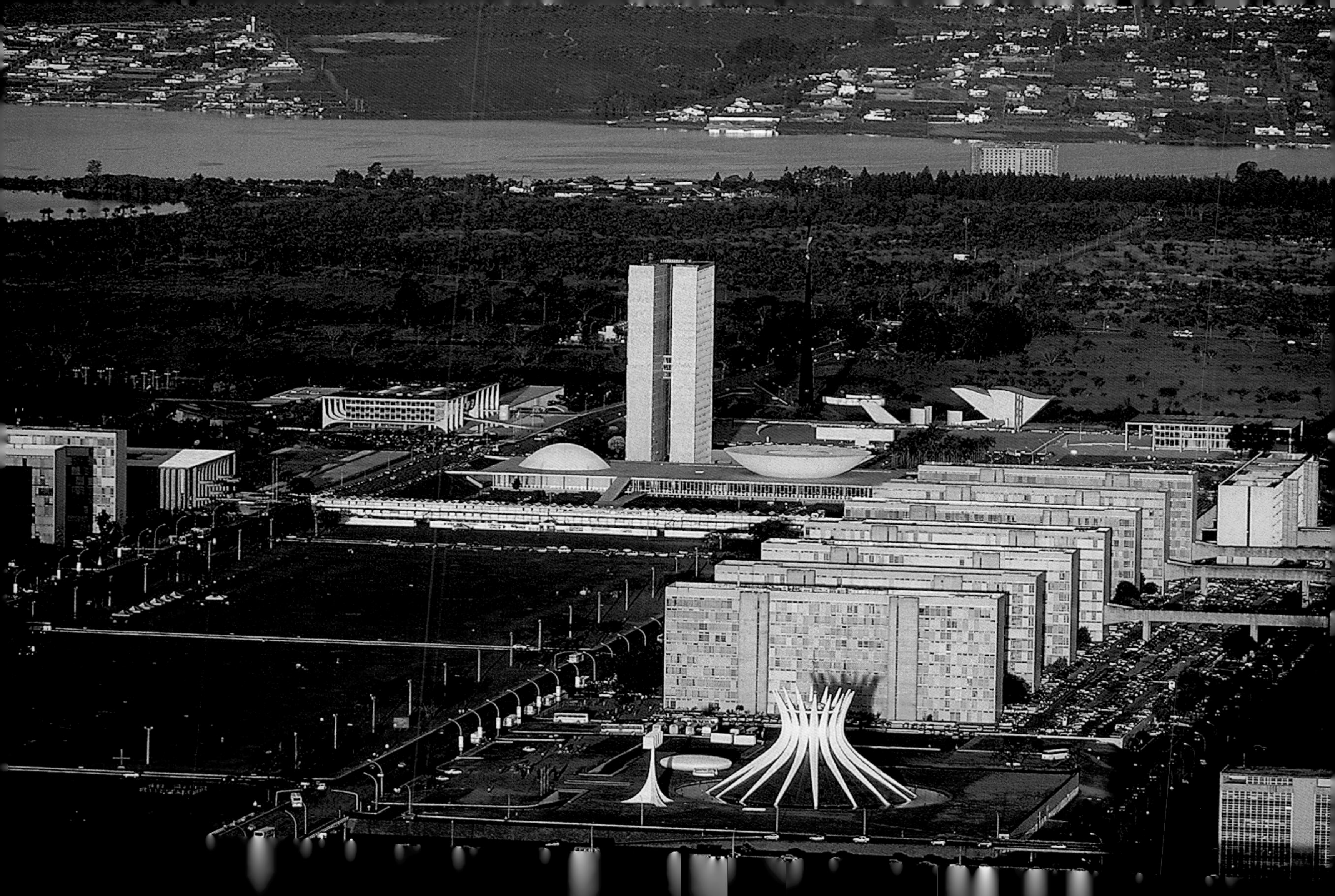

6 novembre

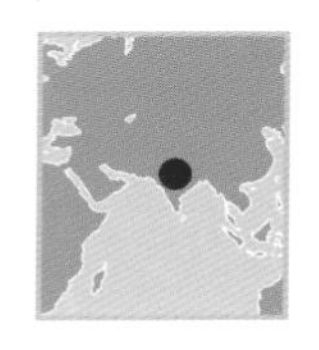

Inde. Rajasthan. Dessin dans la cour d'une maison villageoise à l'ouest de Jodhpur. Dans l'État du Rajasthan, en Inde, les murs et les cours des maisons sont souvent ornés de motifs décoratifs généralement réalisés à la chaux ou au moyen d'autres substances d'origine minérale. Vieille de près de cinq mille ans, cette tradition est plus particulièrement ancrée dans les milieux ruraux. Les dessins réalisés sont de deux types : on appelle *mandana* les figures géométriques et *thapa* les représentations de personnages ou d'animaux. Exécutés par les femmes, ils sont renouvelés lors de chaque fête sur des murs et des sols recrépis d'un mélange de boue et de bouse de vache. Personnalisant chaque demeure, ils ont, outre leur caractère purement esthétique, une importante fonction sociale : ils témoignent de la prospérité des habitants du lieu et apportent, dit-on, bonheur et félicité. Seuls les foyers endeuillés s'abstiennent de décorer ainsi leur maison durant toute l'année suivant un décès.

7 novembre

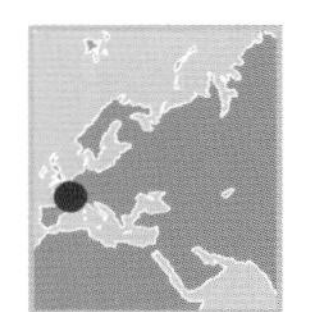

France. Charente-Maritime. Cabanes de pêcheurs près de Talmont-sur-Gironde.

Isolé sur une presqu'île rocheuse, le village de Talmont est situé sur l'estuaire de la Gironde, à l'endroit où le fleuve commence à ressembler à une petite mer. Bordé de marécages ou de falaises calcaires, l'estuaire compte une vingtaine de petits ports. Le transport de marchandises y a longtemps suscité un cabotage fructueux et l'approvisionnement de la ville de Bordeaux a entraîné, au cours des XIXe et XXe siècles, une intensification de la pêche fatale aux esturgeons autrefois nombreux. La pêche s'est reportée sur les civelles ou pibales, ces petites anguilles qui, par millions, remontent au printemps vers les étiers des marais. Les nombreuses cabanes, du haut desquelles les amateurs de pêche plongent leur vaste carrelet dans l'eau, témoignent de cet engouement local. Rien ne semble pouvoir détourner les habitants de ce lien à l'estuaire. La tradition se perpétue donc, mais à quel prix pour l'environnement ? La législation européenne favorable à une meilleure protection de la nature bute encore contre les coutumes locales bien qu'elles soient souvent, comme la chasse à la palombe, interdites par la loi.

8 novembre

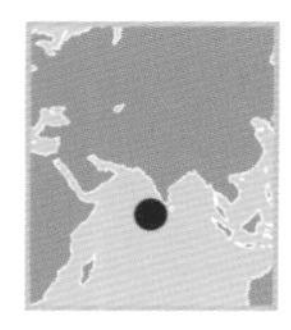

Maldives. Atoll de Male Nord. Îlot de Male.

Capitale de la république des Maldives, Male, située à la jonction de deux atolls, concentre sur 1,8 km^2 les fonctions politiques, administratives, économiques et culturelles du pays. La ville abrite un peu plus du quart des Maldiviens, soit environ 70 000 habitants. La densité humaine du pays est la septième au monde (900 habitants au km^2) sans tenir compte des 170 000 touristes qui les visitent chaque année. En conséquence, l'usage de l'espace est très spécialisé : une île fait office de capitale, une autre d'aéroport, une troisième de réservoir pétrolier, une quatrième de prison, tandis qu'environ 200 îles sont habitées et 90 îles réservées aux touristes. Le risque de pénurie d'espace vient moins de la forte croissance démographique que de la remontée du niveau marin, l'altitude des Maldives étant partout inférieure à 2 m. Les menaces que le changement climatique fait peser sur des pays tels que les Maldives, avec des tempêtes et des inondations déjà exceptionnelles, ont incité les États insulaires à se regrouper pour être au premier rang des négociations internationales sur le climat et demander des comptes aux grands pays émetteurs de gaz à effet de serre. Localement, les travaux d'endiguement ont d'ailleurs commencé.

9 novembre

République d'Afrique du Sud. Province du Cap.

Otaries sur un rocher près de Duiker Island.

Très grégaires, les otaries à fourrure d'Afrique du Sud (*Arctocephalus pucillus pucillus*) se regroupent sur les côtes, en colonies de plusieurs centaines d'individus, principalement pour s'accoupler et mettre bas. Plus à l'aise en milieu marin que sur la terre ferme, ces mammifères semi-aquatiques passent la majeure partie de leur temps à parcourir les eaux littorales en quête de nourriture : poissons, calmars et crustacés. L'espèce, présente au cap de Bonne-Espérance, ne se rencontre que sur les côtes d'Afrique australe, du cap Cross (Namibie) à la baie d'Algoa (Afrique du Sud), et compte 850 000 représentants. Les otaries, 14 espèces au total, appartiennent à la famille des pinnipèdes qui englobe aussi 19 espèces de phoques et 1 de morses ; présents dans la plupart des mers, les pinnipèdes représentent un effectif total de 50 millions d'individus, parmi lesquels 90 % de phoques.

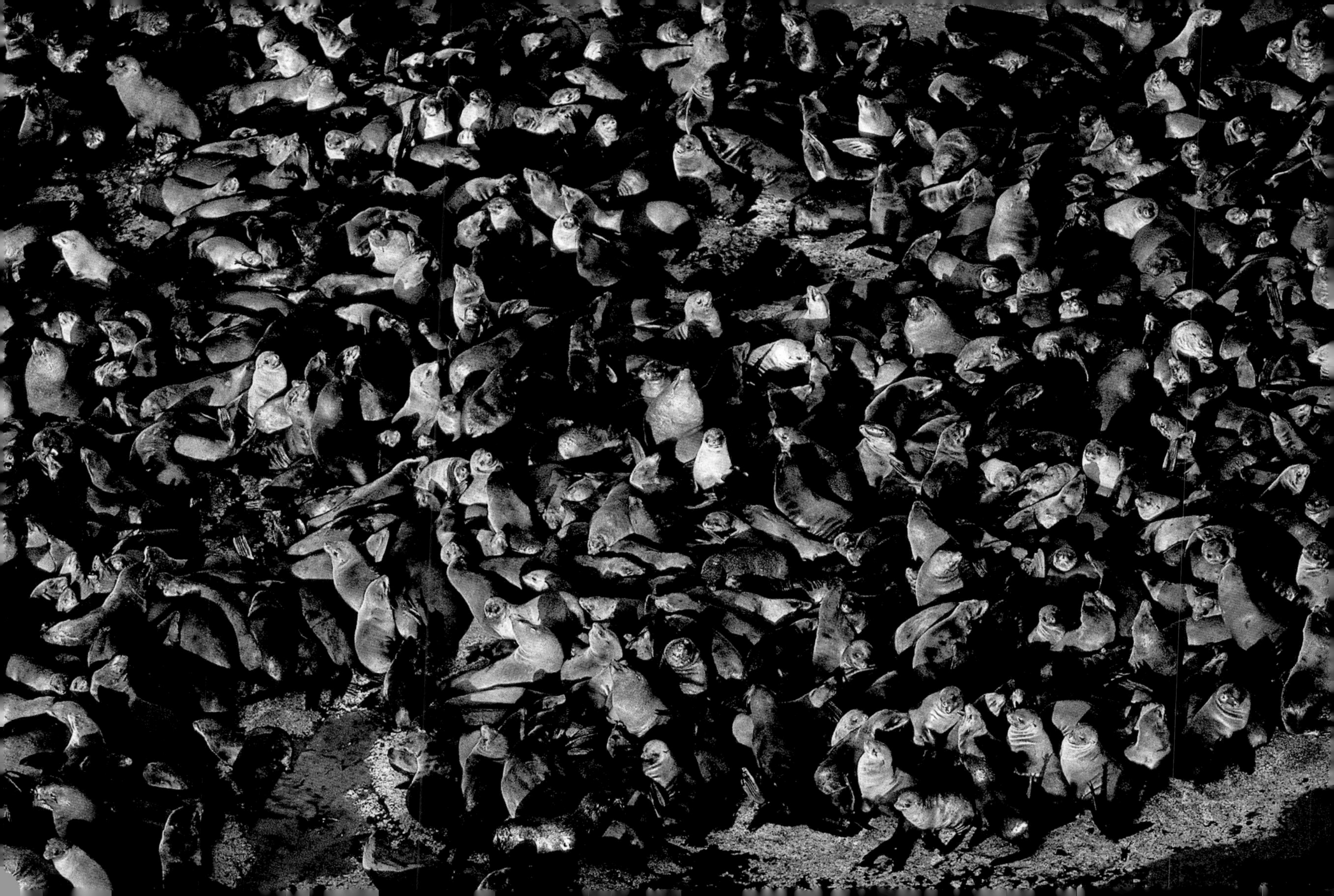

10 novembre

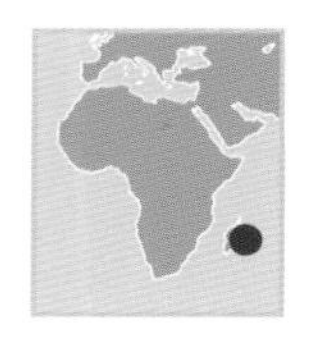

Madagascar. Région de Toamasina. Île aux Nattes et son lagon au sud de Sainte-Marie.

Au large de la côte orientale de Madagascar et au nord de Toamasina, le premier port malgache, l'île aux Nattes s'inscrit comme un point d'orgue à l'extrême sud de Sainte-Marie, une île très effilée et longue de 57 km. Ourlée de plages coralliennes et de forêts tropicales, l'île aux Nattes, Nosy Nato, doit son nom à l'arbre, le nato, qui servait jadis à confectionner les pirogues. Mais le lieu est surtout fameux parce qu'il abrita à la fin du XVIIe siècle une microsociété de pirates, qui régnaient non seulement sur l'océan Indien mais sur l'ensemble des mers. Le développement des polices navales avait incité les pirates à se replier dans des refuges éloignés sans être trop à l'écart des courants commerciaux dont ils vivaient. De ce point de vue, l'île Sainte-Marie était idéalement située pour surprendre au tournant du cap de Bonne-Espérance les navires marchands qui assuraient le transit entre l'Europe et l'Orient. Les pirates ne sont pas les seuls à se soustraire aux lois internationales. Ils furent rejoints au XVIIIe siècle par des utopistes, l'intellectuel provençal Misson, associé au prêtre Caraccioli, qui fondèrent l'éphémère république de Libertalia dans la baie de Diégo-Suarez au nord de Sainte-Marie.

11 novembre

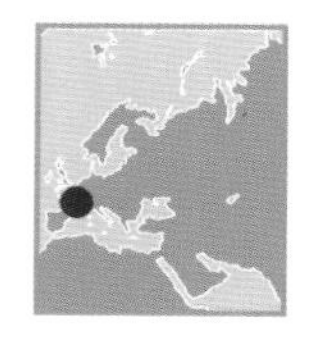

France. Meuse. Cimetière américain au nord de Verdun.

Occupant 40 hectares à Romagne-sous-Montfaucon, à 40 km de Verdun, le cimetière américain fut inauguré en 1935 par la Commission américaine des monuments de guerre. À la demande du général Pershing, qui avait pris part à l'offensive américaine en 1918, cette commission avait été créée en 1923, pour mener des études architecturales et paysagistes en vue de la restructuration des cimetières et des monuments commémoratifs américains en Europe. Tandis que l'armée française choisit de construire des cimetières permanents à l'emplacement des cimetières temporaires qui servaient à l'inhumation des soldats durant le combat, l'armée américaine préféra créer un seul cimetière. Quelque 25 000 tombes américaines disséminées aux alentours de Verdun furent ainsi regroupées à Romagne où, après le rapatriement de près de la moitié des corps sur le sol américain, 14 246 soldats reposent encore. La boucherie de la Grande Guerre avait tant impressionné les États qu'ils construisirent à Verdun et dans la Somme de nombreux monuments commémoratifs pacifistes. Verdun a, pour la même raison, accueilli une réconciliation franco-allemande en 1984 et elle a été nommée capitale de la Paix, des Libertés et des Droits de l'Homme.

12 novembre

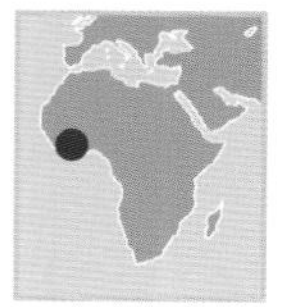

Côte-d'Ivoire. Région de Bondoukou. Culture d'ignames au nord de Tagadi.

Enfouie selon des techniques agricoles traditionnelles sous des monticules de terre, comme dans ce champ près de Bondoukou, à l'est de la Côte-d'Ivoire, l'igname est cultivée pour la consommation locale dans la plupart des pays tropicaux du monde. En Afrique, ce tubercule, riche en amidon et en protéines, est particulièrement répandu dans les zones situées à la limite septentrionale des régions forestières, de la Côte-d'Ivoire jusqu'au Cameroun. Ingrédient de base d'un des principaux plats de la gastronomie ivoirienne, le *foutou* (sorte de purée compacte), ce féculent encore très présent dans l'alimentation des ruraux, a peu à peu été délaissé par les citadins qui représentent désormais près de la moitié de la population du pays. La Côte-d'Ivoire demeure le 3e producteur africain d'ignames (après le Nigeria et le Ghana). Dans toute l'Afrique, l'agriculture occupe plus de 70 % de la population active, mais n'assure en revanche qu'un quart des revenus du continent.

13 novembre

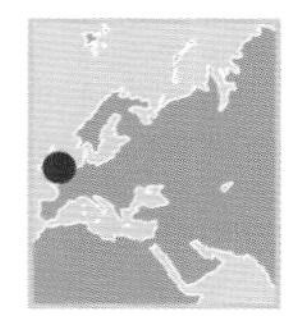

Angleterre. Wiltshire. Site de Stonehenge.

Au sud de l'Angleterre, non loin de Salisbury, se dresse le plus grand cromlech d'Europe. Il est formé de cercles concentriques dont seuls demeurent les deux premiers. Le diamètre du plus grand cercle fait 32 m. Les blocs qui le composent mesurent 7 m de haut et pèsent plus de 30 tonnes. Ils ont été extraits à plus de 30 km et sans doute roulés sur des billes de bois. Au centre, les quatre arches disposées en fer à cheval servaient par alignement avec les piliers du second cercle à déterminer la position du soleil à son lever et à son coucher aux solstices d'été et d'hiver. D'autres alignements marquaient les positions extrêmes du lever et du coucher de la pleine lune la plus proche des solstices. La civilisation des mégalithes qui construisit Stonehenge avait besoin de repères dans l'année pour fixer le calendrier des opérations agricoles, particulièrement le moment des semailles. Mais Alexander Thom qui a vérifié l'exactitude des alignements astronomiques suppose à juste titre que ce n'était pas la seule fonction de ce gigantesque monument. Il devait aussi servir à des cultes religieux dont nous avons perdu la trace.

14 novembre

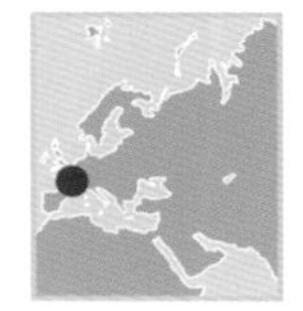

France. Saône-et-Loire. Restaurant inondé à côté de Lux.

La commune de Lux, près de Chalon-sur-Saône, est très proche d'un des bras de la Saône qui traverse cette partie de la Bourgogne. Depuis toujours, cette rivière sort régulièrement de son lit lors de crues plus ou moins mémorables. Au premier trimestre 2001, en conséquence d'un volume de pluie très supérieur à la moyenne, la Saône mais aussi l'Oust, la Vilaine, la Seine ou la Somme ont ainsi gravement inondé de nombreux départements français et causé des centaines de millions de francs de dégâts. Depuis 1988, ces sinistres ont coûté aux assureurs 12,7 milliards de francs, sans compter les récentes inondations de la Somme, qui devraient atteindre plusieurs millions de francs. La France présente cependant la particularité d'être couverte par le système dit de catastrophes naturelles qui garantit l'indemnisation des dommages subis. Mais l'équilibre de ce régime est aujourd'hui menacé par le fort accroissement des sinistres. Il faut dire qu'ils ne sont pas vraiment naturels. L'aménagement du territoire, les conditions d'urbanisation et d'entretien des rivières, la destruction des haies ou le remplacement des prairies par des labours aggravent leurs effets. Une réflexion dans ce domaine est urgente en France où le risque d'inondation touche déjà plus d'une commune sur quatre et où, avec les changements climatiques annoncés, la pluviométrie pourrait augmenter fortement dans les prochaines années.

15 novembre

Australie. Queensland. Grande Barrière de corail.

Au nord-est des côtes australiennes, la Grande Barrière, d'une longueur de 2300 km, est la plus grande formation corallienne du monde. Constituée de plus de 400 espèces de coraux, elle abrite une faune variée de près de 1500 espèces de poissons, 4000 espèces de mollusques et d'autres espèces telles que le dugong et la tortue verte qui sont menacées d'extinction. Depuis la création en 1979 de ce parc marin d'une superficie de 344800 km² (soit 15 % de la surface marine protégée mondiale), la pêche ainsi que l'exploitation du corail sont contrôlées et l'activité touristique prédomine désormais dans cette zone, générant un apport économique de près de 750 millions de dollars chaque année. Seul relief d'origine biologique au monde, les coraux sont des polypes vivant en symbiose avec des algues photosensibles, les zooxhantelles, qui participent à l'élaboration du squelette calcaire de leurs hôtes. Une des menaces qui pèsent actuellement sur les coraux est l'accroissement de la turbidité de l'eau, lié à l'apport de sédiments et à la pollution marine ; privés de lumière les zooxhantelles périssent, entraînant le blanchiment et la mort des coraux.

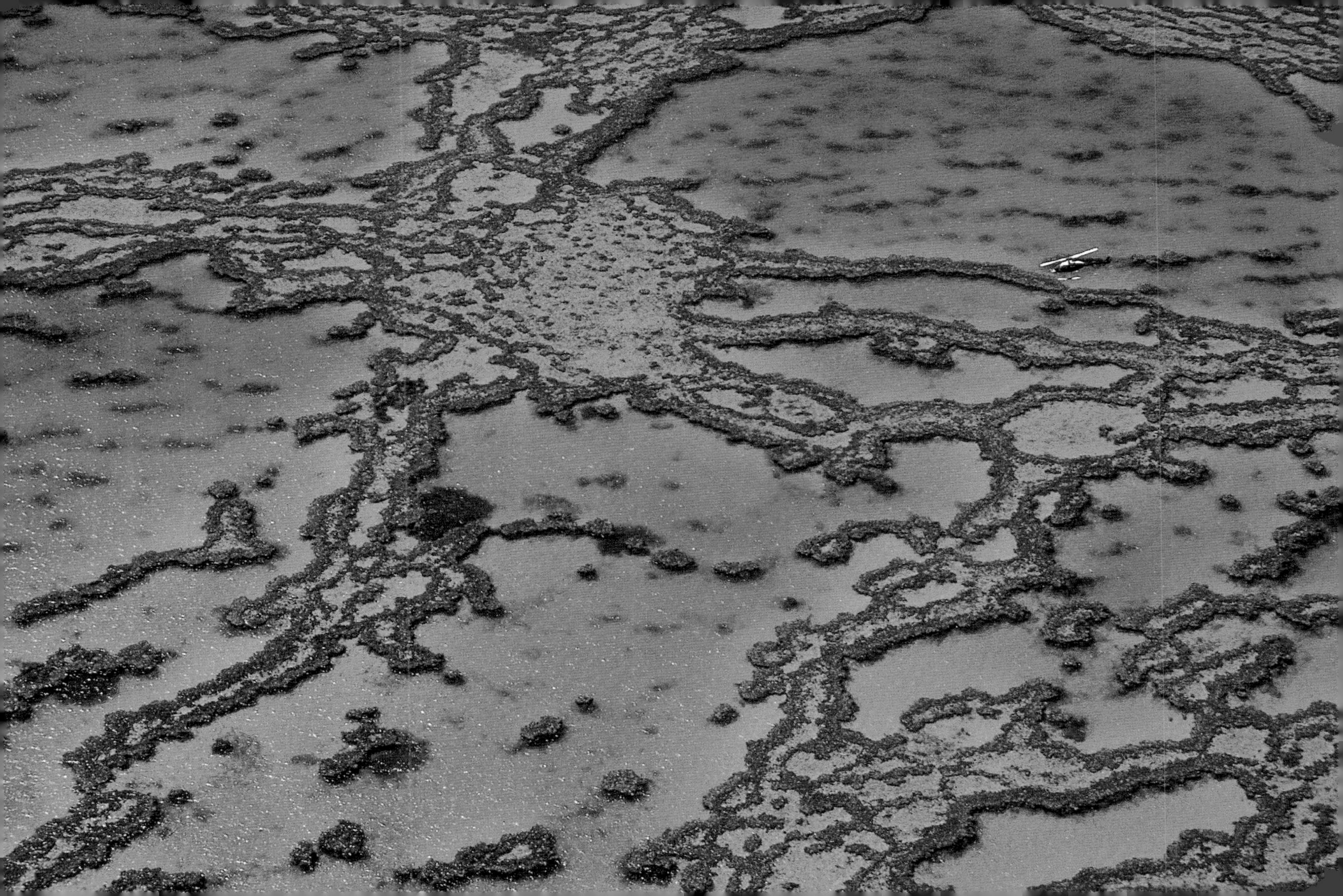

16 novembre

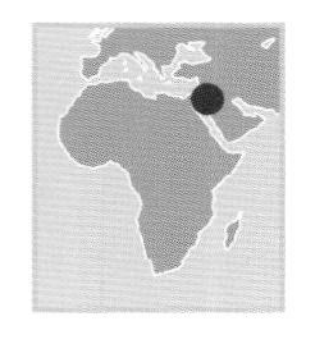

Jordanie. Paysage entre Safawi et Qasr Burqu, près de Mafraq.

Bénéficiant de 500 à 600 mm de précipitations annuelles, le Nord de la Jordanie présente un paysage de steppes où sable et végétation s'entremêlent – comme ici entre Safawi et Qasr Burqu –, contrairement à la majorité du pays qui est désertique à 80 %. Dans ce territoire de fait presque enclavé, la principale ressource hydrique est constituée par le Jourdain, fleuve qui a donné son nom au pays. L'utilisation de ce cours d'eau, qui forme frontière avec Israël et la Cisjordanie, à l'ouest, est un enjeu géopolitique régional. Les problèmes d'accès aux ressources en eau se posent dans l'ensemble des pays du Proche et du Moyen-Orient, en particulier pour ceux qui ne contrôlent pas l'intégralité du cours d'un fleuve, de sa source à son embouchure. De tels enjeux concernent notamment les eaux du Tigre et de l'Euphrate (Turquie, Syrie, Irak), et celles du Nil (Soudan, Égypte).

17 novembre

Antarctique (pôle Sud). Terra Nova. Base italienne.

Au milieu du XIXe siècle, des expéditions scientifiques françaises, américaines, et anglaises partent à la recherche du pôle sud magnétique. Aucune ne l'atteint à cette période mais chacune reconnaît de larges secteurs de l'Antarctique (à commencer par les Français en 1840 qui abordent les premiers en terre Adélie). À partir du début du XXe siècle, les différents pays concernés affirment leurs droits sur les territoires découverts. La reprise des expéditions après la Seconde Guerre mondiale inaugure le temps de la recherche scientifique. Après l'Année géophysique internationale (1957-1958) et la signature du traité de l'Antarctique en 1959, douze pays signataires installent 48 bases d'observation sur ce continent (actuellement au nombre de 66 entretenues par dix-sept pays différents). L'Antarctique est envisagé maintenant comme un laboratoire à l'échelle de la planète sur les questions de géophysique, d'écologie, de climatologie ou d'astrophysique, mais aussi en raison du trou d'ozone qui s'ouvre en octobre à son aplomb et qui tend à s'étendre avec l'émission des polluants, risquant de priver la planète de son écran protecteur contre les mortels rayonnements ultraviolets.

18 novembre

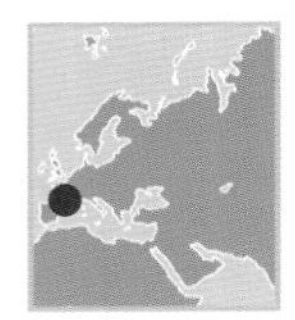

Espagne. Pays basque. Musée Guggenheim de Bilbao.

En moins d'un siècle, la part de la population urbaine dans le monde est passée de 20 % à près de 50 %. Le logement de cet immense afflux de population a constitué l'essentiel de la question urbaine et explique en partie le succès d'une architecture rationnelle dont Le Corbusier ou le Bauhaus ont été les théoriciens les plus connus. Ils ont constitué la référence dominante dans la construction de grands ensembles, d'immeubles barres et de villes nouvelles. Mais aujourd'hui, les nouveaux habitants des villes demandent plus que du logement et du travail. Leur soif d'un cadre de vie agréable et culturel se manifeste par un renouveau des musées et des centres de création aux architectures audacieuses dans les centres-ville. Ce sont les réalisations de Nouvel et de Portzamparc en France, de Calatrava et de Gehry en Espagne. Inauguré en 1997, le musée Guggenheim de Bilbao est le porte-drapeau de ce mouvement de fond. Sur 24 000 m², il comprend 19 salles dont l'une des plus grandes du monde (130 m x 30 m) dans lesquelles il présente une prestigieuse collection d'art moderne et contemporain. Dans le sillage de cette réalisation, on a recensé plus de 40 000 musées et collections publiques ouverts dans le monde entier.

19 novembre

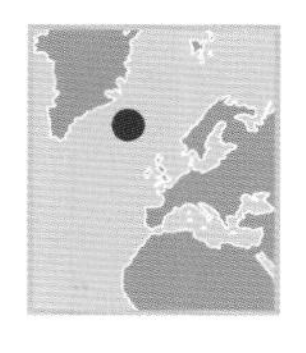

Islande. Chaîne de volcans de Lakagigar.

La région de Lakagigar, au sud de l'Islande, porte encore les stigmates d'une des plus violentes éruptions volcaniques des temps historiques. En 1783, deux fissures éruptives d'une longueur totale de 25 km s'ouvrent de part et d'autre du volcan Laki, vomissant 12 km^3 de lave qui recouvrent 565 km^2 du territoire. Un nuage de gaz carbonique, d'anhydride sulfureux et de cendres s'étend sur l'ensemble de l'île et contamine pâturages et eaux de surface. Les trois quarts du bétail sont anéantis et, au terme d'une nouvelle éruption, en 1785, une terrible famine décime un quart de la population (plus de 10 000 personnes). Couronnées par 115 cratères volcaniques, les fissures du Lakagigar sont aujourd'hui refermées et les coulées de laves recouvertes d'un épais tapis de mousse. Avec plus de 200 volcans actifs, l'Islande a produit à elle seule au cours des cinq cents dernières années le tiers des émanations de lave du monde.

20 novembre

France. Nouvelle-Calédonie. Les îlots Nokankoui, au sud de l'île des Pins.

En 1774, le navigateur écossais James Cook aborda, dans le sud-ouest de l'océan Pacifique, sur une longue île qu'il nomma Nouvelle-Calédonie en référence à sa province natale. À l'extrémité sud de cette grande terre que ses habitants appellent familièrement « le caillou », Cook découvrit Kounié, l'île des Pins. L'aspect sauvage et inhabité des îlots alentour ainsi que leur végétation luxuriante ont la réputation d'un Éden océanien. Mais la chute du paradis se produisit vite car plusieurs de ces îlots furent transformés en bagne. Ils reçurent notamment des déportés de la Commune de Paris en 1871. Les « transportés » restèrent souvent à l'expiration de leur peine car on leur offrait des lopins de terre. Eux et leurs descendants constituèrent le premier peuplement colonial, les seuls citoyens reconnus par la France avant l'abolition du code de l'indigénat en 1946 qui attribua la citoyenneté aux Mélanésiens. À petite échelle, l'histoire de la Nouvelle-Calédonie rappelle celle de sa grande voisine australienne, peuplée jadis aussi de convicts et qui n'accorde que lentement des droits aux Aborigènes.

21 novembre

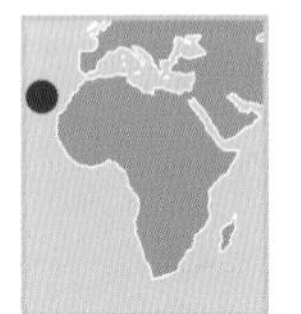

Espagne. Îles Canaries. Touristes sur une plage de Fuerteventura, près de Corralejo.

Fuerteventura, deuxième plus grande île des Canaries, abrite les plages les plus vastes de l'archipel. Pensant profiter de l'intimité d'une des nombreuses criques isolées, ces touristes s'adonnent aux joies du naturisme et du bronzage intégral. Sans doute inspirés par les pratiques agricoles locales, ils ont édifié un muret de pierres volcaniques afin de se protéger des vents venant du Sahara qui balaient constamment la côte et font le bonheur des véliplanchistes. Fuerteventura était pressentie pour la construction du plus grand complexe hôtelier du monde, mais la pénurie d'eau douce sur l'île, problème qui touche d'ailleurs plus de 20 % de la population de l'archipel, a rapidement conduit à l'abandon de cet ambitieux projet. Le tourisme reste cependant le pôle économique majeur des Canaries, qui accueillent 4 millions de visiteurs par an, dont 97 % d'origine germanique.

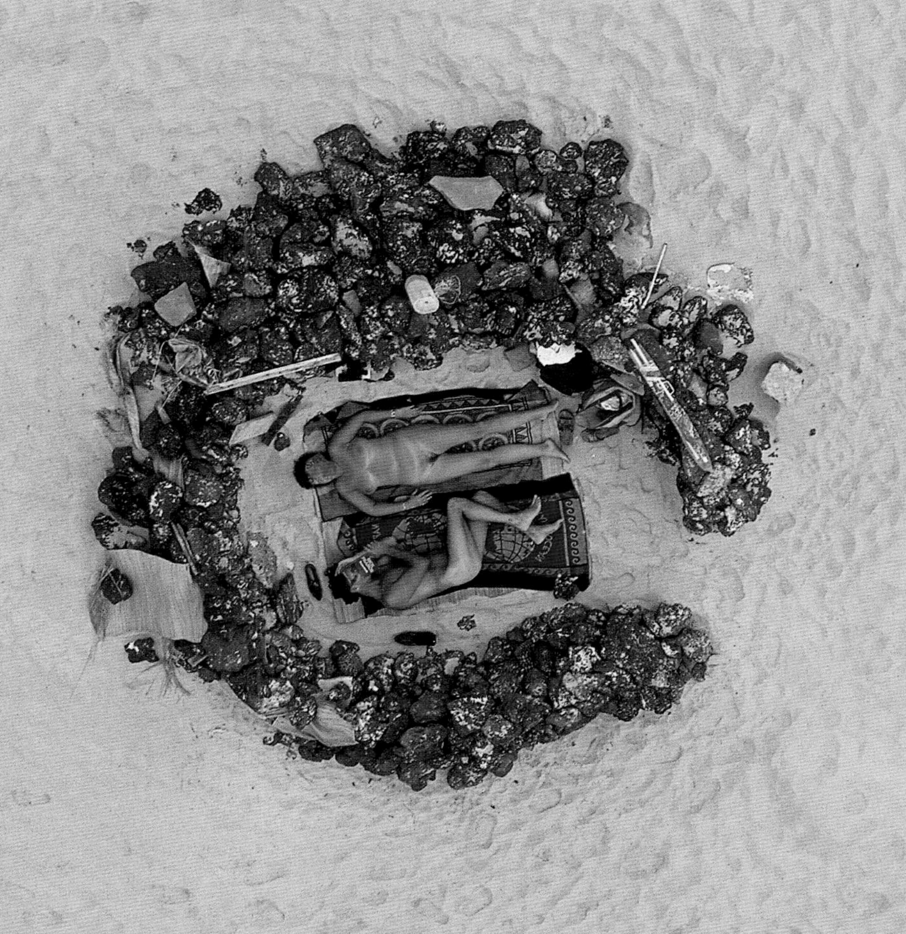

22 novembre

Mali. Village près de Mopti.

En 1325, le célèbre souverain du Mali, Mansa Musa, entreprit un pèlerinage à La Mecque. Au retour, il ramena de Ghadamès en Libye un poète et architecte né à Grenade, As-Sahili. Tandis que la religion africaine traditionnelle disposait les lieux de culte à l'abri du regard des non-initiés, Mansa Musa, converti à l'islam, fit construire des mosquées partout où il se rendait en voyage pour pouvoir prier facilement. Cela influença la situation et le style des mosquées soudanaises qui devinrent le point focal des villages et des villes. La brique crue et son enduit d'argile fine permettant une grande liberté de formes, elles adoptèrent une architecture audacieuse dont le plus bel exemple se trouve à Djenné, non loin du grand port de Mopti sur le Niger, et a été classé au patrimoine mondial de l'humanité. Malgré l'exubérance formelle des murs et des enceintes, ces mosquées gardent le plan carré traditionnel avec la cour et la qibla, mur de l'est sur lequel s'appuie le *mirhab*, c'est-à-dire la chaire orientée vers La Mecque. Elles témoignent de la forte religiosité de ces régions où des confréries très influentes organisent le culte des saints.

23 novembre

Côte-d'Ivoire. Foule à Abengourou.

Cette foule essentiellement composée de jeunes et d'enfants ne doit pas faire illusion par sa gaieté car la situation matérielle de l'Afrique est actuellement désastreuse. Négligeable économiquement (l'Afrique représente moins de 1 % des échanges mondiaux et sa production totale est inférieure à celle d'un pays comme l'Espagne), elle est en train de connaître une catastrophe sanitaire. Plus des deux tiers des malades du sida recensés dans le monde vivent en Afrique. L'apparition de nouvelles souches de la malaria et de la tuberculose prélève encore plus de morts prématurées. L'espérance de vie diminue dans de nombreux pays, passant au-dessous de 50 ans et parfois même au-dessous de 40 ans (Ouganda, Sierra Leone, Zambie, Malawi, etc.), ce qui était le niveau de la France de Louis XVI. L'abondance des enfants s'explique alors simplement par le décès précoce de leurs parents et grands-parents. Dans ces conditions, il est même étrange que la fécondité diminue en Afrique, mais on observe cette tendance dans les plus grands pays : 4,5 enfants par femme au Kenya contre 8,5 il y a 30 ans, 3,2 en Afrique du Sud contre 5 dans les années 1970. L'explosion démographique dont c'est le dernier foyer actif paraît donc ici aussi faire long feu.

24 novembre

Argentine. Province de Jujuy. Quebrada de Humahuaca.

Le Nord-Ouest argentin présente un paysage tourmenté de vallées et de hauts plateaux (jusqu'à 3 000 m d'altitude à Humahuaca). Les *quebradas* sont des vallées encaissées typiques de la région. La Quebrada de Humahuaca (du nom des Indiens qui occupaient la région) s'étend sur 60 km de long et 3 km de large. Le long du río Grande, elle constitue une des seules zones fertiles de la région permettant la culture du tabac, du coton, de la canne à sucre, du maïs et du blé. Elle servit aussi de passage aux Incas, partis du Pérou à la conquête des Andes, puis aux Espagnols qui allaient fonder les villes du Nord. Sa population très métissée garde la trace de ces envahisseurs successifs et contraste avec le reste de l'Argentine où les Indiens ont été sauvagement massacrés. Dans les années 1930, on offrait encore des primes aux chasseurs de la Pampa qui rapportaient des têtes d'Indiens. À mesure que l'on s'enfonce dans la vallée, les couleurs s'intensifient. Le Cerro de los Siete Colores (« Montagne des Sept Couleurs »), qui se dresse derrière le village de Purmamarca (« village du Lion » en quechua), livre au regard une gamme de tons vifs contrastant avec la blancheur du village et le vert de la végétation en aval.

25 novembre

Venezuela. Delta Amacuro. Vol d'ibis rouges près de Pedernales.

Depuis la région des Llanos jusqu'au delta Amacuro qui constitue l'embouchure du fleuve Orénoque, plus d'un tiers de la superficie du Venezuela est formé de zones humides, habitat favori des ibis rouges *(Eudocimus ruber)*. Ces échassiers nichent en colonies importantes dans les palétuviers des mangroves et ne se déplacent que de quelques kilomètres pour se nourrir. Le carotène issu des crevettes, crabes et autres crustacés qu'ils consomment contribue à donner à l'espèce sa pigmentation caractéristique. Les plumes d'ibis rouges, naguère utilisées par les populations autochtones pour confectionner des manteaux et des parures, entrent désormais dans la fabrication artisanale de fleurs artificielles. Convoité tant pour ses plumes que pour sa chair, cet oiseau est aujourd'hui menacé ; il resterait actuellement moins de 200 000 représentants de l'espèce dans l'ensemble de son aire de répartition, en Amérique centrale et en Amérique du Sud.

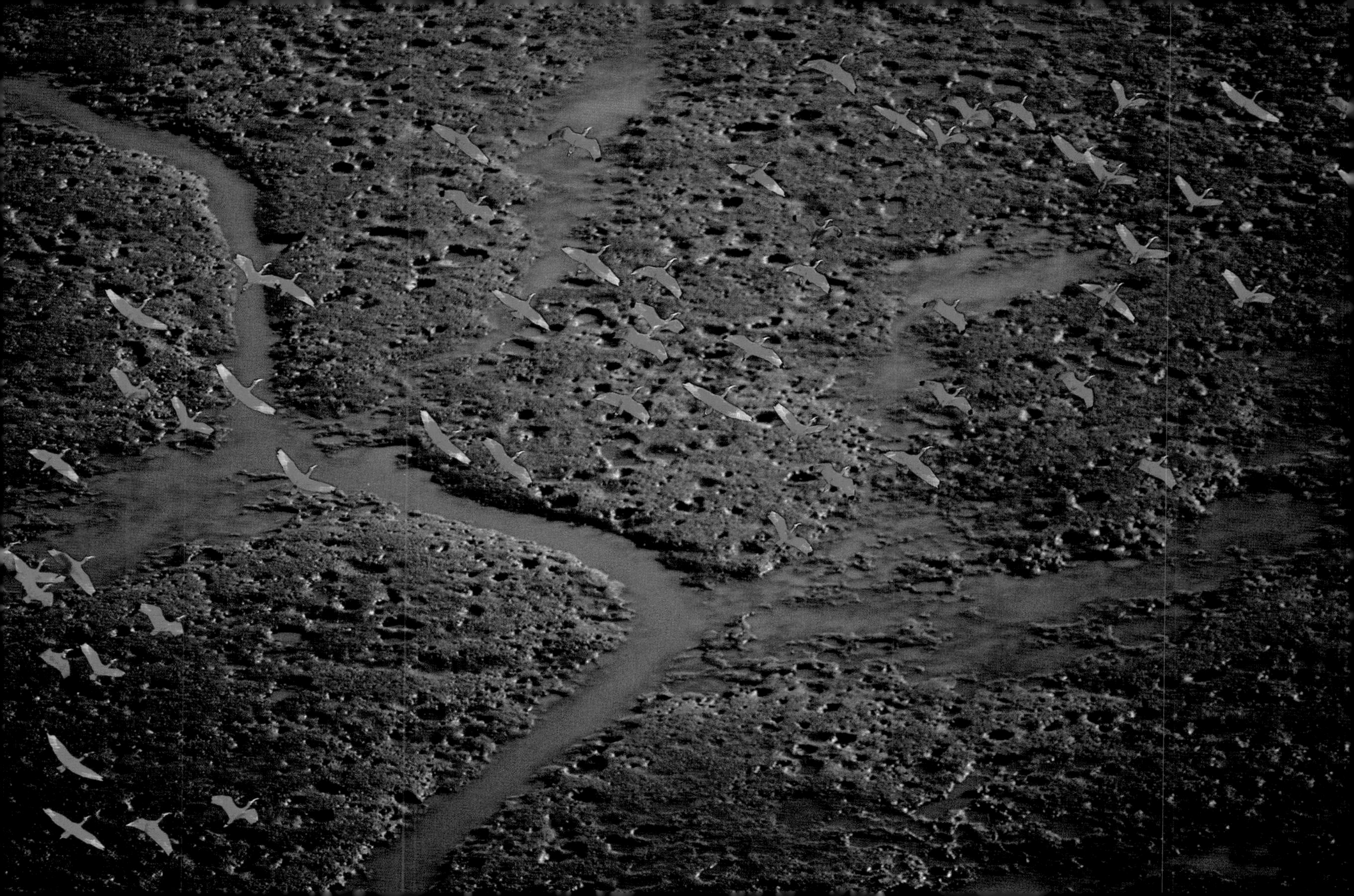

26 novembre

Italie. Vénétie. Lagune de Venise. Village de pêcheurs de Malamocco.

La lagune de Venise, en Italie, est séparée de la mer Adriatique par un chapelet d'îles longilignes parmi lesquelles celle du Lido, où se trouve le village de pêcheurs de Malamocco. Constituée de 118 îlots, la ville historique de Venise, construite il y a quinze siècles, est de plus en plus fréquemment soumise à l'*acqua alta*, une montée des eaux qui la submerge régulièrement. Ce phénomène s'est aggravé au cours des trente dernières années, période durant laquelle la ville a été inondée très souvent, dont une centaine de fois par plus d'un mètre d'eau. Afin de préserver ce site hautement touristique, classé sur la Liste du patrimoine mondial de l'Unesco en 1987, un projet ambitieux et coûteux (le projet Moïse) a été engagé en 1988 avec pour objectif d'obturer périodiquement les trois passes qui relient la mer à la lagune au moyen d'une cinquantaine de digues mobiles.

OMS

27 novembre

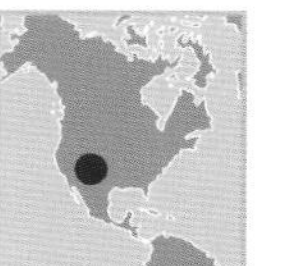

États-Unis. Nevada. Bras du Lake Mead, dans les Muddy Mountains.

Barrer un canyon pour accumuler l'eau d'un réservoir fait partie des interventions généralement jugées bénéfiques dans la mesure où elles permettent de satisfaire certains besoins de la société, bien qu'il se trouve toujours quelques particuliers pour déplorer l'aliénation d'un paysage qui leur convenait. Gagner un lac sur la steppe est certainement plus aisé que de conserver l'eau dans un paysage densément humanisé. Les sociétés actuelles sont confrontées aux choix qu'exige la mise à disposition de moyens de vie accrus pour des populations croissantes. Ces choix seront encore plus nombreux et douloureux dans l'avenir. Entendra-t-on un jour quelques inquiets réclamer l'arrêt de la consommation d'espace par les autres, pour préserver la qualité du leur ?

28 novembre

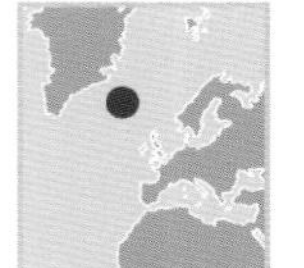

Islande. Région du Myrdalsjökull. Glacier Stettjökull.

Le mot *Islande* signifie « pays de glace ». Le pays doit ce nom aux glaciers qui recouvrent près de 13 % de sa superficie. Mais l'Islande est aussi une terre de feu. Tous les types de volcan y sont représentés et ils manifestent une grande activité, avec une éruption en moyenne tous les cinq ans. Les deux phénomènes sont, en réalité, étroitement liés : la physionomie de ce pays a été forgée par la chaleur souterraine des volcans et les glaciers l'ont modelé, creusant les fjords des côtes nord, est et ouest, et taillant les chaînes de montagnes. Le fait qu'une calotte glaciaire – comme le Myrdalsjökull, au sud de l'Islande – soit établie sur un volcan en activité, confirme l'existence d'un tel lien. La chaleur du volcan fait fondre les couches inférieures de la glace. L'eau ainsi prisonnière se libère brutalement au moment de la fonte estivale des glaces, ce qui provoque de terribles inondations comme celle de l'été 1918, dont le flot torrentiel, jailli soudain de la calotte du Myrdalsjökull, a atteint un débit triple de celui du fleuve Amazone à son embouchure. Cet événement nous rappelle que les volcans font intimement partie de la dynamique terrestre comme l'a montré James Lovelock dans son célèbre ouvrage *Gaïa*.

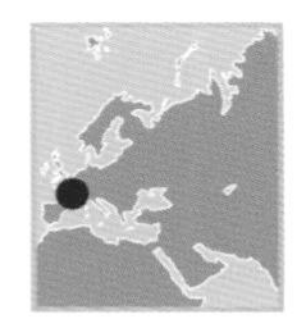

France. Pyramide du Louvre à Paris.

Inaugurée à la fin de l'année 1988, cette grande pyramide translucide de 21,65 m de haut, édifiée au cœur du palais du Louvre à Paris, abrite le hall d'accueil de l'un des plus grands musées du monde. Composée de 673 losanges et triangles de verre montés sur une armature métallique de plus de 95 tonnes, la pyramide constitue une véritable prouesse technologique. Elle n'est cependant que la partie apparente des aménagements apportés au musée dans le cadre d'un vaste projet de restructuration confié à l'architecte sino-américain Ieoh Ming Pei. Cette structure contemporaine, enchâssée au sein de bâtiments historiques qui furent le lieu de résidence de nombreux rois de France, est devenue le symbole du musée du Louvre. Celui-ci présente une collection de 30 000 objets d'art, peintures et sculptures, à près de 5 millions de visiteurs chaque année.

30 novembre

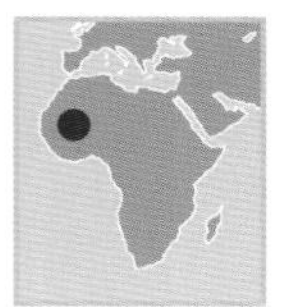

Mali. Village dogon près de Bandiagara.

À la frontière du Mali et du Burkina Faso, au pied de la falaise de Biandagara, se succèdent les villages dogons connus pour la subtilité de leur architecture. Chaque village est divisé en quartiers clos où vivent plusieurs familles apparentées. Le plan de chaque quartier évoque celui d'un corps humain avec les autels figurant les pieds, les deux maisons où séjournent les femmes durant leurs règles représentant les mains, les habitations occupant la place du ventre et de la poitrine, l'abri du conseil, celle de la tête. La décoration des habitations, des greniers et des autels, avec ses damiers aux cases noires et blanches, reproduit quant à elle le plan des jardins irrigués, le dessin des couvertures de laine et celui des masques. L'ethnologue Marcel Griaule a montré la richesse des correspondances qui emplissent la vie quotidienne des Dogons d'un symbolisme permanent relié à leur mythologie et à leur récit de la construction du monde par deux jumeaux sacrés. C'est de cette manière que les sociétés traditionnelles réalisaient leur intégration au monde mystérieux et hostile qui les entourait.

1er décembre

Turquie. Anatolie. Femmes travaillant dans des champs.

Au cours des vingt dernières années du XXe siècle, l'agriculture mondiale s'est largement féminisée (40 % de la main-d'œuvre agricole mondiale est féminine). La Turquie en constitue un exemple particulièrement frappant. En effet, environ 80 % des femmes actives turques exercent dans le secteur agricole où leur nombre dépasse celui des hommes. Ces derniers ont migré vers les villes à la recherche de métiers plus rémunérateurs et d'opportunités d'ascension sociale. Les hommes reviennent seconder leurs femmes au moment des périodes de travail intensif comme les moissons et les semailles. Leur migration saisonnière rappelle celle des travailleurs creusois et limougeots qui ont construit le métro et les immeubles de pierre de taille parisiens au début du siècle. Cette répartition traditionnelle des tâches accentue la position d'infériorité des femmes, ce qui est un curieux résultat de la modernisation.

2 décembre

Brésil. Favelas à Rio de Janeiro.

Près d'un quart des 10 millions de Cariocas, les habitants de Rio de Janeiro, au Brésil, vit dans les 500 bidonvilles de l'agglomération, ou *favelas*, qui ont connu une expansion croissante depuis le début du siècle et sont devenus le berceau d'une forte délinquance. Pour la plupart accrochés aux flancs des collines, ces quartiers pauvres et sous-équipés sont régulièrement victimes de glissements de terrain meurtriers lors des fortes pluies. Parallèlement, en aval des *favelas*, les classes moyennes et aisées de la ville (18 % des Cariocas) occupent les quartiers résidentiels qui bordent le front de mer. Ce contraste social est à l'image de l'ensemble du Brésil, où 10 % de la population contrôlent la majeure partie des richesses du pays alors que près de la moitié vit au-dessous du seuil de pauvreté. Environ 25 millions de personnes habitent dans les bidonvilles des grandes agglomérations brésiliennes.

3 décembre

Mauritanie. Caravane de dromadaires dans les dunes près de Nouakchott.

Dans ce pays situé en bordure du Sahara (le plus grand désert de sable du monde, avec quelque 7 770 000 km²), les dromadaires, animaux adaptés aux conditions extrêmes du milieu, représentent une partie importante du cheptel domestique. Occupée pour l'essentiel par le désert, qui couvre 90 % de son territoire, la Mauritanie est particulièrement touchée par les conséquences de l'action de l'homme sur l'environnement. En effet, le pourtour des grands massifs dunaires est souvent fixé par une végétation naturelle adaptée à la sécheresse, en particulier à proximité des zones un peu moins arides où les populations humaines peuvent s'installer. Il suffit d'une légère oscillation climatique dans ces franges désertiques, ou bien d'une exploitation excessive de la végétation pour que le sable se mette en mouvement, donnant l'impression que le désert avance. Le sable menace un certain nombre de villes importantes, notamment la capitale, Nouakchott.

4 décembre

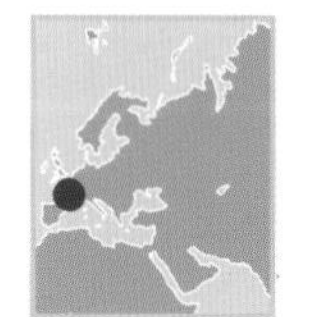

France. Algues dans le golfe du Morbihan.

Dans les années 1920, une épidémie décima *Crassostrea angulata*, l'espèce d'huître la plus exploitée en France. Une espèce japonaise, *Crassostrea gigas*, fut introduite et, involontairement avec elle, une trentaine d'espèces animales et d'algues qui vivent aujourd'hui dans les eaux de la Manche et de l'océan Atlantique. C'est le cas de la Sargasse (*Sargassum miticum*) qui a pris la place d'espèces locales, comme ici dans le golfe du Morbihan. On a craint une prolifération galopante, mais cette espèce, tout en étant devenue abondante, semble avoir trouvé sa place dans l'écosystème. Elle fait néanmoins l'objet d'une surveillance attentive. Baignée par la mer sur 2 730 km, la Bretagne, dont 70 % du littoral est en voie d'urbanisation, abrite le Conservatoire du littoral qui possède 4 000 ha, dont plus de la moitié relève de sites dont la superficie est supérieure à 100 ha.

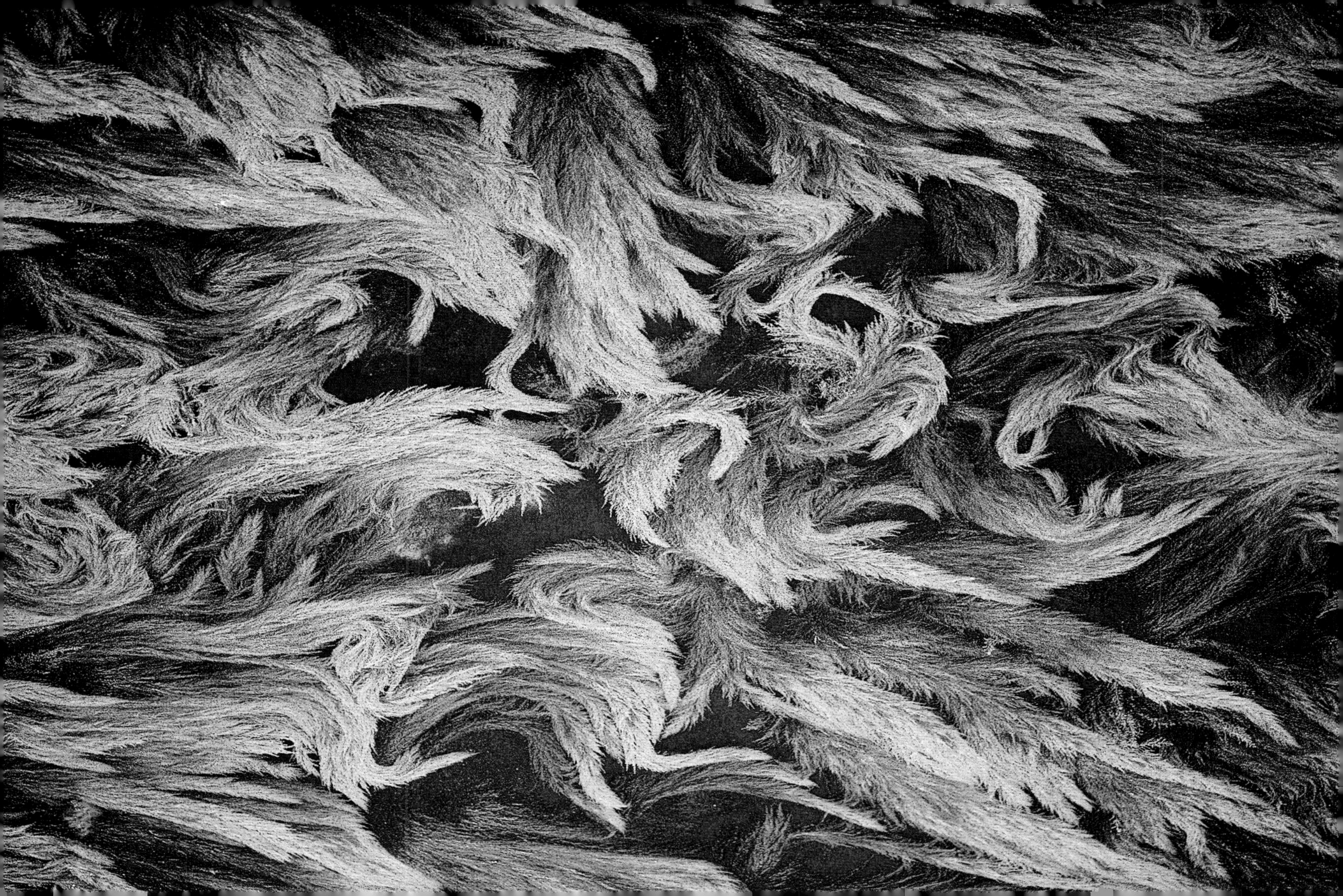

5 décembre

Madagascar. Région de Toliara. Baobabs au sud de Belo.

Quatrième du monde par sa superficie, l'île de Madagascar est un peu plus étendue que la France. Elle s'est détachée du continent africain, il y a plus de 100 millions d'années. Sa flore et sa faune ont évolué ensuite de manière indépendante si bien que 80 % des espèces ne se rencontrent que dans l'île. C'est le cas de sept des huit espèces de baobab connues dans le monde. Ces arbres ont la capacité d'emmagasiner plusieurs milliers de litres d'eau qui leur permettent de franchir la saison sèche longue d'avril à novembre dans la région de Toliara. Les baobabs constituent une ressource précieuse. L'écorce, débitée en pans ou lanières, sert à la construction des cases et à la fabrication de cordages. Les fruits semblables à des gourdes et les feuilles riches en calcium sont utilisés en cuisine. Les grains sont pressés pour obtenir une huile qui entre dans la composition du savon, tandis que la sève permet de confectionner du papier. L'utilisation ingénieuse des ressources locales montre que les espèces sont de précieux réservoirs, notamment de substances chimiques. C'est pourquoi le maintien de la biodiversité a été l'un des trois impératifs planétaires définis à la conférence de Rio de Janeiro en 1994.

6 décembre

Australie. Territoire-du-Nord. Mine d'uranium dans le parc national de Kakadu.

Le parc national de Kakadu, en Australie, dispose d'importantes ressources en uranium (10 % des réserves mondiales) réparties sur trois parcelles : Ranger, Jabiluka et Koongarra, qui, bien que situées dans l'enceinte d'un espace protégé, en sont statutairement exclues. De ces trois gisements situés sur des terres sacrées, au mépris des Aborigènes, seul Ranger bénéficie d'une autorisation d'extraction. L'exploitation des autres sites suscite une controverse quant aux risques de pollution. Dans cette zone de rejets de déchets, de larges sprinklers arrosent les berges du marais, afin d'augmenter l'évaporation et de réduire les risques de propagation en poussière, laissant des dépôts de sels et de sulfate. Avec deux autres grands gisements sur son territoire, l'Australie possède un quart des réserves du globe et a produit en 1996 près de 14 % de l'uranium extrait chaque année dans le monde, celui-ci étant principalement destiné à alimenter les centrales nucléaires.

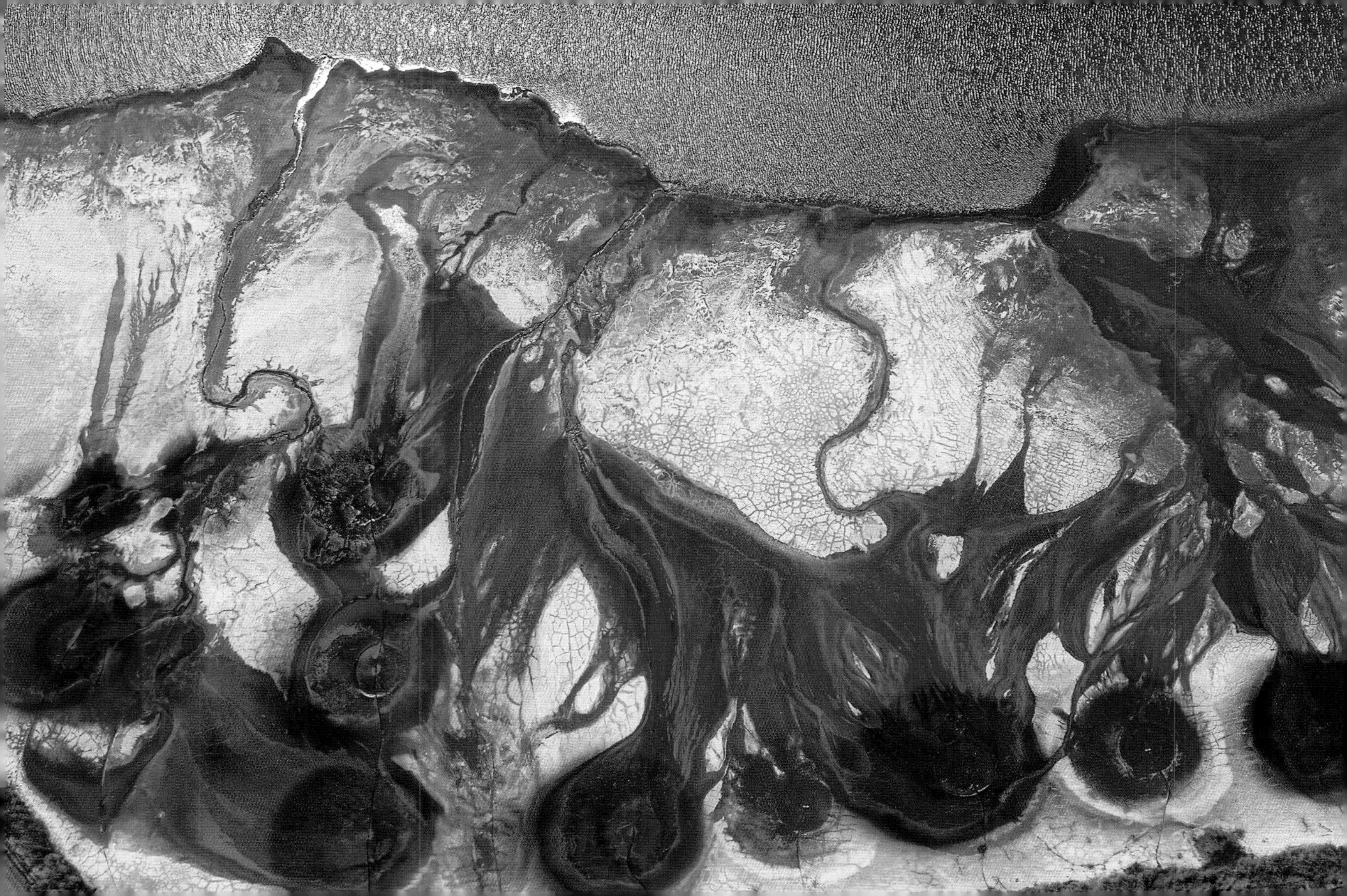

7 décembre

États-Unis. Wyoming. Parc national de Yellowstone. Geyser du Grand Prismatic.

Situé sur un plateau volcanique qui chevauche les États du Montana, de l'Idaho et du Wyoming, Yellowstone est le plus ancien des parcs nationaux. Créé en 1872, il s'étend sur 9 000 km² et présente la plus grande concentration de sites géothermiques du monde, avec plus de 3 000 geysers, fumerolles et sources chaudes. D'un diamètre de 112 m, le Grand Prismatic Spring est le bassin thermal le plus vaste du parc, et le troisième au monde par sa taille. Le spectre de couleurs qui lui a valu son nom est dû à la présence d'algues microscopiques dont la croissance dans l'eau chaude, au cœur de la vasque, diffère de celle de la périphérie où la température est moins élevée. Inscrit sur la Liste du patrimoine mondial de l'Unesco depuis 1978, le parc national de Yellowstone accueille en moyenne 3 millions de visiteurs par an. C'est d'ailleurs aux États-Unis et au Canada que sont situés les cinq sites naturels les plus fréquentés du monde, le continent américain accueillant annuellement plus de 100 millions de touristes, toutes activités confondues, soit plus d'un cinquième du tourisme mondial.

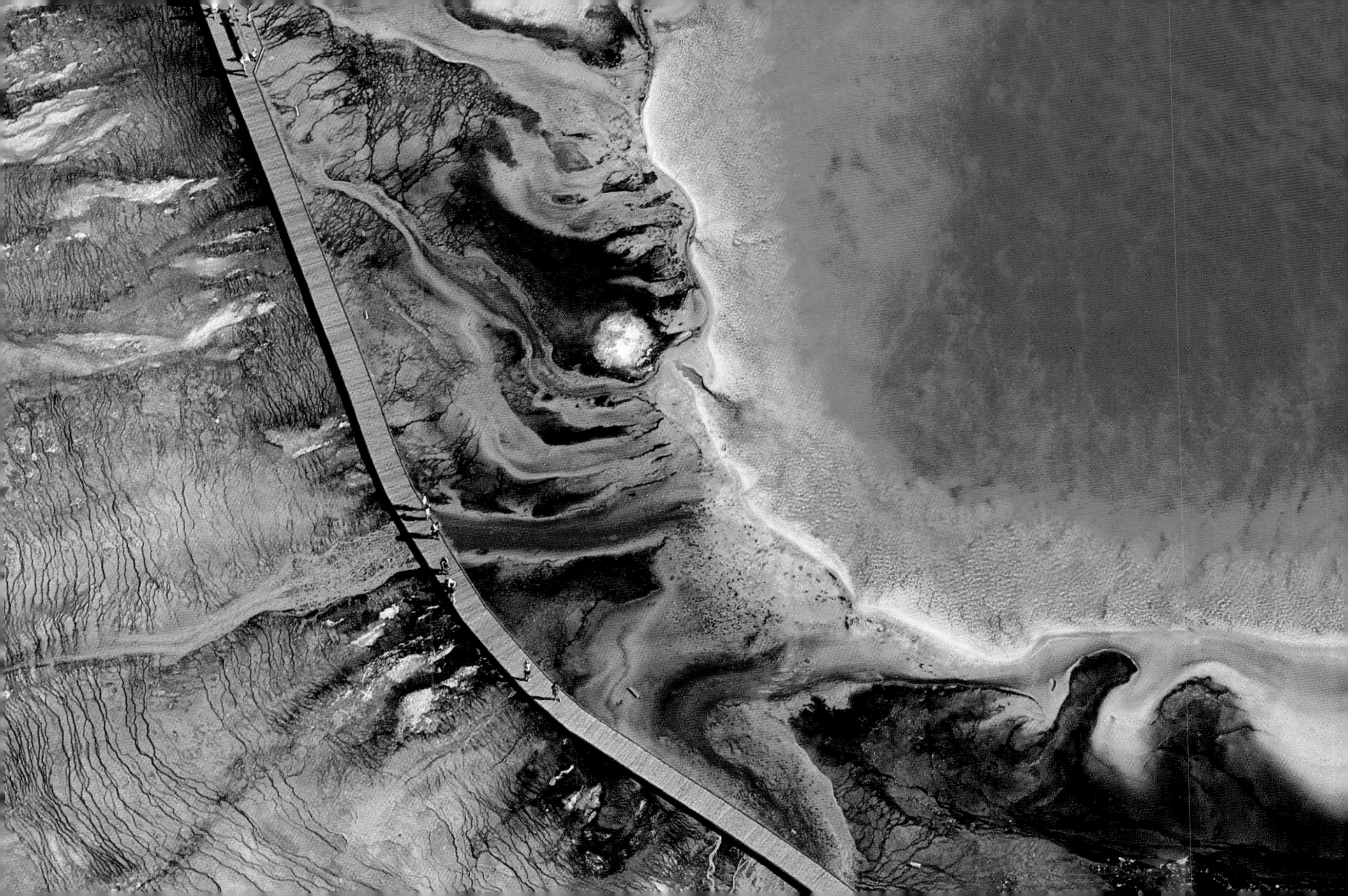

8 décembre

Thaïlande. Région de Chiang Maï. Wat Phra Doï Suthep qui surplombe Chiang Maï.

La ville de Chiang Maï, aujourd'hui capitale de la région montagneuse du nord et la seconde ville thaïlandaise, fut le centre religieux d'un grand domaine qui s'étendait jusqu'à la Chine, le royaume de Lân-na, de la fin du XIIIe au XVIIe siècle. Le temple de Wat Phra, édifié dans le style Lân-na ancien, sur la montagne de Doï Suthep, à quelque 1 000 m d'altitude, était la sentinelle de la ville. Le stupa abrite des reliques de Bouddha. Ses feuilles de cuivre doré, ainsi que les feuilles d'or des quatre parasols qui l'encadrent, sont sans cesse renouvelées par les fidèles, qui acquièrent ainsi des mérites. Les *jaofao*, flèches défensives qui ornent les toitures, protègent le sanctuaire des esprits malfaisants errants dans le ciel. Le bouddhisme, religion de 95 % des Thaïlandais, a constitué le ciment de l'unité du pays. Les temples, autrefois principaux centres d'éducation, hospices et orphelinats, sont restés un lieu de vie publique. Ils restent aussi au cœur des existences car la plupart des hommes thaïlandais endossent l'habit de moine durant quelques mois avant d'entrer dans la vie active, et ne manquent jamais ensuite de faire des dons aux monastères.

9 décembre

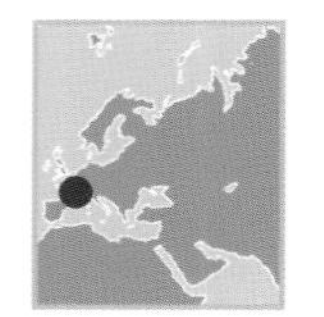

France. Yvelines. Ronds d'entraînement de l'hippodrome de Maisons-Laffitte.

L'hippodrome de Maisons-Laffitte, près de Paris, possède l'un des plus importants centres d'entraînement hippique de France, les pistes et les écuries accueillant près de 800 chevaux. Dans les ronds d'entraînement – ici le rond Adam – quotidiennement nivelés par hersage, les lads préparent l'échauffement des jeunes chevaux et les exercent au saut d'obstacles avant de leur permettre de courir sur les pistes d'entraînement, puis sur les champs de courses. L'hippodrome de Maisons-Laffitte est annuellement le cadre de plus de 250 courses, avec au total près de 3 000 partants. Les courses hippiques constituent une part non négligeable de l'industrie du jeu ; plus de 100 milliards de dollars sont misés sur les chevaux de course chaque année dans le monde, près de la moitié de cette somme (44 milliards de dollars) étant engagée par les Japonais, premiers parieurs au monde.

10 décembre

Côte-d'Ivoire. Région de Yamoussoukro. Transport de chèvres près de Toumodi.

Ces hommes, nonchalamment installés dans des hamacs au-dessus de leur troupeau de chèvres, sont sans doute des Peuls qui vont vendre leurs animaux sur l'un des marchés de la région de Yamoussoukro, capitale politique de la Côte-d'Ivoire depuis 1983. La proximité avec les animaux est une caractéristique des peuples nomades des pays sahéliens qui se consacrent traditionnellement à l'élevage extensif du bétail. Dans toute l'Afrique, ce type d'élevage, qui se pratique dans des zones arides ou semi-arides, est une cause importante de désertification. Les chèvres, en particulier, sont réputées pour leur insatiable appétit qui les rend dévastatrices dans les environnements fragiles. Elles n'hésitent pas à grimper sur les arbres pour en brouter les feuilles. Mais c'est surtout le surpâturage – un trop grand nombre d'animaux sur un espace donné – qui crée des problèmes. La désertification d'un milieu entraîne une insécurité alimentaire grandissante, la désorganisation de communautés entières et la disparition d'espèces végétales et animales. Ce phénomène croît considérablement, notamment en Afrique. L'ONU considère qu'en ce début de XXIe siècle, un sixième de la population mondiale et un quart de la surface émergée du globe sont touchés par la désertification.

11 décembre

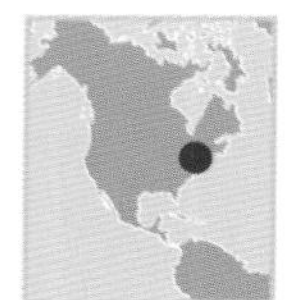

États-Unis. New York. Terrain de golf de Chelsea Piers.

Inauguré il y a quelques années, Chelsea Piers est le plus grand complexe sportif de New York. Il est situé en plein cœur de Chelsea, quartier commerçant avec ses antiquaires et ses boutiques de vêtements ou d'équipements ménagers, mais aussi et surtout quartier d'habitation qui résume l'histoire de New York et des États-Unis : son passé industriel avec le métro aérien et les façades en fonte des immeubles et entrepôts du XIXe siècle ; sa population composée d'immigrés arrivés au XIXe siècle et logés dans de grands ensembles d'appartements, les *tenements*. L'existence même de ce complexe sportif est caractéristique du mode de vie américain, où l'activité sportive occupe une place prépondérante. À Chelsea Piers, tous les sports peuvent être pratiqués, du basket-ball à la boxe en passant par le volley-ball ou le golf. Ce dernier sport, loin d'être l'apanage des classes aisées, a depuis longtemps séduit les couches moyennes et populaires, ce qui fait des États-Unis le pays du monde comptant le plus grand nombre de licenciés en golf – d'où une multiplication de terrains de taille réduite ou miniature, les *practices*, réservés à l'entraînement.

LEASING

12 décembre

Turquie. Anatolie. Touriste dans une piscine à Pamukkale (Hierapolis).

La ville de Pamukkale, dans l'Ouest de l'Anatolie, en Turquie, dispose de sources d'eau chaude riche en sels minéraux dont les propriétés curatives sont connues depuis l'Antiquité. En 129 av. J.-C., les Romains y établirent la cité thermale de Hierapolis qui, victime de quatre tremblements de terre, fut reconstruite plusieurs fois avant de connaître le déclin sous l'Empire byzantin. Aujourd'hui, le site archéologique de Hierapolis accueille de nombreux visiteurs. Un motel a même été bâti sur les vestiges d'une ancienne fontaine sacrée ; sa piscine, dont le fond est jonché de fragments de colonnes romaines, constitue une attraction appréciée des touristes. Inscrit sur la Liste du patrimoine mondial de l'Unesco en 1988, le site de Hierapolis-Pamukkale est dénaturé par la présence de nombreuses infrastructures hôtelières, dont la démolition prévue depuis 1992 n'a toujours pas été effectuée.

13 décembre

Maroc. Sahara occidental. Sebkhet Aridal près du cap Boujdour.

En se retirant, les eaux de l'oued Lemnaider, qui alimentent cette *sebkha* (lac salé temporaire) en période de pluie, ont creusé des rigoles dans le sable où affleurent des dépôts de sel. Caractéristique de zones arides du Maghreb, la *sebkha* se trouve dans le sud du Maroc, au cœur du Sahara occidental. Autrefois colonie espagnole, cette portion de désert, qui s'étire sur 2 500 km le long de l'Atlantique et couvre 252 000 km², a été revendiquée par le Maroc lors du départ des Espagnols, en 1975. Cependant, soutenu par l'Algérie, le Front Polisario (Front populaire pour la libération de la Saguia al-Hamra et du Rio de Oro) a proclamé l'indépendance du Sahara occidental et pris les armes. Une République arabe sahraouie démocratique (RASD) a même été créée et admise au sein de l'Organisation de l'unité africaine (OUA) ; reconnue par plus de 70 États africains et asiatiques, elle n'est pourtant pas considérée comme administrateur officiel de ce territoire par les instances internationales.

14 décembre

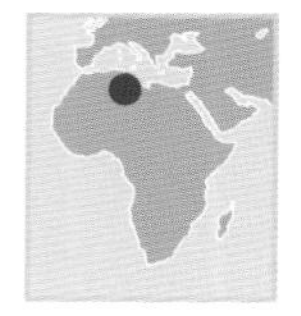

Tunisie. Gouvernorat de Gabès. Cité de Matmata, habitations troglodytiques.

En même temps que certains Berbères de la Tunisie méridionale se réfugiaient sur les hauteurs, d'autres « s'enfoncèrent dans un trou » (étymologiquement du grec *trôglodutês*), pour se protéger des différentes invasions et de la dureté du climat. Dans la cité souterraine de Matmata, où selon le proverbe « les vivants vivent sous les morts », on accède par un tunnel à une cour en forme de puits circulaire sur laquelle s'ouvrent des dépendances et, sur un ou deux niveaux, les chambres creusées latéralement, complètement isothermes. La roche tendre permettait d'augmenter aisément le nombre de pièces au fur et mesure que la famille s'agrandissait. Cet abri-termitière s'est ainsi développé au point de compter plus de 700 excavations. La population berbère, qui y vit encore (les femmes y travaillent à leur métier à tisser), a conservé sa langue mais elle a été convertie à l'islam. Son intégration au monde moderne ne s'arrêtera pas là : tout comme les Bédouins qui vivaient dans les grottes nabatéennes de Pétra, tout comme les habitants des Pouilles dans leurs caves de Matera, les Berbères seront sans doute bientôt interdits de souterrains et iront rejoindre les faubourgs de Medenine ou de Gabès et leur vie à l'européenne.

15 décembre

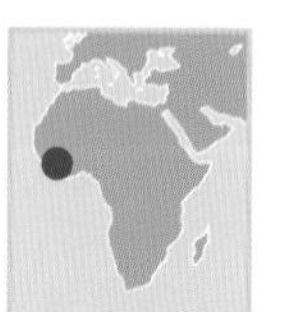

Côte-d'Ivoire. Lessive dans un marigot, quartier d'Adjamé à Abidjan.

Dans le quartier d'Adjamé, au nord d'Abidjan, des centaines de laveurs de linge professionnels, les *fanicos*, font chaque jour la lessive dans le marigot situé à l'entrée de la forêt du Banco (classée parc national en 1953). Utilisant les rochers et des pneus remplis de sable pour frotter et essorer le linge, ils lavent à la main les milliers de vêtements qui leur sont confiés. Comme l'ensemble des habitants de la planète, la vie de ces hommes et de ces femmes dépend de la qualité de l'eau disponible. En 2025, plus de 3 milliards de personnes dans le monde ne disposeront pas d'eau salubre. Inégalement répartie à la surface de la terre, l'eau est aujourd'hui un enjeu international. Les pays qui pourront se développer dans le futur sont ceux qui disposeront d'assez d'eau pour leur agriculture et leur industrie. Or, la consommation augmente. L'accès à l'eau devient une source de conflits et le contrôle des fleuves est une question primordiale pour les États, comme par exemple dans le conflit israélo-arabe. Plus insidieusement encore, l'eau, longtemps considérée comme une ressource commune, est devenue un bien marchand, ce qui pose le problème de sa disponibilité pour tous. Boire, le geste le plus naturel de l'humanité, coûtera demain de plus en plus cher.

16 décembre

Botswana. Cobes lechwe dans le delta de l'Okavango.

Abondants dans le delta de l'Okavango, au Botswana, les cobes lechwe sont des antilopes caractéristiques des milieux marécageux ; cette espèce vit surtout dans l'eau et trouve dans les îlots de végétation sa nourriture ainsi qu'une protection face aux prédateurs. Le delta de l'Okavango abrite 40 espèces de grands mammifères, 400 d'oiseaux, 95 de reptiles et amphibiens, 70 de poissons et 1 060 de végétaux. Il y a deux millions d'années, la rivière Okavango rejoignait le fleuve Limpopo pour se jeter dans l'océan Indien, mais les failles créées par une intense activité tectonique l'ont déviée de son parcours initial, lui faisant achever sa course en un vaste delta de 15 000 km² à l'entrée du désert du Kalahari. Depuis 1996, le delta de l'Okavango est protégé par la convention de Ramsar, relative aux zones humides d'importance internationale, et qui concerne 957 sites dans le monde.

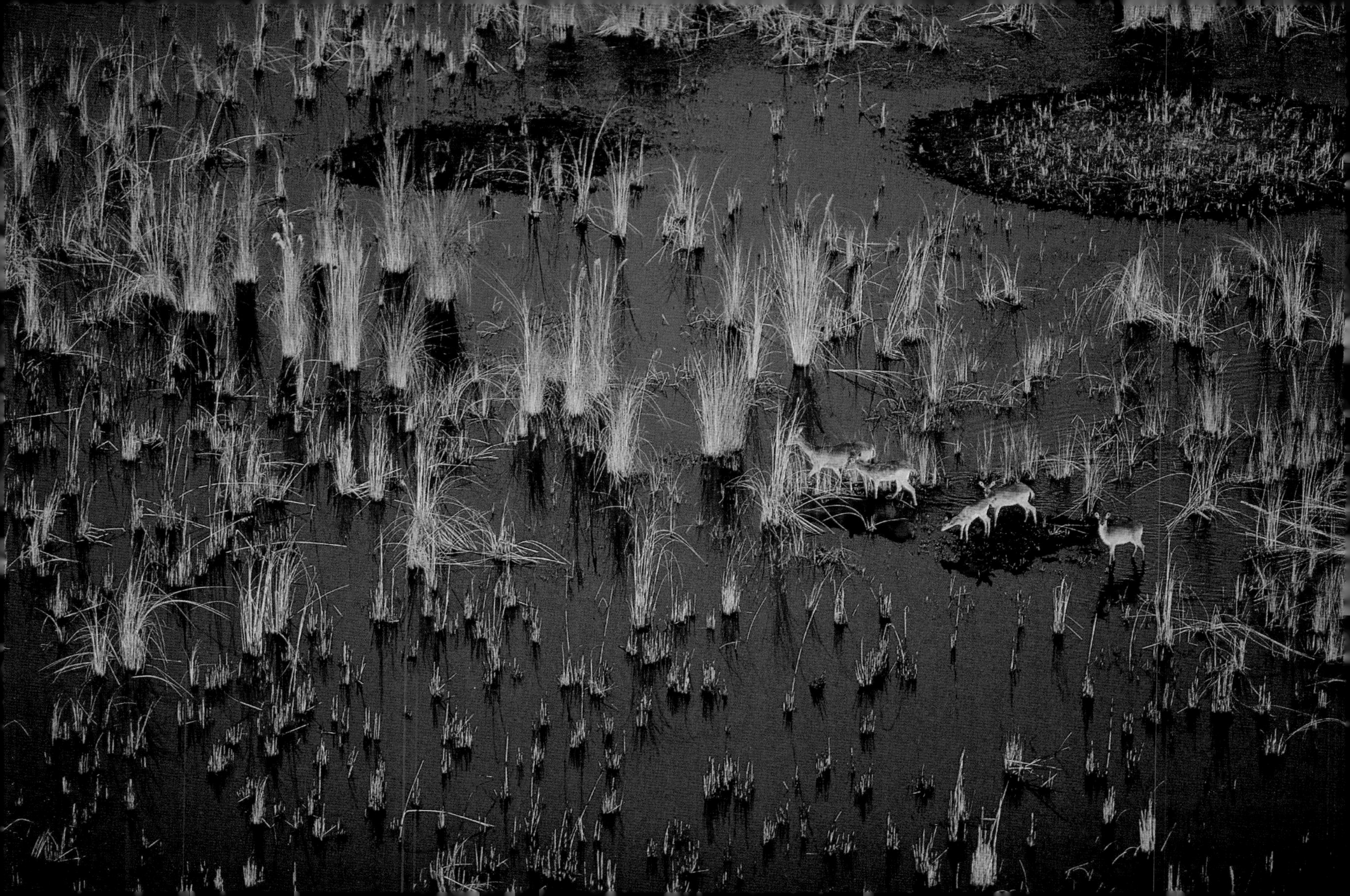

17 décembre

Venezuela. Région d'Amazonas.

L'Orénoque au niveau de la Esmeralda (forêt amazonienne).

L'Orénoque est le 4e fleuve du monde par son débit. Depuis ses sources en Amazonie vénézuélienne, il draine la plupart des cours d'eau de la région avant de se jeter dans l'Atlantique. Navigable sur 700 km, il constitue encore la principale voie d'accès vers l'intérieur d'un territoire de près de 180 000 km². L'absence de véritables moyens de communication a permis à la forêt et à la savane amazoniennes, riches de leurs 8 000 espèces de plantes et d'arbres et de leurs 680 espèces d'oiseaux, d'être relativement préservées. Des populations indiennes, en particulier les Yanomanis – l'une des dernières peuplades au monde à vivre de la chasse et de la cueillette, décrite par l'ethnologue Pierre Clastres – ont pu également survivre. Mais ce n'est qu'un répit. Les fermiers sans terre qui mettent le feu à la forêt en chassent les Indiens, les braconniers qui recherchent les animaux rares pour de riches collectionneurs les utilisent pour guides, et les chercheurs d'or les exploitent comme main-d'œuvre servile. Le massacre des Yanomanis s'intensifie, laissant douter qu'une quelconque population puisse échapper à la mondialisation.

18 décembre

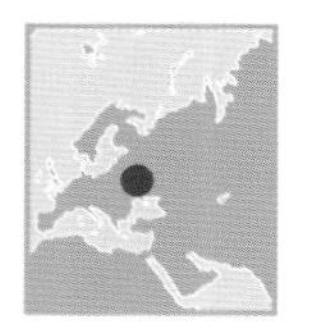

Ukraine. Pripiat, ville abandonnée, près de la centrale nucléaire de Tchernobyl.

L'explosion le 26 avril 1986 du réacteur n° 4 de la centrale de Tchernobyl en Ukraine est la plus grande catastrophe nucléaire civile de tous les temps. Un nuage radioactif s'est alors étendu sur l'Ukraine, la Biélorussie et la Russie, puis s'est dispersé sur tout l'hémisphère Nord. Le coût total des dommages sur 30 ans est estimé à plusieurs centaines de milliards de dollars. Mais le coût humain est plus exorbitant encore. Si le nombre exact de victimes reste incertain, on estime que plusieurs millions d'Européens souffrent de maladies liées à l'irradiation. Les cancers de la thyroïde et les malformations congénitales touchent un pourcentage important de Biélorusses et d'Ukrainiens, surtout les plus jeunes, et on s'attend à une augmentation du nombre des leucémies. Cette catastrophe pose la question de la sécurité nucléaire partout dans le monde mais surtout en Russie et dans les anciennes Républiques soviétiques qui disposent encore de 13 réacteurs de même type (RBMK) que celui qui a explosé. La centrale de Tchernobyl a continué à fonctionner après l'accident, avant d'être définitivement arrêtée le 15 décembre 2000. La politique de l'atome est aujourd'hui remise en cause par un nombre croissant d'associations de citoyens.

19 décembre

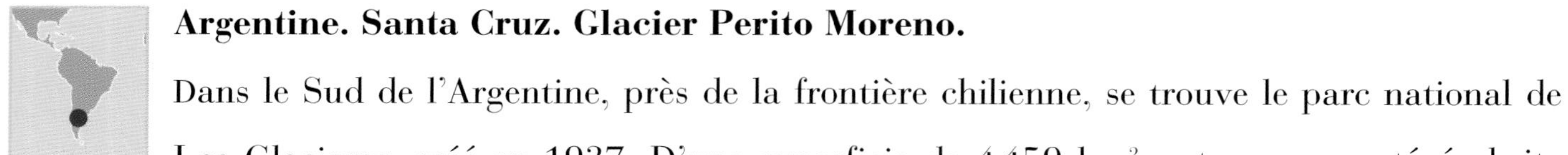

Argentine. Santa Cruz. Glacier Perito Moreno.

Dans le Sud de l'Argentine, près de la frontière chilienne, se trouve le parc national de Los Glaciares, créé en 1937. D'une superficie de 4 459 km^2, cet espace protégé abrite 47 glaciers issus du manteau glaciaire continental de Patagonie, le plus grand au monde après l'Antarctique et le Grœnland. D'une largeur frontale de 5 000 m et d'une hauteur de 60 m, le Perito Moreno progresse sur l'un des bras du lac Argentino, entraînant dans sa course des débris de roches arrachés aux berges qui érodent et modèlent le paysage. Tous les trois ou quatre ans, à la confluence des deux bras du lac, le glacier interrompt l'écoulement de l'eau ; la pression croissante de celle-ci sur la barrière de glace finit par la rompre, en produisant une détonation qui peut être entendue à plusieurs kilomètres alentour. Les glaciers et les calottes polaires représentent 9 % des terres émergées du globe. Le réchauffement global de la planète, en partie lié aux activités humaines, est susceptible, par la fonte des glaces, d'élever le niveau des océans et de noyer des littoraux fertiles.

20 décembre

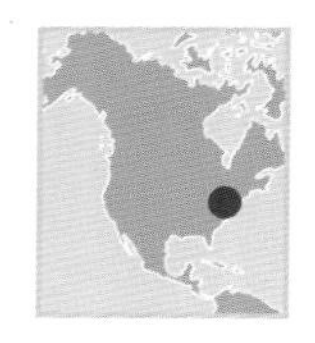

États-Unis. Yankee Stadium à New York.

Situé au cœur du Bronx, quartier pauvre de New York, le Yankee Stadium dispose d'un terrain en gazon soigneusement entretenu, alors que de plus en plus de stades américains adoptent des revêtements synthétiques ; il offre une capacité d'accueil de 55 000 places. Ce stade de base-ball est celui des New York Yankees, équipe la plus titrée – avec 23 victoires en finale depuis la création de cette compétition en 1905 – parmi les 26 que compte le championnat nord-américain. Né aux États-Unis peu avant 1850, le base-ball s'est très tôt professionnalisé tout en restant le loisir favori d'une majorité d'Américains qui le qualifient volontiers de *national passtime* (passe-temps national). Représenté par 80 fédérations dans le monde et pratiqué par plus de 150 millions de licenciés – ce qui en fait le deuxième sport le plus pratiqué après le volley-ball (210 fédérations et 180 millions de licenciés) –, le base-ball a été reconnu discipline olympique en 1986.

21 décembre

Madagascar. Village au cœur des rizières près d'Antananarivo.

Dans la région d'Antananarivo, à Madagascar, les Merina, groupe ethnique d'origine indonésienne, vivent de leurs rizières, qu'ils exploitent selon des techniques traditionnelles dans les plaines qui entourent les villages. Dans l'objectif de parvenir à l'autosuffisance, la culture du riz s'est étendue, et les rizières occupent désormais les deux tiers de la surface cultivée du pays. Deux types de riziculture sont pratiqués sur l'île : la culture humide sur terrasses d'inondation le long des fleuves, dans les vallées ; et la culture sèche sur brûlis, sur les terres escarpées. Au 1er rang mondial pour la consommation de riz par habitant (en moyenne 120 kg par an), Madagascar n'est cependant pas un gros producteur (l'île se classe en moyenne vers le 20e rang mondial avec environ 2,5 millions de tonnes) ; depuis longtemps, le pays importe du riz de qualité moyenne, tout en exportant une variété de luxe. Avec le blé et le maïs, le riz est l'une des trois céréales les plus consommées dans le monde.

22 décembre

Venezuela. Région de Miranda. Archipel de Los Roques au nord de Caracas.

Situé à quelque 170 km des côtes vénézuéliennes, l'archipel de Los Roques reste « un paradis sur terre », ainsi que le décrivait Christophe Colomb lors de sa découverte. Entouré par une barrière de corail, il forme un rectangle composé d'une cinquantaine de petites îles (*los cayos*) sablonneuses, plates et arides, ainsi que de nombreuses baies de corail qui délimitent une vaste lagune centrale. L'archipel constitue une importante réserve marine et animale pour des centaines d'espèces : tortues de mer, requins, dauphins, mérous, conques, oiseaux... Une fondation scientifique a été créée en 1963 afin de protéger les espèces menacées par la pêche trop intensive. Dans cette même perspective, et pour assurer une meilleure protection contre l'essor rapide du tourisme, le gouvernement vénézuélien a classé en 1972 l'archipel parc national. Peut-être était-ce aussi se prémunir contre les chercheurs de trésors et d'épaves car ces îles perdues ont été pendant deux siècles des repaires de pirates et de flibustiers guettant les galions espagnols chargés de l'or des Amériques.

23 décembre

Russie. Kamtchatka. Volcan Karymskaya en éruption.

Presqu'île montagneuse d'origine volcanique, à l'extrémité orientale de la Sibérie, la région du Kamtchatka occupe au sein de la Fédération de Russie une place à part. Outre son éloignement de la capitale – plus de 6 000 km –, les autorités russes n'ont guère encouragé son développement depuis la dissolution de l'URSS. Pourtant, le Kamtchatka participe aussi à la vie économique de la Russie grâce à ses ressources naturelles (forêts de conifères, cultures de légumes et de pommes de terre, production laitière), au développement de ses villes côtières et à ses activités liées à la pêche. Sa population, concentrée dans les villes, est principalement composée de Russes qui côtoient les survivants des anciens peuples de la région, comme les Kamchadal ou les Itelmènes.

24 décembre

Sultanat d’Oman. Maison isolée dans les montagnes de la péninsule de Musandam. Construite avec les pierres de la montagne, cette maison qui se fond dans le paysage semble surveiller la vallée, à l’image de la péninsule de Musandam qui veille sur le détroit d’Ormuz. Occupant une position stratégique sur la route commerciale entre le golfe Persique et l’océan Indien, Musandam a longtemps été un refuge de pirates et a fait l’objet des convoitises perses et arabes. Aujourd’hui rattachée au sultanat d’Oman, dont elle est pourtant éloignée de 50 km, cette péninsule contribue à la puissance du pays en lui permettant de contrôler le trafic maritime, plus particulièrement le transit pétrolier, et en renforçant sa position de gardien du golfe. Le détroit d’Ormuz est au cœur des enjeux diplomatiques entre États de la région, comme ce fut le cas lors du conflit Iran-Irak (1980-1988) et de la guerre du Golfe (1991).

25 décembre

Équateur. Guayas. Bidonville de Guayaquil.

Avec 2 millions d'habitants, Guayaquil, en Équateur, est d'un tiers plus peuplée que Quito, la capitale (1,56 million d'habitants). La prospérité de ce grand centre portuaire industriel et commercial, qui contrôle 50 % des exportations et 90 % des importations du pays, a attiré un nombre croissant de migrants venus des campagnes voisines. Un cinquième de la population de Guayaquil vit aujourd'hui dans des bidonvilles dont les maisons sur pilotis sont installées sur des zones marécageuses. Ces quartiers pauvres, où le sol est artificiellement constitué de déchets accumulés par les marées, ne disposent d'aucune infrastructure sanitaire et connaissent d'inquiétants problèmes de salubrité. Au cours des dernières décennies, la population d'Amérique latine a connu le plus fort taux d'urbanisation du monde (passant de 41 % à 77 % de citadins entre 1950 et 1999).

26 décembre

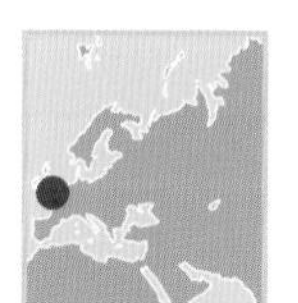

France. Côtes-d'Armor.

Bouchots dans la baie de Saint-Brieuc.

La pêche intensive a raréfié les poissons et les crustacés dans les 800 km² de la baie de Saint-Brieuc au nord de la Bretagne. Elle a été alors remplacée par des fermes aquatiques où l'on élève des saumons, des truites de mer, des huîtres et des moules. Les moules sont fixées en grappes sur des pieux de 2 m de haut – les bouchots – où le rythme des marées les recouvre et découvre alternativement durant les 15 à 24 mois nécessaires pour atteindre une taille suffisante avant d'être cueillies et vendues. Tout comme les animaux domestiques, ces moules entrent en concurrence avec les espèces sauvages qui consomment la même nourriture et risquent à terme de faire disparaître certaines espèces rares, donc de diminuer la biodiversité sur terre. On connaît des exemples analogues dans l'agriculture. Ainsi la culture industrielle des pommes en France a ramené à 26 espèces différentes, les 400 espèces présentes au XIXe siècle et attestées par la littérature. Avec la limitation du trou de l'ozone et de l'effet de serre, la protection de la biodiversité est l'un des trois objectifs majeurs proclamés à la conférence mondiale de Rio sur l'environnement en 1992.

27 décembre

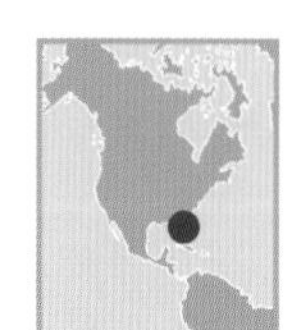

États-Unis. Floride. Pavillons près de Miami.

Plus connue pour son tourisme balnéaire, ses hôtels Art déco et les luxueuses résidences des stars de cinéma, la région de Miami, en Floride, abrite également des banlieues résidentielles aux pavillons sobres mais confortables. Installées sur d'anciennes zones marécageuses qui ont fait l'objet de programmes d'assèchement dès le début du siècle, ces villes champignons répondent à la demande d'une population qui ne cesse de croître. Centre de développement économique, terre d'accueil pour nombre d'exilés et lieu de prédilection des retraités, le comté de Dade, où se trouve Miami, est devenu la région de Floride la plus densément peuplée, avec plus de 2 millions d'habitants. Encore sauvage au début du siècle, la Floride, quatrième État du pays par sa population, compte aujourd'hui 14 millions d'habitants, deux fois plus qu'il y a vingt ans ; 85 % d'entre eux vivent en milieu urbain.

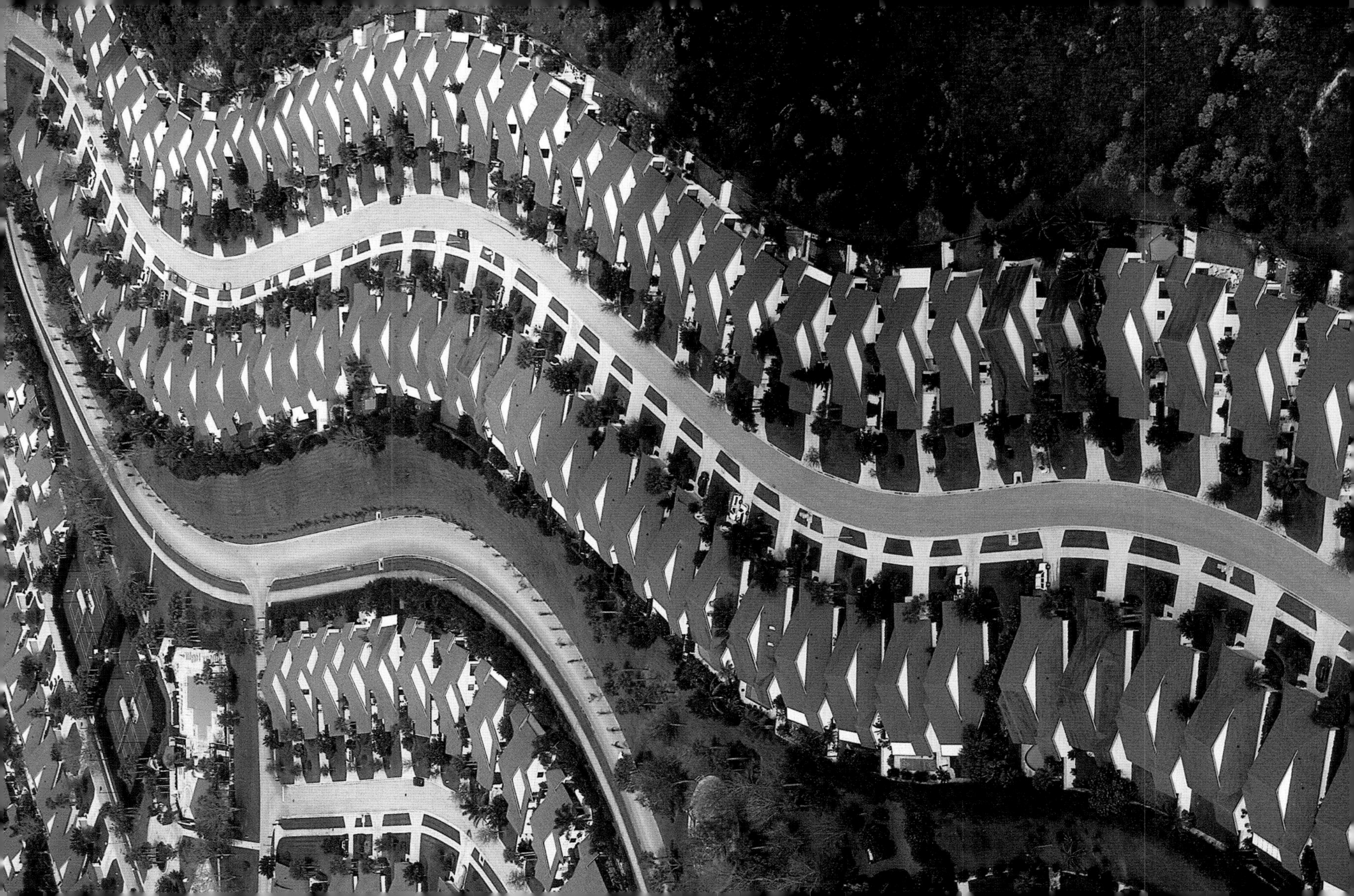

28 décembre

Kenya. Lamu. Village de Faza.

Il est difficile de croire que cette bourgade de 1 500 habitants fut un enjeu important au XVIe siècle. Repaire du pirate turc Mirale Bey, détruite puis reconstruite par les Portugais qui en firent un centre de productions tropicales, Faza contrôla les plantations de Lamu jusqu'à Buur Gaabo au-delà de l'actuelle frontière somalienne. De cette splendeur passée, subsistent une population mélangée (Bajun essentiellement mais aussi Indonésiens, Chinois et Portugais), et de belles maisons recouvertes de macuti au milieu d'une mangrove de palétuviers. Les *dhow*, ces barques traditionnelles, ne transportent plus que des touristes. Les ânes, les vélos, l'absence de voitures et même la traditionnelle fabrication des cordes en fibres de coco (coques enterrées dans la boue qui une fois décomposées sont lavées et tressées) : autant de détails infinitésimaux par lesquels le passé refuse d'être enfoui et toise le présent et par lesquels il peut espérer renaître comme cela est souvent arrivé.

29 décembre

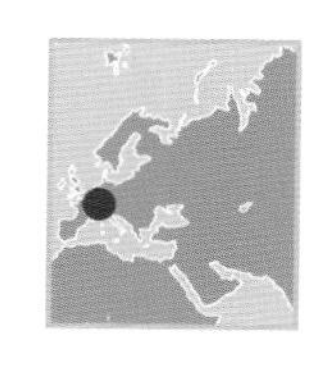

Luxembourg. Vignoble à Remich.

La vigne provient de Crimée et de la Turquie orientale. À l'état sauvage, c'est une plante rampante et grimpante qui peut former d'inextricables maquis sur plusieurs hectares. Au fil du temps, elle a été sélectionnée, puis on a appris à la tailler et enfin, après l'épidémie de phylloxera il y a un siècle, à la greffer sur une espèce voisine, résistante, qui poussait dans les vallées arides des montagnes Rocheuses américaines. Sans toutes ces interventions humaines, les coteaux de Remich sur la Moselle, à la frontière du Luxembourg et de l'Allemagne, ne porteraient pas des vignobles aussi bien entretenus que les parterres d'un jardin d'agrément. La culture de la vigne remonte ici aux grands défrichements du XIe siècle. Le vin blanc et gris qu'on tirait des plants d'alors servait notamment à désinfecter l'eau que l'on buvait dans les villes voisines de Trèves et de Metz. Souvent considéré comme un fléau à cause de l'alcoolisme, le vin a d'abord été un médicament et l'on redécouvre aujourd'hui ses nombreuses propriétés : c'est d'ailleurs dans les régions viticoles de France qu'on vit le plus vieux.

30 décembre

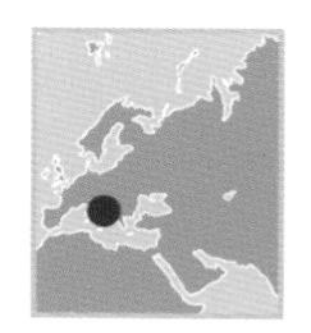

Italie. Vénétie. La lagune de Venise.

La lagune de Venise, qui s'étend sur 500 km^2 entre les côtes italiennes et la mer Adriatique, est la plus vaste zone humide d'Italie. Lieu de rencontre d'eaux douces et salées, ce marécage de limon, d'argile et de sable est particulièrement riche en éléments nutritifs qui permettent le développement d'une multitude d'espèces aquatiques et attirent de nombreux oiseaux. La lagune est aujourd'hui menacée par les pollutions urbaines et industrielles, notamment les hydrocarbures et les métaux lourds. Elle présente aussi une concentration importante en phosphates et nitrates issus de l'agriculture, qui favorisent la prolifération d'une algue verte, l'*Ulva rigida.* Celle-ci engendre un phénomène d'eutrophisation, c'est-à-dire une diminution de la teneur en oxygène des eaux, fatale pour les poissons. Dans les pays industrialisés, la concentration en nitrates des eaux continentales a doublé, voire quintuplé pour certains pays, au cours des trente dernières années.

31 décembre

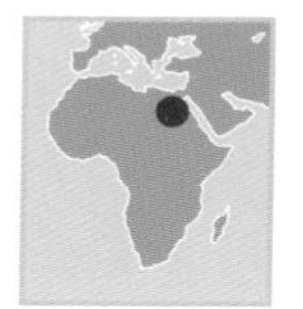

Égypte. Barque sur le Nil.

Deuxième plus long fleuve du monde, le Nil traverse le Soudan et l'Égypte sur 6 671 km. Il est une voie de communication sur laquelle circulent aussi bien de luxueux hôtels flottants pour touristes que de modestes embarcations transportant notamment fourrage et céréales. Pourtant, il reste avant tout la principale ressource hydrique du pays, couvrant 90 % de la consommation d'eau des Égyptiens. Alors qu'autrefois les crues annuelles du Nil ne garantissaient une disponibilité en eau que pendant trois à quatre mois, la construction du barrage d'Assouan, dans les années 1960, a permis, en régulant le débit du fleuve, d'alimenter le pays en eau toute l'année. Cet aménagement engendre cependant des problèmes écologiques importants, puisqu'il prive le fleuve du limon qui fertilisait les terres et compensait l'érosion marine du delta dont le recul varie aujourd'hui de 30 à 200 m par an.

INDEX

Jordanie, 15 mars, 11 juillet, 13 août, 22 septembre, 31 octobre, 16 novembre

K

Kazakhstan, 3 avril, 15 avril

Kenya, 18 janvier, 24 janvier, 31 janvier, 17 février, 21 février, 12 mars, 30 avril, 13 mai, 16 mai, 23 juin, 29 juin, 1er septembre, 7 septembre, 30 septembre, 17 octobre, 23 octobre, 2 novembre, 28 décembre

Koweït, 13 janvier, 24 mai, 13 septembre

L

Luxembourg, 29 décembre

M

Madagascar, 12 avril, 29 juillet, 2 août, 27 septembre, 5 octobre, 8 octobre, 10 novembre, 5 décembre, 21 décembre

Malaisie, 4 juillet

Maldives, 21 mars, 16 août, 8 novembre

Mali, 26 janvier, 23 février, 8 avril, 20 mai, 18 juin, 15 juillet, 3 août, 20 septembre, 20 octobre, 26 octobre, 29 octobre, 22 novembre, 30 novembre

Maroc, 6 janvier, 22 février, 10 mars, 20 mars, 3 mai, 16 juillet, 1er août, 8 août, 15 août, 4 septembre, 16 septembre, 21 septembre, 4 novembre, 13 décembre

Mauritanie, 5 mai, 1er juillet, 3 décembre

Mexique, 30 juin

N

Namibie, 10 février, 17 mars, 9 juin, 9 juillet, 28 juillet, 7 août, 17 août, 25 août, 9 septembre

Népal, 5 janvier, 11 janvier, 28 janvier, 12 février, 30 juillet, 4 août

Niger, 15 janvier, 21 janvier, 14 avril, 26 juillet, 23 septembre

Norvège, 3 février, 10 juillet, 12 août

Nouvelle-Calédonie, 24 septembre, 20 novembre

O

Sultanat d'Oman, 29 janvier, 26 février, 10 août, 24 décembre

P

Pérou, 15 février, 30 mars, 13 juin, 31 juillet, 5 août, 14 août, 29 septembre

Philippines, 30 janvier, 8 mars, 29 mars, 2 juillet, 17 juillet, 6 août, 20 août, 29 août, 21 octobre

Polynésie française, 1er novembre

R

Réunion (La), 9 avril, 2 mai, 22 mai, 11 juin

Royaume-Uni, 20 janvier, 1er mars, 31 mars, 17 mai, 20 juillet, 13 novembre

Russie, 28 mars, 23 avril, 23 décembre

S

Sénégal, 7 mars, 15 mai, 5 juillet

Somalie, 11 avril

T

Thaïlande, 2 mars, 13 mars, 30 août, 18 septembre, 24 octobre, 8 décembre

Tunisie, 13 février, 6 mars, 10 avril, 26 avril, 21 mai, 21 juin, 24 juin, 22 août, 3 septembre, 14 décembre

Turquie, 12 janvier, 6 février, 25 mars, 6 mai, 12 mai, 7 juin, 19 juillet, 28 août, 1er décembre, 12 décembre

U

Ukraine, 17 janvier, 18 décembre

V

Venezuela, 8 février, 19 février, 19 mars, 25 mai, 11 août, 4 octobre, 25 novembre, 17 décembre, 22 décembre

REMERCIEMENTS

UNESCO : M. Federico Mayor, directeur général, M. Pierre Lasserre, directeur de la division des Sciences écologiques, Mmes Mireille Jardin, Jane Robertson, Josette Gainche et M. Malcolm Hadley, Mme Hélène Gosselin, M. Carlos Marquès, M. Oudatchine, de l'Office de l'information au public, M. Francesco di Castri et Mme Jeanne Barbière, de la coordination environnement, ainsi que M. Gérard Huber qui a bien voulu appuyer notre projet auprès de cet organisme.

A l'heure où nous terminons cette page qui nous évoque de bons souvenirs aux quatre coins (!) de la planète, nous craignons d'avoir oublié certains d'entre vous qui nous ont aidés à concrétiser ce projet. Nous en sommes sincèrement désolés et vous remercions tous très chaleureusement. Nous avons également une pensée pour tous les « anonymes » qui ont contribué dans l'ombre à cette folle entreprise.

FUJIFILM : M. Masayuki Muneyuki, Président, MM.Toshiyuki « Todd » Hirai, Minoru « Mick » Uranaka, de Fujifilm à Tokyo, M. Peter Samwell de Fujifilm Europe et Mme Doris Goertz, Mme Develey, MM. Marc Héraud, François Rychelewski, Bruno Baudry, Hervé Chanaud, Franck Portelance, Piotr Fedorowicz et Mmes Françoise Moumaneix et Anissa Auger de Fujifilm France

CORBIS : MM. Stephen B. Davis, Peter Howe, Malcolm Cross, Charles Mauzy, Marc Walsh, Mmes Vanessa Kramer, Tana Wollen et Vicky Whiley

AIR FRANCE : M. François Brousse et Mme Christine Micouleau ainsi que Mmes Mireille Queillé et Bodo Ravoninjatovo

AFRIQUE DU SUD : SATOUR, Mme Salomone South African Airways, Jean-Philippe de Ravel Victoria Junction, Victoria Junction Hotel

ALBANIE : ECPA, Ltd-Colonel Aussavy, DICOD, Colonel Baptiste, Capitaine Maranzana et Capitaine Saint Léger SIRPA, M. Charles-Philippe d'Orléans, DETALAT, Capitaine Ludovic Janot ; Equipages de l'armée de l'air française, MM. Etienne Hoff, Cyril Vasquèz, Olivier Ouakel, José Trouille, Frédéric Le Mouillour, François Dughin, Christian Abgral, Patrice Comerier, Guillaume Maury, Franck Novak, pilotes

ANTARCTIQUE : Institut Français pour la Recherche et la Technologie Polaires ; M. Gérard Jugie ; L'Astrolabe, Capitaine Gérard R. Daudon, S[d] Capitaine Alain Gaston ; Heli Union France, M. Bruno Fiorese, pilote ; MM. Augusto Leri et Mario Zucchelli, Projetto Antartida, Italie Terra Nova

ARGENTINE : M. Jean-Louis Larivière, Ediciones Larivière ; Mmes Mémé et Marina Larivière ; M. Felipe C. Larivière ; Mme Dudú von Thielman ; Mme Virginia Taylor de Fernández Beschtedt ; Cdt Sergio Copertari, pilote, Emilio Yañez et Pedro Diamante, co-pilotes, Eduardo Benítez, mécanicien ; Escadron de la police fédérale de l'air, Commissaire Norberto Edgardo ; Gaudiero Capt. Roberto A. Ulloa, ancien gouverneur de la Province de Salta ; Gendarmerie de Orán, Province de Salta, Cdt Daniel D. Pérez ; Institut Géographique Militaire ; Commissaire Rodolfo E. Pantanali ; Aerolineas Argentinas

AUSTRALIE : Mme Helen Hiscocks ; Australian Tourism Commission, Mmes Kate Kenward et Gemma Tisdell et M. Paul Gauger ; Jairow Helicopters ; Heliwork, M. Simon Eders ; Thaï Airways, Mme Pascale Baret ; les Club Med de Lindeman Island et Byron Bay Beach

BAHAMAS : les Club Med d'Eleuthera, Paradise Island et Columbus Isle

BANGLADESH : M. Hossain Kommol et M. Salahuddin Akbar, External publicity Wing du Ministère des Affaires étrangères, S.E.M. Tufail.K. Haider, ambassadeur du Bangladesh à Paris et M. Chowdhury Ikthiar, premier secrétaire, S.E. Mme Renée Veyret, ambassadeur de France à Dacca, MM. Mohamed Ali et Amjad Hussain de la Biman Bangladesh Airlines ainsi que Vishawjeet, M. Nakada, Fujifilm à Singapour, M. Ezaher du laboratoire Fujimfilm de Dacca, M. Mizanur Rahman, directeur, Rune Karlsson, pilote et J. Eldon. Gamble, technicien, MAF Air Support,

Mme Muhiuddin Rashida, Sheraton Hotel de Dacca, M. Minto

BOTSWANA : M. Maas Müller, Chobe Helicopter

BRÉSIL : Governo do Mato Grosso do Norte e do Sul ; Fundação Pantanal, M. Erasmo Machado Filho et les Parcs Naturels Régionaux de France, MM. Emmanuel Thévenin et Jean-Luc Sadorge ; M. Fernando Lemos ; S.E.M. Pedreira, ambassadeur du Brésil auprès de l'Unesco ; Dr Iracema Alencar de Queiros, Instituto de Proteção Ambiental do Amazonas et son fils Alexandro ; Office du Tourisme de Brasilia ; M. Luis Carlos Burti, Editions Burti ; M. Carlos Marquès, Division OPI de l'Unesco ; Mme Ethel Leon, Anthea Communication ; TV Globo ; Golden Cross, M. José Augusto Wanderley et Mme Juliana Marquès, Hotel Tropical à Manaus, VARIG

CANADA : Mme Anne Zobenbuhler, Ambassade du Canada à Paris et Office du Tourisme, Mme Barbara di Stefano et M. Laurent Beunier, Destination Québec ; Mme Cherry Kemp Kinnear, Office du Tourisme du Nunavut ; Mmes Huguette Parent et Chrystiane Galland, Air Canada ; First Air ; Vacances Air Transat ; André Buteau, pilote, Essor Helicopters ; Louis Drapeau, Canadian Helicopters ; Canadian Airlines

CHINE : Office du Tourisme de Hong Kong, M. Iskaros ; Ambassade de Chine à Paris, S.E.M. Caifangbo, Mme Li Beifen ; Ambassade de France à Beijing, S.E.M. Pierre Morel, ambassadeur de France à Beijing ; M. Shi Guangeng du Ministère des Affaires étrangères, M. Serge Nègre, cervoliste, M. Yan Layma

CÔTE-D'IVOIRE : Vitrail & Architecture ; M. Pierre Fakhoury ; M. Hugues Moreau et les pilotes, MM. Jean-Pierre Artifoni et Philippe Nallet, Ivoire Hélicoptères ; Mme Patricia Kriton et M. Kesada, Air Afrique

DANEMARK : Weldon Owen Publishing, toute l'équipe de production de « Over Europe »

ÉGYPTE : Rallye des Pharaons, « Fenouil », organisateur, MM. Bernard Seguy, Michel Beaujard et Christian Thévenet, pilotes

ÉQUATEUR : MM. Loup Langton et Pablo Corral Vega, Descubriendo Ecuador ; M. Claude Lara, ministère équatorien des Affaires étrangères ; M. Galarza, consulat de l'Equateur en France ; MM. Eliecer Cruz, Diego Bouilla, Robert Bensted-Smith, Parc N[al] des Galapagos ; Mmes Patrizia Schrank, Jennifer Stone, « European Friends of Galapagos » ; M. Danilo Matamoros, Jaime et Cesar, Taxi Aero Inter Islas M.T.B. ; M. Etienne Moine, Latitude 0° ; M. Abdon Guerrero, aéroport de San Cristobal

ESPAGNE : S.E.M. Jesus Ezquerra, ambassadeur d'Espagne auprès de l'Unesco ; les Club Med Don Miguel, Cadaquès, Porto Petro et Ibiza

Canaries : Tomás Azcárate y Bang, Viceconsejería de Medio Ambiente Fernando Clavijo, Protección Civil de las Islas Canarias ; MM. Jean-Pierre Sauvage et Gérard de Bercegol, Iberia ; Mmes Elena Valdés et Marie Mar, Office Espagnol du Tourisme ; *Pays basque :* la présidence du gouvernement basque. M. Zuperia Bingen, directeur, Mmes Concha Dorronsoro et Nerea Antia, département presse et communication de la présidence du gouvernement basque, M. Juan Carlos Aguirre Bilbao, chef de l'Unité des hélicoptères de la police basque (Ertzaintza)

ÉTATS-UNIS : *Wyoming :* Yellowstone National Park, Marsha Karle et Stacey Churchwell ; *Utah :* Classic Helicopters ; *Montana :* Carisch Helicopters, M. Mike Carisch ; *Californie :* Robin Petgrave, de Bravo Helicopters à Los Angeles et les pilotes Miss Akiko K. Jones et Dennis Smith ; M. Fred London, Cornerstone Elementary School ; *Nevada :* John Sullivan et les pilotes Aaron Wainman et Matt Evans, Sundance Helicopters, Las Vegas ; *Louisiane :* Suwest Helicopters et M. Steve Eckhardt ; *Arizona :* Southwest Helicopters et Jim Mc Phail ; *New York :* Liberty Helicopters et M. Daniel Veranazza ; M. Mike Renz, Analar helicopters, M. John Tauranac ; *Floride :* M. Rick Cook, Everglades National Park, Rick et Todd, Bulldog Helicopters à Orlando, Chuck et Diana, Biscayne Helicopters, Miami, le Club Med de Sand Piper ; *Alaska :* M. Philippe Bourseiller, M. Yves Carmagnole, pilote

FRANCE : Mme Dominique Voynet, Ministre de l'Aménagement du territoire et de l'environnement ; Ministère de la Défense/SIRPA Préfecture de Police de Paris, M. Philippe Massoni et Mme Seltzer ; Montblanc Hélicoptères, MM. Franck Arrestier et Alexandre Antunes, pilotes ; Office du Tourisme de Corse, M. Xavier Olivieri ; Comité Départemental du

Tourisme d'Auvergne, Mme Cécile da Costa ; Conseil Général des Côtes d'Armor, MM. Charles Josselin et Gilles Pellan ; Conseil Général de Savoie, M. Jean-Marc Eysserick ; Conseil Général de Haute-Savoie, MM. Georges Pacquetet et Laurent Guette ; Conseil Général des Alpes-Maritimes, Mmes Sylvie Grosgojeat et Cécile Alziary ; Conseil Général des Yvelines, M. Franck Borotra, président, Mme Christine Boutin, M. Pascal Angenault et Mme Odile Roussillon ; CDT des départements de la Loire ; Rémy Martin, Mme Dominique Hériard-Dubreuil, Mme Nicole Bru, Mme Jacqueline Alexandre ; Éditions du Chêne, M. Philippe Pierrelee, directeur artistique ; Hachette, M. Jean Arcache ; Moët et Chandon/Rallye GTO, MM. Jean Berchon et Philippe des Roys du Roure ; Printemps de Cahors, Mme Marie-Thérèse Perrin ; M. Philippe Van Montagu et Willy Gouere, pilote SAF hélicoptères, M. Christophe Rosset, Hélifrance, Héli-Union, Europe Helicoptère Bretagne, Héli Bretagne, Héli-Océan, Héli Rhône-Alpes, Hélicos Légers Services, Figari Aviation, Aéro service, Héli air Monaco, Héli Perpignan, Ponair, Héli-inter, Héli Est ; *La Réunion :* Office du Tourisme de La Réunion, M. René Barrieu et Mme Michèle Bernard ; M. Jean-Marie Lavèvre, pilote, Hélicoptères Helilagon ; *Nouvelle-Calédonie :* M. Charles de Montesquieu ; *Antilles :* les Club Med des Boucaniers et de la Caravelle ; M. Alain Fanchette, pilote ; *Polynésie :* le Club Med de Moorea

GRÈCE : Ministère de la Culture à Athènes, Mme Eleni Méthodiou, délégation de la Grèce auprès de l'Unesco ; Office Hellenique du Tourisme ; les Club Med de Corfou Ipsos, Gregolimano, Hélios Corfou, Kos et Olympie ; Olympic Airways ; Interjet, MM. Dimitrios Prokopis et Konstantinos Tsigkas, pilotes et Kimon Daniilidis ; Meteo Center à Athènes

GUATEMALA & HONDURAS : MM. Giovanni Herrera, directeur et Carlos Llarena, pilote, Aerofoto à Guatemala City ; M. Rafael Sagastume, STP villas à Guatemala City

INDE : Ambassade de l'Inde à Paris, S.E.M. Kanwal Sibal, ambassadeur, M. Rahul Chhabra, premier secrétaire, M.S.K. Sofat, Général de brigade aérienne, M. Lal, M. Kadyan et Mme Vivianne Tourtet ; Ministère des Affaires étrangères, MM. Teki E. Prasad et Manjish Grover ; M.N.K. Singh du bureau du Premier ministre ; M. Chidambaram, membre du Parlement ; Air Headquarters, S.I Kumaran, M. Pande ; Mandoza Air Charters, M. Atul Jaidka Indian International Airways, Cpt Sangha Pritvipalh ; Ambassade de France à New Delhi, S.E.M. Claude Blanchemaison, ambassadeur de France à New Delhi, M. François Xavier Reymond, premier secrétaire

INDONÉSIE : Total Balikpapan, M. Ananda Idris et Mme Ilha Sutrisno ; M. et Mme Didier Millet

IRLANDE : Aer Lingus ; Office National du Tourisme Irlandais ; Capt. David Courtney, Irish Rescue Helicopters ; M. David Hayes, Westair Aviation Ltd

ISLANDE : MM. Bergur Gislasson et Gisli Guestsson, Icephoto Thyrluthjonustan Helicopters ; M. Peter Samwell ; Office National du Tourisme à Paris

ITALIE : Ambassade de France à Rome, M. Michel Benard, service de presse ; Heli Frioula, MM. Greco Gianfranco, Fanzin Stefano et Godicio Pierino

JAPON : Eu Japan Festival, MM. Shuji Kogi et Robert Delpire ; Masako Sakata, IPJ ; NHK TV ; Japan Broadcasting Corp. ; Groupe de presse Asahi Shimbun, M. Teizo Umezu.

JORDANIE : Mme Sharaf, MM. Anis Mouasher, Khaled Irani et Khaldoun Kiwan, Royal Society for Conservation of Nature ; Royal Airforces ; M. Riad Sawalha, Royal Jordanian Regency Palace Hotel

KAZAKHSTAN : S.E.M. Nourlan Danenov, ambassadeur du Kazakhstan à Paris ; S.E.M. Alain Richard, ambassadeur de France à Almaty, et Mme Josette Floch ; Professeur René Letolle ; Heli Asia Air et son pilote M. Anouar

KENYA : Universal Safari Tours de Nairobi, M. Patrix Duffar ; Transsafari, M. Irvin Rozental

KOWEÏT : Kuwait Centre for Research & Studies, Pr Abdullah Al Ghunaim, Dr Youssef ; Kuwait National Commission for Unesco, Sulaiman Al Onaizi ; Délégation du Koweit auprès de l'Unesco, S.E. Dr Al Salem, et M. Al Baghly ; Kuwait Airforces, Squadron 32, Major Hussein Al-Mane, Capt. Emad Al-Momen ; Kuwait Airways, M. Al Nafisy

MADAGASCAR : MM. Riaz Barday et Normand Dicaire, pilote, Aéromarine ; Sonja et Thierry Ranarivelo, M. Yersin Racerlyn, pilote, Madagascar Hélicoptère ; M. Jeff Guidez et Lisbeth

MALAISIE : le Club Med de Cherating

MALDIVES : le Club Med de Faru

MALI : TSO, Rallye Paris-Dakar, M. Hubert Auriol ; MM. Daniel Legrand, Arpèges Conseil et Daniel Bouet, pilote du cessna

MAROC : Gendarmerie Royale Marocaine,

Général El Kadiri et Colonel Hamid Laanigri ; M. François de Grossouvre

MAURITANIE : TSO, Rallye Paris-Dakar, M. Hubert Auriol ; MM. Daniel Legrand, Arpèges Conseil et Daniel Bouet, pilote du cessna ; M. Sidi Ould Kleib

MEXIQUE : les Club Med de Cancun, Sonora Bay, Huatulco et Ixtapa

NAMIBIE : Ministry of Fisheries ; Mission Française de Coopération, M. Jean-Pierre Lahaye, Mme Nicole Weill, M. Laurent Billet et Jean Paul Namibian ; Tourist Friend, M. Almut Steinmester

NÉPAL : Ambassade du Népal à Paris ; Terres d'Aventure, M. Patrick Oudin ; Great Himalayan Adventures, M. Ashok Basnyet ; Royal Nepal Airways, M.JB Rana ; Mandala Trekking, M. Jérôme Edou, Bhuda Air ; Maison de la Chine, Mmes Patricia Tartour-Jonathan, directrice, Colette Vaquier et Fabienne Leriche ; Mmes Marina Tymen et Miranda Ford, Cathay Pacific

NIGER : TSO, Rallye Paris-Dakar, M. Hubert Auriol ; MM. Daniel Legrand, Arpèges Conseil et Daniel Bouet, pilote du cessna

NORVÈGE : Airlift A.S., MM. Ted Juliussen, pilote, Henry Hogi, Arvid Auganaes et Nils Myklebust

OMAN : S.M. le Sultan Quabous ben Saïd al-Saïd ; Ministère de la Défense, M. John Miller ; Villa d'Alésia, M. William Perkins et Mme Isabelle de Larrocha

OUZBÉKISTAN : (pas survolé) Ambassade d'Ouzbékistan à Paris, S.E.M. Mamagonov, ambassadeur et M. Djoura Dekhanov, premier secrétaire ; S.E.M. Jean Claude Richard, ambassadeur de France en Ouzbékistan, et M. Jean Pierre Messiant, premier secrétaire ; M. René Cagnat et Natacha ; M. Vincent Fourniau et M. Bruno Chauvel, Institut Français d'Etudes sur l'Asie Centrale (IFEAC)

PAYS-BAS : Paris-Match ; M. Franck Arrestier, pilote

PÉROU : Dr Maria Reiche et Ana Maria Cogorno-Reiche ; Ministerio de Relaciones Exteriores, M. Juan Manuel Tirado ; Policía Nacional del Perú ; Faucett Airline, Mme Cecilia Raffo et M. Alfredo Barnechea ; M. Eduardo Corrales, Aero Condor

PHILIPPINES : Filipino Airforces ; « Seven Days in the Philippines » par les Editions Millet, Mme Jill Laidlaw

PORTUGAL : le Club Med de Da Balaia

ROYAUME-UNI : *Angleterre :* Aeromega et Mike Burns, pilote ; M. David Linley ; M. Philippe Achache ; Environment Agency, MM. Bob Davidson et David Palmer ; Press Office of Buckingham Palace ; *Ecosse :* Mme Paula O'Farrel et M. Doug Allsop de Total oil marine à Aberdeen ; Iain Grindlay et Rod de Lothian Helicopters Ltd à Edimbourg

RUSSIE : M. Yuri Vorobiov, Vice-ministre et M. Brachnikov, Emerkom ; M. Nicolaï Alexiy Timochenko, Emerkom au Kamtchatka ; M. Valery Blatov, délégation de la Russie auprès de l'Unesco

SAINT-VINCENT & LES GRENADINES : M. Paul Gravel, SVG Air ; Mme Jeanette Cadet, The Mustique Company ; M. David Linley ; M. Ali Medjahed, boulanger ; M. Alain Fanchette

SÉNÉGAL : TSO, Rallye Paris-Dakar, M. Hubert Auriol ; MM. Daniel Legrand, Arpèges Conseil et Daniel Bouet, pilote du cessna ; les Club Med des Almadies et Cap Skirring

SOMALILAND : S.A.R. Sheikh Saud Al-Thani du Qatar ; MM. Majdi Bustami, E. A. Paulson et Osama, bureau de S.A.R. le Sheikh Saud Al-Thani ; M. Fred Viljoen, pilote ; M. Rachid J. Hussein, Unesco-Peer Hargeisa, Somaliland ; M. Nureldin Satti, Unesco-Peer, Nairobi, Kenya ; Mme Shadia Clot, correspondante du Sheikh en France ; Waheed, agence de voyages Al Sadd, Qatar ; Cécile et Karl, Emirates Airlines, Paris

THAÏLANDE : Royal Forest Department, MM. Viroj Pimanrojnagool, Pramote Kasemsap, Tawee Nootong, Amon Achapet ; NTC Intergroup Ltd, M.

Ruhn Phiama ; Mme Pascale Baret, Thaï Airways ; Office National du Tourisme Thaïlandais, Mme Juthaporn Rerngronasa et Watcharee, MM. Lucien Blacher, Satit Nilwong et Busatit Palacheewa ; Fujifilm Bangkok, M. Supoj ; Club Med de Phuket

TUNISIE : M. le Président de la République Zine Abdine Ben Ali ; Présidence de la République, M. Abdelwahad Abdallah et M. Haj Ali ; Armée de l'air, Base de Laouina, Colonel Mustafa Hermi ; Ambassade de Tunisie à Paris, S.E.M. Bousnina, ambassadeur et M. Mohamed Fendri ; Office National du Tourisme Tunisien, MM. Raouf Jomni et Mamoud Khaznadar ; Editions Cérès, MM. Mohamed et Karim Ben Smail ; Hotel The Residence, M. Jean-Pierre Auriol ; Basma-Hôtel Club Paladien, M. Laurent Chauvin ; Centre Météo de Tunis, M. Mohammed Allouche

TURQUIE : Turkish Airlines, M. Bulent Demirçi et Mme Nasan Erol ; Mach'Air Helicopters, MM. Ali Izmet, Öztürk et Seçal Sahin, Mme Karatas Gulsah ; General Aviation, MM. Vedat Seyhan et Faruk, pilote ; les Club Med de Bodrum, Kusadasi, Palmiye, Kemer, Foça

UKRAINE : M. Alexandre Demianyuk, Secrétaire général Unesco ; M. A. V. Grebenyuk, directeur de l'administration de la zone d'exclusion de Tchernobyl ; Mme Rima Kiselitza, attachée à Chornobylinterinform

VÉNÉZUELA : Centro de Estudios y Desarrollo, M. Nelson Prato Barbosa ; Hoteles Intercontinental ; Ultramar Express ; Lagoven ; Imparques ; Icaro, M. Luis Gonzales

Nous remercions également les entreprises qui nous ont permis de travailler grâce à des commandes ou des échanges :

AÉROSPATIALE, MM. Patrice Kreis, Roger Benguigui et Cotinaud

AOM, Mmes Françoise Dubois-Siegmund et Felicia Boisne-Noc, M. Christophe Cachera

CANON, Service Pro, MM. Jean-Pierre Colly, Guy d'Assonville, Jean-Claude Brouard, Philippe Joachim, Raphaël Rimoux, Bernard Thomas, et bien sûr M. Daniel Quint et Mme Annie Rémy qui nous ont si souvent aidés tout au long du projet.

CLUB MED, M. Philippe Bourguignon, M. Henri de Bodinat, Mme Sylvie Bourgeois, M. Preben Vestdam, M. Christian Thévenet

CRIE, courrier express mondial, M. Jérôme Lepert et toute son équipe

DIA SERVICES, M. Bernard Crepin

FONDATION TOTAL, M. Yves le Goff et son assistante Mme Nathalie Guillerme

JANJAC, MM. Jacques et Olivier Bigot, Jean-François Bardy et Michel Viard

KONICA, M. Dominique Brugière

MÉTÉO FRANCE, M. Foidart, Mme Marie-Claire Rullière, M. Alain Mazoyer et tous les prévisionnistes

RUSH LABO, MM. Denis Cuisy, Philippe Ioli, Christian Barreteau

et tous nos amis du labo WORLD ECONOMIC FORUM de Davos, Dr Klaus Schwab, Mme Maryse Zwick et Mme Agnès Stüder

Équipe de « La Terre vue du Ciel », agence Altitude :

Assistants photo : Franck Charel, Françoise Jacquot, Ambre Mayen et Erwan Sourget qui ont suivi tout le projet et tous ceux qui se sont succédé au cours de ces années de vol : Tristan Carné, Christophe Daguet, Stefan Christiansen, Pierre Cornevin, Olivier Jardon, Marc Lavaud, Franck Lechenet, Olivier Looren, Antonio López Palazuelo.

Bureau de coordination :

Coordination de la production : Hélène de Bonis

Coordination de l'édition : Françoise Le Roch'

Coordination des expositions : Catherine Arthus-Bertrand

Chargés de production : Antoine Verdet, Catherine Quilichini, Gloria-Céleste Raad pour la Russie, Zhu Xiao Lin pour la Chine

Rédaction : Danielle Laruelle, Judith Klein, Hugues Demeude et PRODIG, laboratoire de géographie, Mmes Marie-Françoise Courel et Lydie Goeldner, M. Frédéric Bertrand

Documentation iconographique : Isabelle Lechenet, Florence Frutoso, Claire Portaluppi

Toutes les photos de cet ouvrage ont été réalisées sur film Fuji VELVIA (50 ASA). Yann Arthus-Bertrand a travaillé principalement avec des boîtiers CANON EOS 1N et des objectifs CANON série L. Quelques photos ont été réalisées avec un PENTAX 645N et le panoramique FUJI GX 617.

CRÉDITS PHOTOGRAPHIQUES

Toutes les photographies de *365 jours pour la terre*
sont de YANN ARTHUS-BERTRAND sauf :
7 janvier, 21 avril : © GUIDO ALBERTO ROSSI ;
24 février, 17 juillet, 18 octobre : © PHILIPPE BOURSEILLER ;
9 mai : © ALEX MAC LEAN ;
23 mai : © MARINE NATIONALE ;
28 mai : © FRANCK CHAREL ;
22 octobre : © HÉLÈNE HISCOCKS
Toutes ces photos sont distribuées par l'agence Altitude.

Altitude, 30, rue des Favorites - 75015 Paris - France
e-mail : altitude@club-internet.fr
www.yannarthusbertrand.com

Connectez-sur : **www.lamartiniere.fr**

Achevé d'imprimer en octobre 2001 sur les presses de Canale à Turin
Photogravure Quadrilaser 45140 Ormes
Dépôt légal : novembre 2001
Imprimé en Italie
ISBN : 2-7324-2785-3